S0-ACR-833

María

GODLU GRANDES OBRAS DE LA LITERATURA UNIVERSAL

Jorge Isaacs

María

Estudio preliminar y notas de
Alicia María Zorrilla

EDITORIAL KAPELUSZ
MORENO 372 · BUENOS AIRES

I.S.B.N. 950-13-2170-3

Todos los derechos reservados por (©, 1962) EDITORIAL KAPELUSZ S.A. Buenos Aires. Hecho el depósito que establece la ley 11.723.

Tercera edición, febrero de 1980.

LIBRO DE EDICION ARGENTINA. Printed in Argentina.

ÍNDICE

1837   1º de abril. Nace en Cali, Colombia. Su madre, Manuela Ferrer Scarpetta, era criolla, hija de catalán y nieta de napolitano. El padre, Jorge Enrique Isaacs, era un judío inglés que procedía de Jamaica, y se había convertido al cristianismo. Aprende a leer y escribir en Popayán.

1848   Realiza estudios primarios en el Colegio del Espíritu Santo de Bogotá y continúa los secundarios en ese colegio y en los de San Buenaventura y San Bartolomé, hasta 1852.

1853   Regresa a Cali (en *María*, dice que fueron "seis años" de ausencia, pero, en realidad, fueron cinco). Como él lo testimonia en una carta, empieza a "ser soldado" y lucha en la campaña que se hizo en el Cauca contra la dictadura de Melo. Se enrola en las fuerzas leales al gobierno.

1854   Quiere dedicarse al comercio, pero la convulsión política del país no se lo consiente.

1855   Conoce a Felisa González Umaña, joven de catorce años, con quien se casa un año después.

1860   Vuelve a tomar las armas en defensa del gobierno conservador. Reside en la capital del Estado de Antioquia.

1861   Visita a Gregorio Gutiérrez González, radicado en Sonsón, y conoce al poeta Julio Arboleda. Muere su padre. Se hace cargo de los intereses de la familia hasta 1864.

1864   Viaja a Bogotá. Interviene en la tertulia literaria "El Mosaico" y triunfa como poeta. Entonces publica sus *Poesías* como anexo al periódico que edita esa tertulia. Pocos días después regresa al Cauca, donde ya no queda nada de la riqueza paterna. Es nombrado inspector del camino de Buenaventura, en construcción, en las tierras de La Castilla y riberas del Dagua (costa del Pacífico). Comienza a redactar los primeros capítulos de *María*. Enferma de paludismo y se retira a vivir con los suyos a la quinta de El Peñón, en Cali.

1866   El partido conservador lo lleva al Congreso de la República como diputado por su tierra nativa. Viaja a Bogotá, pero ya comienza a sentir simpatía por el bando contrario, los liberales.

1867   Publica los ochocientos ejemplares de *María*, que incluyen un prólogo encomiástico de José María Vergara y Vergara, uno de los fundadores de "El Mosaico".

1868   Dirige, junto a Sergio Arboleda, un semanario conservador, "La República", y publica en prosa *La luna de la velada*.

1870   Es miembro del partido liberal. Ocupa la secretaría de la Cámara en la que había sido diputado conservador. El gobierno nacional lo nombra cónsul en Chile, donde permanece desde 1871 hasta 1872.

1873   Regresa a Colombia. Asociado con Recaredo Miguel Infante compra la hacienda de Guayabonegro, cerca de Cali. Pero la empresa fracasa y se duda de su integridad moral.

1875   Su ruina económica lo lleva a publicar un folleto que salve su honestidad: "A mis amigos y a los comerciantes del Cauca". Es superintendente de instrucción pública. Se va a Popayán; funda escuelas y organiza la enseñanza. Redacta un periódico —*El Programa Liberal*— y es profesor en la Escuela Normal.

1876   31 de agosto. Estalla nuevamente la guerra civil y se distingue como jefe en la batalla de los Chancos.

1877   Reanuda sus funciones en la instrucción pública. Asume la secretaría de gobierno. Luego, abandona ese puesto y ocupa otro en la Asamblea del Estado de Antioquia.

1879   Redacta el periódico *La Nueva Era*, que apoya al presidente del Estado, general Tomás Rengifo.

1880   Los opositores aprovechan la ausencia del presidente Rengifo para tomar el poder. Isaacs se convierte en general y trata de reprimir a los insurrectos con los que, después, sella la paz del Estado de Antioquia. Renuncia a su cargo de Jefe Civil y Militar. Regresa a Bogotá para ocupar su sitio en la Cámara de Representantes, pero es expulsado por haber luchado contra el gobierno nacional. Explica su actuación en el libro *La revolución radical en Antioquia* y pone fin a su carrera política.

1881   Dedica su poema "Saulo" al general Julio Argentino Roca, presidente de la República Argentina, quien lo hace reeditar en Buenos Aires. Regresa a Bogotá; su situación económica es desesperante.

Obtiene un nuevo empleo oficial: secretario de una comisión científica que estudia las regiones inexploradas del litoral atlántico. Inicia la búsqueda de hulla y reúne observaciones etnográficas.

1884 Se publican sus primeros informes en los *Anales de la Instrucción Pública de los Estados Unidos de Colombia*. Desea viajar a la Argentina, pero se lo impide la revolución de 1885, en Colombia.

1887 Escribe el *Estudio sobre las tribus indígenas del Estado del Magdalena, antes provincia de Santa Marta*.

1888 Después de la muerte de dos de sus siete hijos, la familia se radica definitivamente en Ibagüé.

1891 A la muerte de Elvira Silva, hermana de José Asunción, escribe su mejor elegía: "Elvira Silva". Está enfermo. Viaja a Estados Unidos con el objeto de negociar su contrato para la explotación de las minas de carbón que descubrió. Se dedica también a escribir. Uno de los mejores poemas de estos años es "La tierra de Córdoba".

1893 Comienza la redacción de dos novelas históricas sobre el Valle del Cauca: *Fania* y *Camilo o Alma negra*, que no habrá de terminar.

1895 17 de abril. Muere en Ibagüé.

ESTUDIO PRELIMINAR

EL ROMANTICISMO

El Romanticismo europeo

La fecha de aparición de *María* —1867— nos ubica en un siglo que ocupa un lugar destacado en el ámbito de la literatura universal y en un movimiento que tuvo su origen en Alemania: el Romanticismo. Este término, que no se introdujo en Francia *(romantisme)* hasta el siglo XIX, correspondía al alemán *Romantik*, voz más antigua. Se tradujo primero en italiano, y luego en español, por *romanticismo*. *Romantisme, Romantik* o *Romanticismo* siempre designaron una tendencia literaria, una doctrina; a un grupo de escritores, que, generalmente, se oponían a los clásicos y al Clasicismo, es decir, a la autoridad de la norma y de la academia. No en vano Guillermo Díaz-Plaja define este movimiento como "crisis de la Clasicidad"[1].

De todas maneras, la palabra *romántico* no sólo destacó una postura literaria, sino también conservó o adquirió el significado de novelesco o novelero[2], poético, ilusionado, soñador e individualista, porque los escritores alemanes —ya que en ellos se origina el Romanticismo[3]— se inspiraron en las novelas y composiciones del

1 Véase *Introducción al estudio del Romanticismo español*, Editorial Espasa-Calpe, S. A., 3a. edición, Madrid, 1967, pág. 17.

2 "Hablar en romano significaba, antiguamente, en Alemania, hablar como en los libros, que en un principio se escribían en latín y luego en un latín vulgar, rústico, el *Küchenlatein* (latín de cocina) o romano, según la designación de los filólogos. De ahí quedó *Roman* en alemán como equivalente de lo que en castellano se llama novela. Romántico era por eso, en un principio, aquel que decía o escribía cosas que acaecen en las novelas, el novelero, como se diría hoy con término poco académico pero muy preciso." Cahn, Alfredo, *Goethe, Schiller y la época romántica*, Editorial Nova, Buenos Aires, 1960, pág. 100.

3 "...a fines del siglo XVIII, Goethe con su obra *Goetz von Verlichingen* y Klinger con su drama *Sturm und Drang (Exaltación destructora e impulso creador)*, que daría su nombre al movimiento intelectual revolucionario de 1770, inauguran, puede

medievo. Ello originó una exaltación de los valores espirituales de esa época, cuya concepción de vida satisfacía sus ideales y sus más profundas aspiraciones.

Ese individualismo del que hablamos adquirió gran importancia en el Renacimiento, período que se caracterizó por el antropocentrismo[4]. En el siglo XVIII, por su parte, el hombre poseyó una total independencia espiritual, religiosa, política y literaria. Por eso dejó de lado el intelectualismo razonador, a la manera clásica, y exaltó el instinto, el sentimiento, la imaginación y lo intuitivo. Poesía y prosa debían liberarse del racionalismo para abrir los caminos al poder inspirador del sentimiento y a las inquietudes, angustias y anhelos de quienes, insatisfechos con lo existente, buscaban la evasión.

Sustituyó entonces la mitología griega y romana por lo maravilloso medieval, por el mundo sobrenatural cristiano. De esta forma, provocó la ruptura con esa tradición, que el Neoclasicismo había heredado del Humanismo y cuyo fundamento estaba en la imitación de los antiguos. Así triunfó una literatura de carácter sentimental que permitió la participación de las clases menos cultas, en contraposición al Clasicismo, que iba dirigido a un público refinado y escogido.

Esa nueva literatura, cuyos principales representantes fueron: en *Alemania*, Holderlin, Novalis, Heine, Tieck, Schiller y Goethe; en *Inglaterra*, Lord Byron, Wordsworth, Coleridge, Shelley, Keats y Walter Scott; en *Francia*, Chateaubriand, Lamartine, Hugo[5], Musset y Balzac; en *Italia*, Manzoni y Leopardi; en *España*, el Duque de Rivas[6], Larra, Espronceda, Zorrilla y Bécquer,

---

decirse, el romanticismo germánico, preparado por ilustres precursores como Klopstock, Lessing y Herder." Melián Lafinur, Álvaro, *El Romanticismo literario*, Editorial Columba, 3a. edición, Buenos Aires, 1964, pág. 14.

4 El hombre se halla en el centro del mundo renacentista.

5 "...la hora triunfal del romanticismo francés fue la del estreno de *Hernani*, el 25 de febrero de 1830, verdadera batalla victoriosa librada contra los clasicistas (...) y que ha quedado célebre hasta por detalles pintorescos, como el del chaleco rojo que Teófilo Gautier ostentaba en esa ocasión, a manera de enseña desafiante contra los adversarios de Víctor Hugo." Melián Lafinur, Álvaro, *op. cit.*, pág. 13.

6 Con el estreno de *Don Álvaro o La fuerza del sino* se impone el Romanticismo en España. Este movimiento permitió restablecer el vínculo con el teatro del Siglo de Oro (Lope, Tirso, Calderón), cuyas esencias románticas fueron ya reconocidas por la crítica literaria. El Romanticismo español reanudó y desarrolló con tono más moderno las características esenciales del temperamento nacional.

se interesó por el estudio del hombre en su medio, en su contexto histórico, con sus costumbres determinadas, y por lo peculiar de cada pueblo, su folklore (leyendas, tradiciones), su carácter nativo, sus rasgos autóctonos, su color local. Esto explica también el afán de los románticos por viajar.

En síntesis, los caracteres del Romanticismo europeo pueden ordenarse de la siguiente manera:

Exaltación del yo. Constituye la única medida y la única norma. Lo que se valora en ese *yo* es el aspecto afectivo, sentimental, que el romántico proyecta sobre el mundo que lo rodea. Entonces, éste se tiñe de su sensibilidad y se produce lo que llamaríamos individualización del mundo objetivo.

El sentimiento de la naturaleza. Aparece el intercambio espiritual entre la naturaleza y el poeta. Éste la ama libre, sin límites que la avasallen.

La soledad y su búsqueda. Al producirse el contraste entre el mundo soñado y el mundo real, el romántico busca la evasión; entonces, se refugia en la soledad, evoca países lejanos, o bien la desesperanza lo conduce al suicidio. Por eso, dice Díaz-Plaja que "ser romántico consiste en sentirse aparte de la vida normal y suspirar por ella, sin desearla en el fondo"[7], es decir, "vivir fuera del mundo, en una geografía brumosa y una historia desvaída".[8]

Ansias de lejanía. Evasión. Exotismo. La insatisfacción por el mundo conocido vuelca su interés en países extranjeros que ofrecían la novedad de su paisaje, de sus habitantes y de sus costumbres. Este aspecto se relaciona también con el sueño y las visiones que se forja la imaginación en vigilia, visiones del pasado, de lugares lejanos, de futuro.

La noche, la luna y las estrellas. Hacia ellas proyectan los románticos sus ansias de infinito y anhelan develar su misterio.

Gusto por las ruinas. Hay un goce estético en la contemplación de los despojos materiales que la naturaleza va ocultando con el transcurrir del tiempo.

La muerte y el sepulcro. Este tema se identifica plenamente con el de la soledad y los deseos de evasión. La muerte es lo desconocido, lo que supera la realidad en que viven, y por eso la buscan.

7 Véase *op. cit.*, pág. 55.

8 Ibídem.

La religión. Aspiración infinita hacia Dios como fuente de todo lo creado.

El amor y el ideal femenino. Dijimos ya que el Romanticismo implica el triunfo del sentimiento sobre la razón. La mujer es, para el romántico, un ser celestial y, al mismo tiempo, una creación de su subjetividad.

Gusto por lo excepcional y desproporcionado. El escritor romántico quiere asombrar; por eso necesita comunicar la idea de infinito en la que también vuelca su espiritualidad; se une a esto el gusto por lo raro, por lo que excede el orden normal de la naturaleza (hadas, diablos, seres fantásticos, duendes, gnomos, etc.).

Voluntad de gloria. El escritor romántico aspira a ser el centro de la sociedad en que vive; busca el predominio de su "yo" en la vida social.

Valoración de la Edad Media. Dos son los caminos que lo llevan a esta valoración: las ansias de evasión en el tiempo y en el espacio y el Cristianismo.

El sufrimiento. Experimentan un sombrío placer en sentirse sufrir y en analizar su dolor.

El héroe romántico. Su nacimiento, generalmente, es humilde o de origen ignorado. Lo caracteriza el orgullo, la amargura y la cólera; lo envuelve el misterio y su vida está señalada por un destino lleno de peligros. Su fondo es sensible y tierno. Es un ser pasivo, que vacila y tiembla ante la decisión. Ama hasta el paroxismo.

Necesidad de libertad. Ésta se da desde distintos puntos de vista: a) literario (respecto de principios, modelos y preceptos); b) social y moral; c) religioso; d) político.

El Romanticismo en Hispanoamérica

Desde el punto de vista histórico, antes de 1825[9], las colonias españolas de América —con excepción de Cuba y Puerto Rico— lograron su independencia y comenzaron a vivir como naciones libres.

---

[9] El 9 de diciembre de 1824 se libró la batalla de Ayacucho, que señala el fin de las guerras de independencia, el cese de la dominación española y el establecimiento de las repúblicas que fueron sustituyendo a las antiguas colonias.

Este hecho trascendente estimuló una fecunda actividad literaria. Muchos de los hombres que vivieron la lucha emancipadora tenían una sólida formación cultural, en razón de que en algunas de las antiguas colonias la universidad, la imprenta y los debates ideológicos fueron contemporáneos a la colonización europea. Por ende, el hombre de letras, en ocasiones orador o periodista, no pudo eludir la actuación pública.

La labor intelectual se vio, entonces, nutrida no sólo por problemas políticos, sino también religiosos, sociales y culturales.

Después de la independencia, lo que definió el panorama político fue la anarquía y, luego, el despotismo y la guerra civil.

Entre 1850 y 1870 comenzó el período de organización, durante el cual se sancionaron las distintas constituciones nacionales. Por su parte, las clases sociales se perfilaron de acuerdo con las diferencias de poder, riqueza o educación. Se mantuvieron las instituciones republicanas, en tanto que todas las legislaciones de la América Hispánica consagraron la igualdad ante la ley (supresión de privilegios, títulos de nobleza, mayorazgos u honores hereditarios). Además, en todo momento se procuró cimentar la libertad —uno de los más caros ideales del hombre romántico— sobre bases muy firmes.

De acuerdo con el pensamiento de Pedro Henríquez Ureña[10], tres fueron los problemas que se les presentaron a los nuevos gobiernos: la economía pública, la religión y la instrucción. Respecto del primero, tanto las guerras de la independencia como los conflictos civiles provocaron una crisis económica que se ahondó debido a la escasez de población y a la pérdida de las nacientes industrias. La economía mejoró, luego, con el fomento de la agricultura y la ganadería, con la ayuda de capitales extranjeros y el creciente aluvión inmigratorio.

En cuanto a la religión, el mismo proceso político tendió hacia la libertad de cultos en todos los estados americanos, aunque con predominio del catolicismo.

En filosofía, el siglo XIX estuvo dominado por el sistema positivista, que sólo admitía el método experimental y aceptaba como verdadero lo que podía comprobarse mediante la observación. Por eso, la educación recibió la influencia del positivismo francés e

10 Véase *Historia de la Cultura en la América Hispánica*, Fondo de Cultura Económica, 7ª edición (Colección Popular), México, 1964, págs. 73 y sigtes.

inglés[11], en desmedro de la filosofía escolástica[12] colonial, época durante la cual la enseñanza, en todos sus niveles, estaba en manos de la Iglesia.

Desde el punto de vista cultural, Francia fue el modelo. Por eso, dice Emilio Carilla que "España deja de ser el tamiz de la cultura europea que pasa a Hispanoamérica"[13].

Debido a los trastornos económicos y políticos, la arquitectura, la escultura y la pintura perdieron su anterior significación. Los pintores cambiaron los temas: no abandonaron el retrato, característico de la época colonial, pero centraron su atención en los personajes, escenas de costumbres y composiciones históricas; Prilidiano Pueyrredón (1823-1870)[14], en nuestro país, fue un ejemplo de ello.

En cuanto a la escultura, era en su mayoría importada; hasta principios del siglo XIX, los monumentos públicos se confiaron a artistas europeos.

En música, no se interrumpieron las tradiciones coloniales como había sucedido en las artes plásticas. Palestrina[15], Victoria[16], Bach[17]

---

11 Dice Julián Marías que "la mente europea de 1830 encuentra en las ciencias particulares el modelo que ha de trasladar a la filosofía. La física, la biología, la historia van a aparecer como los modos ejemplares de conocimiento. De esta actitud nace el *positivismo*", en *Historia de la Filosofía*, Biblioteca de la Revista de Occidente, 28ª edición, Madrid, 1976, pág. 332.

12 Filosofía de la Edad Media, en que domina la enseñanza de los libros del filósofo griego Aristóteles.

13 Véase *El Romanticismo en la América Hispánica*, Tomo I, Editorial Gredos, S. A. 2ª edición, Madrid, 1967, pág. 48.

14 Nació en Buenos Aires; era hijo del Director Supremo Juan Martín de Pueyrredón. Entre sus principales trabajos figuran: el retrato de *Manuelita Rosas*, el de su padre; *Un domingo en los suburbios de San Isidro; Lavandera en el bajo de Belgrano; Recorriendo la estancia; Un patio porteño en 1850*, etc.

15 Juan Pierluigi (1562-1594), compositor italiano, conocido con el nombre de Palestrina, que tomó de su ciudad natal. Se lo considera el más ilustre representante de la música religiosa.

16 Tomás Luis de Victoria (1540-1607 ó 1608), compositor español. Compuso notables obras religiosas del género polifónico.

17 Juan Sebastián Bach (1685-1750), compositor alemán. La música sagrada era la expresión más adecuada a su naturaleza profundamente religiosa.

y Haydn[18] seguían oyéndose en las iglesias. Las orquestas sinfónicas que se originaron en el siglo XVIII fueron desapareciendo lentamente.

Se ensayaba toda clase de música: sinfonía, cuarteto, sonata, ópera, cantata, misa. La música sacra sobrevivió a la pintura religiosa, porque las iglesias conservaron a sus organistas y maestros de capilla.

Pero no todas las artes detuvieron su evolución; la literatura —como ya dijimos— alcanzó un vasto desarrollo, lo cual permitió que se fundaran nuevas casas editoriales[19] y que se difundiera la labor de escritores cuyas obras honraron y honran las letras de Hispanoamérica.

Esa literatura floreciente continuó ligada a las transformaciones políticas y sociales, de ahí que también se convirtiera en instrumento de combate.

En conclusión, la nueva realidad política plasmó otra concepción de la historia, del arte y de la vida. Por eso, fue éste el momento propicio para que se introdujera el *Romanticismo*, es decir, el primer movimiento literario en la vida libre del Nuevo Mundo[20].

Los primeros atisbos románticos llegaron a los estados del Pacífico a través de dos poetas españoles: Fernando Velarde[21] y José Joaquín de Mora[22]. Velarde hizo conocer su poesía oratoria y grandilocuente en Cuba, Perú, Ecuador, Bolivia, Chile y Guatemala. Mora estuvo en la Argentina hacia 1826; luego, pasó a Chile, Bolivia y Perú. Su primera obra fue *Leyendas españolas*.

Junto a ellos, otros escritores que visitaron o se establecieron

---

18 Francisco José Haydn (1732-1809), compositor austríaco, llamado el Padre de la Sinfonía.

19 Juan María Gutiérrez (1809-1878), investigador y crítico argentino, publica en Santiago de Chile la *América poética* (1846), primera antología de versos castellanos escritos en el Nuevo Mundo durante el siglo XIX.

20 Adviértase la coincidencia entre el momento político y literario, ya que, aproximadamente, hacia 1830 se introdujo el Romanticismo en América.

21 Poeta español (1821-1880). Pasó a América, donde se distinguió por sus polémicas en favor de España. Su obra *La última melodía romántica* lo muestra como excelente poeta, a la vez que lo convierte en ídolo de la juventud literaria americana.

22 Literato y periodista español (1782-1864). Perseguido por sus ideas políticas, se trasladó a América, donde publicó varios periódicos y compuso la mayor parte de sus poesías, entre ellas "El canto fúnebre", "El uno y el otro", "El conde de Castilla don Opas". Para el teatro escribió las comedias *El marido ambicioso* y *El embrollón*.

en América difundieron su literatura nacional como Sebastián Lorente[23], Juan Bautista Arriaza[24] y José Zorrilla[25], entre otros.

En los países del Pacífico, el naciente movimiento romántico se identificó con la declamación y la leyenda, y sus escritores se inspiraron en el romanticismo español.

La costa atlántica miró, sobre todo, hacia Francia. En la Argentina, por ejemplo, comenzó a extenderse el romanticismo francés a través de "Elvira o La novia del Plata", poema de Esteban Echeverría publicado en 1832. Con esta composición las letras de Buenos Aires se anticiparon no sólo a los demás países de lengua castellana, sino también a España, cuya primera obra auténticamente romántica fue publicada en 1833 con el título de *El moro expósito*, del Duque de Rivas[26].

Indudablemente, como todo movimiento literario, el Romanticismo tuvo sus precursores: Juan Cruz Varela (1794-1839), en Argentina; Andrés Bello (1781-1865), en Venezuela, y José María Heredia (1803-1839), en Cuba.

En algunas de las obras de estos poetas surgen los temas que, luego, conformarán el ideario de los románticos propiamente dichos:

La noche, la luna, el presagio, el sufrimiento:

"La espesa sombra de la noche helada,
del rabioso aquilón el silvo horrendo,
la natura en el sueño sepultada,
a la luna las nieblas encubriendo,

23 Poeta español que contribuyó al nacimiento del Romanticismo en el Perú.

24 Poeta español (1770-1837). Sus cantos patrióticos inmortalizaron su nombre: "El dos de mayo de 1808", "La profecía del Pirineo", "Los defensores de la patria" y el "Himno de la victoria". En prosa escribió: *Discursos políticos, De necesidad virtual* y *El fanal de la opinión pública.*

25 Poeta español (1817-1893). Se dio a conocer a la edad de veinte años por unos versos recitados en el entierro de Larra, en 1837, y desde entonces se abrió camino en la prensa y en los medios literarios, hasta que fue coronado como poeta (1889), en Granada. Su producción se clasifica en poesías líricas, leyendas y obras dramáticas. La pieza más popular y persistente de Zorrilla es *Don Juan Tenorio* (1844).

26 Angel Saavedra Ramírez de Baquedano (1791-1865), literato, político, militar y pintor español. Nació en Córdoba. Su primer ensayo romántico fue el poema lírico "El desterrado"; luego, "El sueño del proscripto". Sus dos obras maestras fueron *El moro expósito* y *Don Álvaro o la fuerza del sino*, concebido en Francia, pero estrenado en Madrid, en 1835. Sus *Romances históricos* (1841) constituyen otra obra de gran mérito.

y el triste eco del ave. acostumbrada
a andar entre tinieblas discurriendo;
todo, todo, a esta hora más aumenta
el bárbaro dolor que me atormenta."

(Esteban Echeverría, "La Elvira")

La tarde:

"¡Crepúsculo feliz! Hora más bella
que el alma noche y el brillante día,
¡cuánto es dulce tu paz al alma mía!"

(José María de Heredia,
"En el teocalli de Cholula")

La tierra americana:[27]

"Para tus hijos la procera palma
su vario feudo cría,
y el ananás sazona su ambrosía;
su blanco pan la yuca;
sus rubias pomas la patata educa;
y el algodón despliega al aura leve
las rosas de oro y el vellón de nieve."

(Andrés Bello, "La agricultura de
la zona tórrida")

El indio:

"El salvaje feroz no de otro modo
en clamorosas bombas se lanzaba
del fondo del desierto,
y nuestros ricos campos inundaba.
A la piedad y a la ternura muerto
su corazón ferino, y abrasado
de la sed de rapiña y de matanza,
el brutal indio, rudamente armado

---

[27] "...Juan María Gutiérrez, impregnado de fe romántica y sobre todo de pasión *americanista*, veía en la *Alocución* un primer manifiesto de 'independencia intelectual'...", véase Moríñigo, Mariano, "América en las *Silvas* de Andrés Bello", en *Revista Nacional de Cultura*, Nº 155, Año XXV, Caracas, Venezuela. Noviembrediciembre, 1962, pág. 72.

del fuego, de la flecha, y de la lanza,
volaba en el alípedo caballo,
derramando a torrentes su venganza."

(Juan Cruz Varela, "En el regreso de la
expedición contra los indios bárbaros, mandada
por el coronel D. Federico Rauch")

Estos ejemplos nos permiten afirmar que esta literatura, neoclásica en la forma, poseía ya un fondo prerromántico; la oratoria se entrelazaba con el lirismo, la razón con el sentimiento.

En Hispanoamérica, la literatura romántica adquirió una fisonomía peculiar. La misma exaltación de la individualidad y el haberse independizado de España políticamente despertaron en los románticos del Nuevo Mundo la necesidad de crear una literatura propia, nacional, que los representara con autenticidad. Así lo sintió Mármol cuando escribió:

"América es la virgen que sobre el mundo canta,
profetizando al mundo su hermosa libertad;
y de su tierna frente la estrella se levanta
que nos dará mañana radiante claridad."

(José Mármol, "La América")

De ahí que se hable de un evidente antihispanismo[28] que, en realidad, no tuvo las dimensiones con que algunos intentan caracterizarlo, pues no podemos olvidar que nuestros escritores leyeron y recibieron la influencia de Larra, Espronceda[29], Bécquer, el

28 Dice Juan María Gutiérrez: "Nula, pues, la ciencia y la literatura española, debemos divorciarnos completamente con ellas, y emanciparnos a este respecto de las tradiciones peninsulares, como supimos hacerlo en política, cuando nos proclamamos libres. Quedamos aún ligados por el vínculo fuerte y estrecho del idioma; pero éste debe aflojarse de día en día, a medida que vayamos entrando en el movimiento intelectual de los pueblos adelantados de la Europa. Para esto es necesario que nos familiaricemos con los idiomas extranjeros, y hagamos constante estudio de aclimatar al nuestro cuanto en aquéllos se produzca de bueno, interesante y bello", en "Fisonomía del saber español: cuál deba ser entre nosotros", discurso incluido en *El Salón Literario*, Librería Hachette, Buenos Aires, 1958, pág. 145.

29 No puede considerarse mera coincidencia que el título de la obra de Echeverría, *La Cautiva*, sea el mismo que el de la canción de Espronceda e, incluso, que ambas comiencen con la misma referencia temporal: "Ya el sol esconde sus rayos,/El mundo en sombras se vela,/El ave a su nido vuela", véase Espronceda, José de, *Poesías y El estudiante de Salamanca*, Editorial Espasa-Calpe, S.A., 2ª edición, Madrid, 1933, pág. 110.

Duque de Rivas y Zorrilla. También es innegable, como lo aclaramos antes, que Francia ocupó un lugar de preferencia en el ámbito cultural del Romanticismo hispanoamericano.

A pesar de ello, América no quería ser Europa, sino dar a conocer su distinta realidad. Esa postura personal, ese acendrado americanismo, comprometió, sin duda, a los escritores en la búsqueda de una definición de sus respectivos países y de sus hombres, a través de la creación literaria. Y así lo hicieron Esteban Echeverría, José Mármol, Domingo Faustino Sarmiento, Bartolomé Mitre, José Hernández, Estanislao del Campo, Juan María Gutiérrez, Lucio V. Mansilla, en Argentina; Gabriel de la Concepción Valdés (Plácido), José Jacinto Milanés, Gertrudis Gómez de Avellaneda, Cirilo Villaverde, en Cuba; José Antonio Maitín, Juan Antonio Pérez Bonalde, Rafael María Baralt, en Venezuela; José Eusebio Caro, Julio Arboleda, Gregorio Gutiérrez González, Rafael Pombo, Eugenio Díaz, Jorge Isaacs, en Colombia; Juan Montalvo, en Ecuador; Alejandro Magariños Cervantes, Juan Zorrilla de San Martín, en Uruguay; Carlos Augusto Salaverry, Manuel Ascencio Segura, Ricardo Palma, en Perú; Fernando Calderón, Ignacio Rodríguez Galván, Ignacio Manuel Altamirano, Juan de Dios Peza, en México; Mercedes Marín de Solar, Eusebio Lillo, Guillermo Blest Gana, José Victoriano Lastarria, Luis Orrego Luco, en Chile.

Señalemos, entonces, en sus creaciones literarias los elementos que conforman aquella definición:

El sentimiento de la naturaleza. El romántico hispanoamericano ya no evoca paisajes lejanos ni imagina otros nuevos, pues necesita mostrar al mundo su tierra, a la que ama fervorosamente.

> "Era la tarde, y la hora
> en que el sol la cresta dora
> de los Andes. El desierto
> inconmensurable, abierto
> y misterioso a sus pies
> se extiende..."

(Esteban Echeverría, *La Cautiva*)

Y ese amor se dilata desde las cordilleras inasequibles hasta las llanuras infinitas.

El valor de la historia. Mientras el Romanticismo europeo manifestaba preferencia por el tema histórico, en Hispanoamérica sólo tuvieron importancia las obras que tomaron la historia como base para definir su nacionalidad. Ejemplo acabado de ello son las *Tradiciones Peruanas*, de Ricardo Palma.

"El licenciado don Cristóbal Vaca de Castro, nacido en Mayorga en 1492, hallábase en 1540 ejerciendo el cargo de oidor en la Audiencia de Valladolid, cuando llegó a España la nueva del triste fin de don Diego de Almagro el Viejo y de las turbulencias habidas en el nuevo reino de Granada entre Benalcázar y Andagoya. El emperador, después de investir a Vaca de Castro con el hábito de Santiago, lo comisionó para venir a poner orden en estos sus reinos del Perú y Nueva Granada, y examinar las acusaciones levantadas contra Pizarro y el adelantado Benalcázar."

(Ricardo Palma, "Una carta de Indias")

El indianismo[30], que llegó de Francia con *Atala*, de Chateaubriand, fue el símbolo del nacimiento de América. En Uruguay tuvo como forma favorita la leyenda.

Zorrilla de San Martín nos habla de él en *Tabaré:*

"Es el indio imposible, el extranjero,
el salvaje con lágrimas;
la última gota de una sangre fría,
que aún no ha bebido la sedienta pampa."

(Canto Quinto)

En Argentina fue el porvenir y no la historia el que contribuyó a conformar la esencia de lo nacional, pues el indio era la fuerza que debía exterminarse. La visión despectiva del salvaje desapareció con *Una excursión a los indios ranqueles*, de Lucio V. Mansilla, quien asumió su defensa.

Cuando Mármol definió a América como "la prometida tierra del bello porvenir" ("La América"), pensaba, sin duda, también en su patria, en ese mismo mañana promisorio al que Sarmiento no quería renunciar.

El héroe. Poseía cualidades muy determinadas: valiente, noble, antisocial, libre, solitario, melancólico; luchaba contra los abusos de la autoridad y contra la injusticia.

Para corroborar tales características debemos recurrir a un personaje de nuestra literatura: el gaucho. Con él surge nuestra línea gauchesca, pues el Romanticismo exaltó lo popular.

---

30 Debemos hacer una diferencia entre indianismo e indigenismo, pues mientras el primero implica evocación y proyección hacia el pasado, idealización del indio, el segundo se refiere a la realidad concreta e inmediata, al salvaje como realidad social.

v. 25

"Mas ande otro criollo pasa
Martín Fierro ha de pasar;
Nada lo hace recular,
Ni las fantasmas lo espantan,
Y dende que todos cantan
Yo también quiero cantar."

v. 1470

"Me encontraba, como digo,
En aquella soledá,
Entre tanta escuridá,
Echando al viento mis quejas,
Cuando el grito del chajá
Me hizo parar las orejas."

(José Hernández, *Martín Fierro*)

El tema familiar. Como bien lo señala Emilio Carilla, es característico en los románticos hispanoamericanos.

"Tengo en el valle de mi vida un lirio:
Mi dulce hija: placidez, candor;
Luz en la noche triste del martirio,
Perla del mar en que se hundió mi amor."

(Carlos Guido Spano,
"A mi hija María del Pilar")

El amor a la patria:

"Y rueda el coche, y detrás de él las horas
deslízanse ligeras,
sin yo sentir que el pensamiento mío
viaja por el país de las quimeras,
y sólo hallan mis ojos sin mirada
los incoloros senos del vacío...
De pronto, al descender de una hondonada.
¡Caracas! ¡Allí está!', dice el auriga,
y súbito el espíritu despierta
ante la dicha cierta
de ver la tierra amiga.
¡Caracas! ¡Allí está!' Sus techos rojos,
sus blancas torres, sus azules lomas,
y sus bandas de tímidas palomas
hacen nublar de lágrimas mis ojos."

(Juan Antonio Pérez Bonalde,
"Vuelta a la patria")

23

El tema político. Las disidencias internas que siguieron a las luchas de emancipación dieron origen a los proscriptos cuyos cantos reflejaron la triste condición del desterrado.

> "¡Sí, consuelo del proscripto!
> ¡Oh, jamás aquí le faltes!
> ¡Ay, de cuanto el triste llora,
> Si es posible, veces hazle:
> Patria, amigos, madre, hermanos,
> Tiernos hijos, dulce amante;
> ¡Cuánto amé, cuánto me amaba
> Vas tú sólo a recordarme!
> Nunca, nunca, pues, me dejes:
> ¡Sígueme a mis soledades!
> ¡No abandones al proscripto
> Sin que al fin su tumba excaves!
> ¡Por el mango hundida en tierra,
> Tu hoja se alzará en los aires,
> De los picos de los buitres
> Defendiendo mi cadáver!
>   ¡Ay! tú me entretenías
>   En mi niñez:
>   ¡Sepúltame en los días
>   De mi vejez!"

(José Eusebio Caro, "El hacha del
proscripto")

Ideales de libertad y de progreso:

> "Dormiste el sueño de pesados siglos,
> siempre ignorando, resbalaste en calma;
> siendo tus ondas de la acción el alma,
>   tu noche larga fue.
> Rompa tu sueño secular el hombre;
> tu margen pueble de ciudades bellas;
> marque en tus bosques el vapor sus huellas;
>   ¡despierta, Mamoré!..."

(Ricardo José Bustamante,
"Preludio al Mamoré")

Costumbres del campo y de la ciudad:

> "Buscando en donde comenzar la roza,
> de un bosque primitivo la espesura
> treinta peones y un patrón por jefe
> van recorriendo en silenciosa turba.

24

Vestidos todos de calzón de manta
y de camisa de coleta cruda,
aquél a la rodilla, ésta a los codos
dejan sus formas de titán desnudas."

(Gregorio Gutiérrez González,
"Memoria sobre el cultivo de maíz
en Antioquia")

Actitud frente al arte. Como los románticos europeos, manifiestan su decisión de liberarse de las reglas neoclásicas; por eso, no aceptan la clasificación de los géneros literarios, combinan la poesía con la prosa y modifican la coordinación de metros y estrofas.

Cultivan el cuento, la tradición, la autobiografía, la novela histórica e indianista, el drama y la poesía.

Luchan por lograr su originalidad. De aquí deriva el pensamiento de Echeverría:

"El romanticismo no reconoce forma ninguna absoluta; todas son buenas con tal que representen viva y característicamente la concepción del artista."

(Esteban Echeverría, "Fondo y forma en
las obras de imaginación")

y agrega:

"Así, pues, el Romanticismo, fiel al principio inconcuso de que la forma es el organismo de la poesía, deja al ingenio obrar con libertad en la esfera del mundo que ha de animar con su *fiat*. Ni le corta las alas, ni lo mutila, ni le pone mordaza, y se guarda muy bien de decirle: esto harás y no aquello, pues lo considera legislador y soberano y reconoce su absoluta independencia; sólo le pide obras *poéticas* para admirarlas, obras escritas con la pluma de bronce de la inspiración romántica y cristiana."

(Esteban Echeverría, *Ibídem*)

La lengua. Surge la preocupación por tener una lengua propia. La índole espiritual del Romanticismo provocó la introducción de palabras cuyo contenido estaba relacionado con los estados del alma: *frenesí, suspiro, errabundo, delirio, fantásticos.* También influyeron las características de la vida social: *progreso, luces.*

En este momento se introducen los *americanismos*, es decir, voces propias de los .pueblos americanos, especialmente de los de habla española: *bagual*[31], *ñanga*[32] *guambía*[33], *tembo*[34].

Otras particularidades de la lengua romántica son:

Arcaísmos o palabras anticuadas: *tristura, cuasi, noramala, mientra.*

Galicismos o vocablos y giros de procedencia francesa: *romancista* (novelista), *igualizar* (igualar), *réussie*[35] (acertada), *boudoir* (saloncito íntimo de las damas), *spécimen* (espécimen).

Anglicismos o palabras y giros de origen inglés: *plantaciones* (colonias), *dandy, crack, highlife, clubman.*

Neologismos o voces nuevas que crean los escritores por necesidad, para explicar con mayor precisión sus pensamientos: *cascabelear*[36], *escopetear*[37], *europeificación, cuequear* (bailar la cueca).

La literatura gauchesca, además, procura destacar la expresión regional, rustica y arcaizante del gaucho, lo cual da nacimiento a la llamada lengua gauchesca:

v. 85

"Nací como nace el *peje,*
En el fondo de la mar;
Naides me puede quitar
Aquello que Dios me dio:
Lo que al mundo *truje* yo
Del mundo lo he de llevar."

(José Hernández, *Martín Fierro*)

El exotismo. El indio y el negro se convirtieron en dos temas románticos por excelencia a través de los cuales el escritor hispanoamericano asumió —con excepción de algunos nombres— la de-

---

31 "Indómito", "cimarrón". Es una voz pampa que significa "caballo".

32 "Engaño" (en el norte de Argentina); "terreno pantanoso" (en América Central); "en vano, inútil" (en Colombia); "descuidadamente" (en Chile).

33 Especie de mochila (en Colombia y Venezuela).

34 "Aturdido" (en Colombia).

35 Galicismo usado por Miguel Cané (h.) en *Juvenilia.*

36 Ya aparece registrada en el *Diccionario de la Real Academia Española.*

37 Ibídem.

fensa de la libertad de ambos. Corrobora esta postura la novela *Sab*, de la escritora cubana Gertrudis Gómez de Avellaneda (1814-1875).

Ansias de evasión en el tiempo:

> "No me asustan la orilla ni el río;
> yo me voy más allá de mis años,
> y entre cielos y mundos extraños
> vivo tiempos que están por venir."

(José Mármol, "Al Plata")

A pesar de esos "cielos y mundos extraños" de los que habla Mármol, los románticos hispanoamericanos estaban muy arraigados —como ya dijimos— a su tierra natal; por eso, no podemos señalar como una constante la evasión en el espacio.

El tema medieval no los inspiró, porque era ajeno a la realidad americana; en cambio, el de la conquista iluminó muchas páginas meritorias.

Así lo recuerda la "Profecía de Guatimoc", del poeta mexicano Ignacio Rodríguez Galván (1816-1842):

> "De oro y telas cubierto y ricas piedras
> un guerrero se ve; cetro y penacho
> de ondeantes plumas se descubre; tiene
> potente maza a su siniestra, y arco
> y rica aljaba de sus hombros penden...
> ¡Qué horror!... Entre las nieblas se descubren
> llenas de sangre sus tostadas plantas,
> en carbón convertidas; aún se mira
> bajo sus pies brillar la viva lumbre;
> grillos, esposas y cadenas duras
> visten su cuerpo, y acerado anillo
> oprime su cintura, y para colmo
> de dolor, un dogal su cuello aprieta.
> 'Reconozco —exclamé—, sí, reconozco
> la mano de Cortés, bárbaro y crudo.
> ¡Conquistador! ¡Aventurero impío!
> ¿Así trata un guerrero a otro guerrero?
> ¿Así un valiente a otro valiente?...', dije,
> y agarrar quise del monarca el manto;
> pero él se deslizaba, y aire sólo
> con los dedos toqué."

Los otros temas citados —el yo, el amor, la muerte, la religión, las ruinas, el atardecer, la noche, la luna, las estrellas, el ideal femenino, la soledad— coinciden con los del Romanticismo europeo.

Ese intento de transmitir a través de la obra la idiosincrasia de sus respectivos países, contribuyó a la formación del concepto de literatura hispanoamericana[38].

Las generaciones románticas

Desde el punto de vista metodológico, distribuiremos el movimiento romántico en tres generaciones:

1) Comprende a los nacidos entre 1810 y 1820. Es una generación polémica, cuya acción coincide con la penetración del Romanticismo. En sus obras predominan: lo sentimental, el color local, el tema político-social, el periodismo político y panfletario, el relieve costumbrista. Abundan los líricos.

Son ejemplos: Maitín, Echeverría, Sarmiento, Arboleda, Caro, entre otros.

2) Sus representantes nacen entre 1830 y 1840. Esta generación, que se destaca por su espíritu de organización y su índole polemista, centra su interés en el hombre y sus problemas. En el aspecto formal, adquiere importancia la prosa.

Son ejemplos: Montalvo, Palma, Altamirano, Hernández, *Jorge Isaacs*, entre otros.

3) Los escritores de esta generación nacen alrededor de 1850 o después. Cultivan el verso y la prosa y permanecen un tanto ocultos "por los albores y triunfo del modernismo". Por eso, se los suele considerar como una prolongación de la segunda generación.

Son ejemplos: Pérez Bonalde, Zorrilla de San Martín, González Prada, Almafuerte, entre otros.

El Romanticismo en Colombia

El respeto por la tradición del idioma y el lirismo son los elementos que caracterizan a la literatura colombiana, cuyo romanticismo recibió la influencia de la literatura contemporánea espa-

---

[38] Hispanoamérica, como Europa, tuvo sus batallas literarias entre los partidarios de los preceptos clásicos y los que defendían las innovaciones románticas. Las tres más importantes fueron las que se llevaron a cabo en Chile, en 1842. Sus protagonis-

ñola a través de la cátedra universitaria y de obras románticas europeas recibidas de Caracas, importante centro cultural de la época. Otra nota distintiva de este movimiento es su alejamiento de todo exceso, su equilibrio basado en el estudio del humanismo clásico y en la cuidada formación literaria en la que solían fundirse lo antiguo con lo moderno.

El año 1840 marca la cumbre del Romanticismo colombiano, que, según Enrique Anderson Imbert, "se mostró en relámpago, no como luz sostenida".

Al igual que. el resto de los países, donde el escritor era sólo estimulado por los grupos literarios constituidos con la intención de defender la literatura nacional (el *Salón Literario*, en Buenos Aires; la *Academia Letrán*, en México; la *Sociedad Literaria*, en Chile; un *Ateneo*, en Uruguay), Colombia fundó el suyo en los años 50 y se llamó *El Mosaico*. Su nombre señalaba claramente la idea de reunir expresiones literarias diversas, pero armoniosas, respetando la libertad de cada autor.

Las tendencias de *El Mosaico* eran bien definidas y expresaban siempre el sentimiento de la naturaleza, el lirismo descriptivo, el arte clásico, la exploración de la realidad nacional con el apoyo del viejo método costumbrista. La autoridad del escritor José María Vergara y Vergara posibilitó que este grupo literario diera incentivo a la prosa y financiara la publicación de dos importantes novelas: *Manuela* (1866), de Eugenio Díaz Castro, quien sugirió el título de la revista romántica que lleva el mismo nombre del grupo, y *María* (1867), de Jorge Isaacs.

MARÍA

Título de la novela. Su significado

> "María y el mar y el mar y María jugaban en mi corazón al juego profundo de las alas y de las olas, al juego que juegan aves y naves con las hondas ondas, al juego de partir al albur y esperar a la orilla del amor..."
>
> Francisco Luis Bernárdez

tas: J. M. Núñez, Domingo Faustino Sarmiento, Salvador Sanfuentes, Jotabeche, A. García Reyes y Vicente Fidel López.

Imaginemos una ventana construida con pequeños cristales de todos colores y detrás de ella, hacia el exterior, un paisaje: varios árboles, un río, el cielo, un camino. Ese paisaje, creación absoluta de Dios, se ofrece al observador a través de esta vidriera policroma bajo distintos aspectos.

Si trasladamos estos datos sencillos al ámbito de la literatura comprenderemos claramente las correspondencias: cada cristal puede representar un movimiento literario y, por ende, una época histórica, una postura filosófica, una ubicación geográfica, que constituyen, en definitiva, el color con que el escritor ve esa realidad, a la que también podemos llamar vida. Ésta puede interpretarse como el tema de inspiración, o bien como el impulso generador de su futuro trabajo. De ahí que el mismo paisaje aparezca en la obra literaria como simple escenario de una situación determinada o como fiel reflejo de un alma que se hermana con él hasta espiritualizarlo.

La arquitectura de la ventana podría asimilarse —continuando con la metáfora— a la forma literaria escogida por el escritor para llevar a cabo su obra. Vista a través de uno de los cristales de colores, la realidad-vida que nos ofrece Jorge Isaacs en *María* asume los caracteres del Romanticismo y la estructura literaria de una novela, que el narrador realiza de modo tradicional. Es, pues, una narración, cuya acción se compone de sucesos verosímiles; los personajes tienen nombre y ascendencia; el tiempo es cronológico, no perturba la continuidad de los hechos, es decir, no quiebra la linealidad estructural (introducción, nudo, desenlace); el espacio está minuciosamente descripto; nosotros, los lectores, nos dejamos conducir dócilmente por el narrador, y, por último, después de su lectura, todo ha concluido; el final se cierra. Podríamos decir con Juan Ramón Jiménez: "¡No le toques ya más / que así es la rosa!".

Aunque *María* es expresión tardía de la novela romántica, presenta esas notas que ya hemos estudiado y que son comunes a todos los románticos hispanoamericanos.

Rubén Darío la definió así: "Es una flor del Cauca, cultivada según los procedimientos de la jardinería sentimental del inefable Bernardino (de Saint-Pierre). Es el 'Pablo y Virginia' de nuestro mundo... Dos generaciones enteras se han sentido llenas de Efraínes y Marías".

Las palabras del gran poeta nicaragüense nos permiten afirmar que la obra refleja la influencia de la novela sentimental francesa:

Adolfo, de Constant[39]; *La nueva Eloísa*, de Rousseau[40]; *Graziella*, de Lamartine[41]; *Atala*, de Chateaubriand[42]; *Pablo y Virginia*, de Saint-Pierre[43]. Sobre todo estas dos últimas han dejado sus huellas en la del escritor colombiano.

La lectura de *Atala* une los corazones de María y Efraín en una sola emoción, pues en ella van descubriendo, como en un espejo, su propia historia. Y esa relativa coincidencia argumental es la que encontramos también en la novela de Saint-Pierre, que cumple semejante función a *Atala*, y en *Graziella*, de Lamartine.

Quizá una investigación más detenida nos permitiría hallar otras posibles fuentes en la biblioteca de Efraín (Cap. XXII).

Sin duda, *María* ya late en las *Poesías*, obra que Isaacs publicó en 1864 y que no alcanzó el brillo de aquélla. Por ejemplo, en el poema "Mayo", dedicado a su fiel perro, leemos: "De mi furor salvóle / Siempre María: / Yo era tan malicioso / Y ella tan linda!".

Se puede considerar a la novela como un poema en prosa o una novela poemática; su autor la llama "poema de mi corazón". También Lamartine definió a *Pablo y Virginia* como "hermoso poema del corazón".

Estas caracterizaciones nos conducen a clasificarla como una novela lírica. Desde nuestro punto de vista, en *María* los elementos narrativos se aproximan a la función del poema. Es novela y poesía al mismo tiempo:

— El mundo narrado se reduce a un punto de vista lírico: el "yo" del poeta; se vivencia una confesión personal;

---

39 Enrique Benjamín Constant (1767-1830). Literato y orador francés. Escribió, además de *Adolfo*, *Tratado de la doctrina política* y *Los efectos del terror*.

40 Juan Jacobo Rousseau (1712-1778). Filósofo y escritor ginebrino. Fue relojero y músico. Entre sus obras figuran: *Confesiones, Emilio, El contrato social* y *La nueva Eloísa*.

41 Alfonso María Luis de Prat de Lamartine (1790-1869). Literato y político francés. Se dio a conocer en 1820 con sus *Primeras meditaciones poéticas*, que lo consagraron como gran poeta, y a las que siguieron *La muerte de Sócrates* y *El último canto de Child Harold*, que le abrieron las puertas de la Academia. También escribió novelas: *Graziella, Rafael, La caída de un ángel, Confidencias* y otras.

42 Francisco Renato, Conde de Chateaubriand (1768-1848). Escritor francés, que después de sufrir una vida de azares y miserias en países extranjeros, de regreso a su patria publicó *El Genio del Cristianismo*. Compuso, después, *Atala, René, El último Abencerraje* y *Los mártires*. En su último año escribió sus *Memorias de ultratumba*.

43 Jacobo Enrique Bernardino de Saint-Pierre (1737-1814). Escritor francés, autor de *Pablo y Virginia*.

31

— ese "yo" y ese mundo se funden, de ahí que las imágenes de la naturaleza —escenario poético de los amantes— reflejen los intensos sentimientos de Efraín y de María: el paisaje es parte de sus mundos interiores;

— toma, pues, de la poesía lírica, la expresión de emociones;

— aparecen objetos simbólicos —cartas, flores, anillos, rizos— que actúan como imágenes para retratar el "quid" del argumento; además, el empleo de cartas (Capítulos LIV, LV, LVI) en la narración es un medio para suscitar verosimilitud y describir también los sentimientos;

— es reveladora la escena en que María y Efraín ven su propia imagen en *Atala*, pues esta obra de Chateaubriand brinda la sensibilidad de un protagonista en elevado lenguaje poético;

— lo inalcanzable —la realización plena del amor en la boda— se convierte en un ideal ("...entonces el amor que nacía, y ya el amor sin esperanza."); los cuadros en que aparecen los protagonistas o sus encuentros lo destacan durante el transcurso de la narración;

— como en la poesía, *María* logra a través de las imágenes una intensidad gradual que se enlaza con el hilo narrativo hasta alcanzar su clímax con la muerte de la joven; el tiempo transcurre, suceden hechos, pero sabemos que la trama tiene como finalidad una progresión lírica más decisiva, pues esos sucesos se contienen unos en otros y ese tiempo, implacablemente señalado por el reloj, se torna subjetivo, íntimo.

Ha escrito Lamartine en *Graziella:* "Toda familia es una historia que puede convertirse en un poema para el que sabe hojearla".

Respecto del título de la novela, sabemos que la literatura romántica europea revalorizó el tema mariano en sus obras. Fue tan importante la referencia de Herder[44] a la figura de María como "idea propia" de la Edad Media, como el descubrimiento del motivo de la Madona por la pintura romántica.

A. G. de Schlegel[45], el creador de la lírica mariana romántica,

---

44 Juan Godofredo Herder (1744-1803). Filólogo y escritor alemán, autor de obras de filosofía y literatura y de una epopeya titulada *El Cid.*

45 Augusto Guillermo de Schlegel (1767-1845). Escritor alemán. Vivió en Suiza y publicó allí, entre otras obras, su *Curso de arte y literatura dramática.* Más tarde tradujo diversas obras de Calderón de la Barca y diecisiete dramas de Shakespeare.

ve en María la redención del sexo femenino. Federico de Schlegel[46] celebró a la Virgen como la encarnación de su concepto del amor en una época apartada de Dios.

Novalis[47], en 1800, realiza la equiparación mística de la Madre del Señor con la amada muerta.

Brentano[48], en 1852, venera en sus obras la fuerza propiciatoria de María y su poder de purificación del amor.

Otros la consideraron la potencia creadora maternal y el símbolo de la virginidad.

El título de la novela de Isaacs no es gratuito, pues se une a un fondo religioso que domina toda la narración. Indudablemente, la protagonista no es la representación de la Virgen María, pero se advierte, en varias secuencias, la intención del narrador de exaltar la semejanza que tiene la joven con la santa imagen de la Madre de Jesús que se halla en el oratorio (Capítulos XXXI y XXXVII). Además, los niños de la casa recogían para el altar y para ella rosas de Castilla (Cap. XXIV).

La religiosidad, que es uno de los hitos románticos, se ilumina con la guía segura de Nuestra Señora, refugio en el que María encuentra la paz para sus tribulaciones ("—Porque siempre que le cuento a la Virgen que estoy triste ella me oye.").

Es, pues, un nombre significativo —sobre todo, por la raza a la que pertenece la protagonista— que engendra el plano espiritual de la novela. Más aún si atendemos a su etimología: Myriam o Maryam —raíz verbal mer-mar-amar— y del nombre hebreo Yam-Yahvé, "la que ama a Dios" o "la amada de Yahvé".

El nombre ha adquirido, además, diversos significados: "Señora", "la hermosa", "estrella de mar", "mirra del mar", "gota del mar", "amargura del mar", "mar amargo". Estas acepciones nos recuerdan las palabras que Fray Marcos Salmerón escribe en *El*

---

46 Federico de Schlegel (1772-1829). Literato alemán, hermano de Augusto. Como éste, cultivó la crítica, la filología y la poesía, y se distinguió también por su patriotismo; con sus libros y conferencias influyó mucho en el movimiento intelectual alemán.

47 Jorge Federico, Barón de Hardenberg (1772-1801). Literato alemán, conocido por Novalis. Su propensión a la melancolía influyó notablemente en sus obras, entre las que sobresale la colección *Himnos a la noche*.

48 Clemente Brentano (1778-1842). Poeta y prosista alemán. Escribió *Sátiras y juegos poéticos*, *La fundación de Praga*, *Ponce de León* y *La imagen de piedra*.

Príncipe Escondido (Med. III, V): "Mucho se parecen en el nombre el mar y María, pero más se parecen en el rendimiento a Dios".

La María romántica padece ese amor que presiente irrealizable (Cap. L), llora en silencio el alejamiento de Efraín (Cap. XLVII) y sufre por sus semejantes, quienes siempre necesitan de su serenidad, de su paz, de su ternura, para templar su espíritu abatido ("...y se disputaban su dulce afecto.").

Su "mar" es el mismo tiempo que agosta sus alegrías; la vida que el Señor le señala y ella acepta ("...de nada me quejo..."), porque ésa es Su Voluntad ("¡Ay! Yo podría morirme conforme dándole mi último adiós."). La naturaleza alaba a Dios en su plenitud y en su decadencia, y María no olvida nunca que la oración es el mayor alimento del alma cristiana y que el dolor es también muestra de ese sentimiento amoroso que el Padre nos profesa con predilección suma.

No sabemos si esa persona a la que hace referencia el título de la obra existió o no. Algunos críticos sostienen que sólo es producto de la imaginación de Isaacs. Enrique Anderson Imbert recuerda la evocación que hace el novelista colombiano de un primer amor anterior a su esposa, Felisa González Umaña, en "La luna de la velada" ("¿Qué de los castos deleites y lágrimas de un amor primero? ¡Recuerdos de un adiós y un último beso, humedecido por el llanto de esos ojos que por mí tanto han llorado! ¡Cuántos ensueños de gloria en vano perseguidos! ¿Qué habla a mi corazón de una tumba solitaria y sin sombra, en medio de una llanura que cubren aromas y zarzales?").

También recuerda a María el poema que le dedicó a Felisa en 1860 ("No habrá tal vez quien guarde, / si ausente muero, / estas hebras preciosas / de sus cabellos / a un ramo asidas, / sin color ni perfume... / ¡Pobre Felisa!").

Haya existido o no, María, el nombre más poético en el lenguaje humano, es el símbolo de una adolescencia universal, pura, sana, virgen, que cumple el precepto bíblico: "El don que cada uno haya recibido, póngalo al servicio de los otros, como buenos administradores de la multiforme gracia de Dios". (Epístola I de San Pedro, 4, 10.)

Así la vemos pequeña, casi indefensa, pero con una poderosa vocación de renunciamiento ("Estréchalo por mí en tus brazos y dile que en vano luché por no abandonarlo..., que me espantaba más su soledad que la muerte misma, y...").

Vive por amor y para dar amor y muere por amor, para alcanzar por Él, Amor Supremo, la verdadera vida.

Tema y argumento

El *tema* de la novela se ha enunciado de distintas maneras, pero siempre sobre una misma base real: el amor y la muerte.

Arturo Torres Rioseco nos dice que es el idilio de dos almas jóvenes que se encuentran en la primavera de la vida; la alegría del amor interrumpido y de la muerte de la juventud y la belleza.

Raimundo Lazo afirma que en *María* "hay el idilio de sus protagonistas impulsado por la moderna fatalidad romántica hacia el dolor que sella la muerte".

Robert Bazin nos habla de un idilio juvenil que se destaca tanto por su pureza como por su pasión y es interrumpido por la muerte.

En el capítulo LXIV de la novela, Isaacs lo plantea, quizá, sin proponérselo: "...diálogo de inmortal amor dictado por la esperanza e interrumpido por la muerte".

En síntesis, el tema gira en torno a un amor casto que nace y se ofrece esperanzado a Dios, y muere sin el gozo de haber logrado su plenitud en la tierra, para perpetuar su gloria en la eternidad.

El *argumento* es sencillo. Después de completar sus estudios secundarios en Bogotá, Efraín, hijo de un judío converso de Jamaica, regresa al Valle del Cauca a la casa de sus padres. Allí se reencuentra con María, la joven judía que había dejado niña al partir, y nace en ambos un amor sereno y puro que dulcifica cada instante de sus jóvenes vidas.

Las continuas emociones que suscita este sentimiento en el alma de María provocan la aparición de una enfermedad incurable que hereda de su madre y pone en peligro su relación con Efraín, a quien el padre le ruega que no aliente esperanzas en ella.

Ante la realidad de esta unión, aparentemente indestructible, aquél decide enviarlo a Londres con el objeto de que el joven estudie medicina. El viaje se cumple y María queda sumida en el dolor. A pesar de sus esfuerzos, la angustia por la ausencia querida favorece el mal que la aqueja y muere sin haber logrado su mayor deseo: ver por última vez a Efraín. Cuando éste llega a su tierra, a instancias de su familia, sólo halla los recuerdos de María y una tumba de la que huye estremecido ante la aparición del ave negra, símbolo del funesto fin de su amor.

El punto de vista del narrador

Para determinar con exactitud este aspecto del análisis, debemos recurrir a la "Dedicatoria a los hermanos de Efraín". La primera oración ya nos sugiere la existencia de un narrador-Isaacs que supuestamente ha conocido al protagonista de la novela y que ha tenido en sus manos "el libro de sus recuerdos", sobre la base del cual compuso "la historia" de su adolescencia, como "testimonio de mi gratitud y de mi afecto".

La noche de su muerte, Efraín, ante sus hermanos, confió a su amigo, fiel conocedor de su vida ("...podrás leer hasta lo que mis lágrimas han borrado"), la valiosa tarea de completar su "diario" ("Lo que aquí falta tú lo sabes..."), de dar forma acabada a sus memorias ("Leedlas, pues, y si suspendéis la lectura para llorar, ese llanto me probará que la he cumplido fielmente."). De ahí que, en ningún momento se pierda el sentido del recuerdo:

> "Si las que derramo aún, al *recordar* los días que precedieron a mi viaje, pudieran servir para mojar *mi pluma al historiarlos;* si fuera posible a mi mente, tan sólo una vez, por un instante siquiera, sorprender a mi corazón todo lo doloroso de su secreto para revelarlo, *las líneas que voy a trazar* serían bellas para los que mucho han llorado, pero acaso funestas para mí." (Cap. LIII)

Por eso, no resulta extraño que la narración se desarrolle en la primera persona protagonista, pues la elección de este punto de vista responde al intento de dar mayor efecto de autenticidad a los hechos y de reproducir con fidelidad aquel "libro de recuerdos". El "yo"-Efraín que los preside, enlaza lo autobiográfico ("yo"-Isaacs) con lo objetivo, porque, en realidad, ficción y verdad forman un todo coherente, armonioso. *María* no es, pues, una novela autobiográfica, sino subjetiva.

En cambio, el narrador-Isaacs identificó su "yo" con el de Efraín al firmar un prólogo (Leyendo "María") que contiene los elementos sobresalientes de su obra y anticipa el carácter lírico de la misma:

> "¡No tardes en volver, alma mía! Ven pronto a interrumpir mi sueño, bella visionaria, adorada compañera de mis dolores. Trae humedecidas tus alas con el rocío de las patrias selvas, que yo enjugaré amoroso tus plumajes; con las esencias de las flores desconocidas de sus espesuras, venga perfumada la tenue gasa de

tus ropajes, y cuando ya aquí sobre mis labios suspires, despierte yo creyendo haber oído susurrar las auras de las noches de estío en los naranjos del huerto de mis amores."

y al introducir sus reflexiones dirigiéndose al lector:

"¡Ah! ¡Los que no habéis llorado de felicidad, así llorad de desesperación si ha pasado vuestra adolescencia, porque así tampoco volveréis a amar ya!" (Cap. VI)

En ningún momento se pierde el punto de vista adoptado y es tal la verosimilitud que Efraín quiere dar a sus recuerdos que hasta reproduce textualmente las palabras de su hermana Emma:

" '—Creí —decíame Emma— que al cortar la primera trenza iba a mirarme tan dulcemente como solía si, reclinada la cabeza en mi falda, le peinaba yo los cabellos. Púselas al pie de la imagen de la Virgen, y por última vez le besé las mejillas. Cuando desperté dos horas después ya no estaba allí.' " (Cap. LXII)

El espacio

"Vistos en alto relieve, los Andes semejan un descomunal lagarto de plateada cresta, que de vez en cuando se permite la molicie de algunas regiones planas, no muchas, y que pasado el hercúleo cuello se trifurca como uno de aquellos animales fantásticos del imprevisible Jorge Luis Borges. La cabeza comienza en el Nudo de los Pastos, donde nacen las tres cordilleras de Colombia, y donde virtualmente se decreta el divorcio de las aguas de todos los grandes ríos del país. Entre las cordilleras Central y Occidental, y una vez que se deja atrás la elevada nava donde Popayán levanta sus altas torres y pensamientos, se abre el valle del río Cauca, verde como una esmeralda, cúyo jardín fuera el río que le da su nombre. Sin exageración, estamos ante una de las maravillas de la naturaleza tropical." Sirvan estas palabras de Alfonso Bonilla Aragón para presentar el escenario en que se desarrolla la novela. Así lo vio también Isaacs:

"Los resplandores que delineaban hacia el Oriente las cúspides de la cordillera central doraban en semicírculos sobre ella algunas nubes ligeras que se desataban las unas de las otras para alejarse y desaparecer. Las verdes pampas y selvas del valle, se veían como al través de un vidrio azulado, y en medio de ellos algunas cabañas blancas, humaredas de los montes recién quemados elevándose en espiral y alguna vez las revueltas de un río. La cordillera de Occidente, con sus pliegues y senos, semejaba mantos de terciopelo azul oscuro suspendidos de sus centros por manos de genios y velados por las nieblas." (Cap. IX)

El paisaje del Valle del Cauca —"el nativo valle"—, cuyo cielo, horizontes, pampas y cumbres "hacen enmudecer a quien los contempla", muestra en armoniosa comunión el alma de los enamorados y la realidad vegetal de Colombia. Indudablemente, el tratamiento romántico del mismo nos lo devuelve humano, sensible, espiritualizado. Es otro personaje; por eso, dice Isaacs que impera casi solo. Su corazón late al unísono con los de María y Efraín ("—María —me decía, atento a los quedos susurros, respiros de aquella naturaleza en su sueño—, María se habrá dormido...") y repite, a través de la magnificencia de las imágenes, sus diálogos de amor y de lágrimas ("Aquellas soledades, sus bosques silenciosos, sus flores, sus aves y sus aguas, ¿por qué me hablaban de ella? ¿Qué había allí de María en las sombras húmedas, en la brisa que movía los follajes, en el rumor del río?...").

Ha dicho Baldomero Sanín Cano que Isaacs "sentía la naturaleza candorosamente y los adornos del estilo le pertenecen como sus sentimientos".

En ese "Cauca jadeante" —como lo llamó el novelista colombiano— cada imagen es la revelación de un estado emocional, la pincelada que coloreará un cuadro subjetivo y eglógico al mismo tiempo ("En medio de aquella naturaleza sollozante mi alma tenía una triste serenidad.").

Se describe lo que se siente más que lo que se ve ("Las grandes bellezas de la creación no pueden a un tiempo ser vistas y cantadas: es necesario que vuelvan al alma empalidecidas por la memoria infiel.").

El argumento aparece como engarzado en el paisaje, pero éste también lo asalta y se impone con toda su exuberante libertad. Es un paisaje barroco que se solaza con los blandos acentos románticos, pero conserva los colores del barroco americano (blanco, verde).

Ha escrito Lamartine, en *Graziella*: "La naturaleza habla la misma lengua de aquellos que conviven con ella en la montaña o en el mar".

Naturaleza virgen que la tierra próspera propaga como don del Cielo:

> "Bajé por la vega montuosa del río por el mismo sendero por donde lo había hecho tantas veces seis años antes. El trueno de su raudal iba aumentando, y poco después descubrí las corrientes, impetuosas al precipitarse en los saltos, convertidas en espumas hervidoras en ellos, cristalinas y tersas en los remansos, rodando siempre sobre un lecho de peñascos afelpados de musgos, orlados en la ribera por iracales, helechos y cañas de amarillos tallos, plumajes sedosos y semilleros de color púrpura.
>
> Detúveme en la mitad del puente formado por el huracán con un cedro corpulento, el mismo por donde había pasado en otro tiempo. Floridas parásitas colgaban de sus ramas y campanillas azules y tornasoladas bajaban en festones desde mis pies a mecerse en las ondas." (Cap. IX)

que se transforma en Edén por milagro del amor, hasta asumir la protección maternal ("La naturaleza es la más amorosa de las madres cuando el dolor se ha adueñado de nuestra alma y si la felicidad nos acaricia, ella nos sonríe."), y anunciar la muerte de María:

> "La luna grande y en su plenitud, descendía ya al ocaso, y al aparecer bajo las negras nubes que la habían ocultado, bañó las selvas distantes, los manglares de la ribera y la mar tersa y callada con resplandores trémulos y rojizos, como los que esparcen los blandones de un féretro sobre el pavimento de mármol y los muros de una sala mortuoria." (Cap. LVII)

para convertirse, por fin, en la última esperanza de recuperar al ser amado:

> "...yo había recorrido el huerto llamándola, pidiéndosela a los follajes que nos habían dado sombra, y al desierto que en sus ecos solamente me devolvía su nombre." (Cap. LXIII)

Pero no siempre la visión de la naturaleza es romántica, sino también realista, sobre todo, cuando Isaacs nos habla de su flora y de su fauna.

La novela transcurre en la hacienda "El Paraíso" —"la hacienda de la sierra", "la casa paterna" ("Antes de ponerse el sol ya había yo visto blanquear sobre la falda de la montaña la casa de mis padres."). En ese lugar se desarrolla el tema de la obra. De allí parte Efraín hacia Bogotá, pero a ella regresa alegre, con "el supremo placer que conmovía a una naturaleza virgen".

La hacienda de la sierra protege su amor por María; es su confidente. La deja nuevamente para emprender su viaje a Londres, y se reencuentra con ella triste, abatido, desesperanzado, con el temor de enfrentarse con la desgracia.

Finalmente, la recorre solitario buscando entre las sombras la imagen de María ("¡Inolvidable y última noche pasada en el hogar donde corrieron los años de mi niñez y los días felices de mi juventud!").

La naturaleza que rodea la casa —espacios abiertos—, su huerto, donde Efraín veía tan bella a la joven, alternan con sus distintas habitaciones —espacios cerrados—: el comedor, el salón, el cuarto de Efraín, el costurero, la alcoba de María, el oratorio. Algunos son descriptos con verdadera minuciosidad:

> "El cuarto quedaba en el extremo del corredor del frente de la casa; su única ventana tenía por la parte de adentro la altura de una mesa-cómoda; en aquel momento, estando abiertas las hojas y rejas, entraban por ella floridas ramas de rosales a acabar de engalanar la mesa, en donde un hermoso florero de porcelana azul contenía trabajosamente en su copa azucenas y lirios, claveles y campanillas moradas del río. Las cortinas del lecho eran de gasa blanca, atadas a las columnas con cintas anchas de color rosa, y cerca de la cabecera, por una fineza materna, estaba la Dolorosa pequeña que me había servido para mis altares cuando era niño. Algunos mapas, asientos cómodos y un hermoso juego de baño completaban el ajuar." (Cap. III)

o enmarcan la figura inocente y pura de María (Cap. XXVII). El oratorio corrobora ese fondo religioso que posee la novela y pone de relieve el tema romántico de la mujer-ángel. Allí María reza sus fervorosas oraciones a la Virgen; allí Efraín se despide de aquélla y la besa; en ese lugar la velan y él vuelve desconsolado para pedírsela a Dios ("Iba a buscarla allí donde mis brazos la habían estrechado, donde por primera vez mis labios descansaron sobre su frente...").

Por último, el cementerio de la aldea lo enfrenta con la muerte ("A la hora y media me desmontaba a la portada de una especie de huerto, aislado en la llanura y cercado de palenque...").

Los episodios secundarios, pero anexos al tema, se llevan a cabo en la casa de José, el montañés antioqueño (Cap. IX), en la hacienda del padre de Emigdio (Cap. XIX), en la casita de la chacra (Cap. XLVIII), en la casa de Carlos (Cap. XLVIII), en las haciendas del Valle (Capítulos V, XL, LXII), en la cabaña de Braulio (LI), en la casa del negro Bibiano (Cap. LVII). También en ellos los espacios abiertos alternan con los cerrados, pero, sin duda, en toda la obra predominan los primeros, tanto es así que hasta descubrimos importantes correspondencias entre las selvas y el amor pleno y la ansiedad de no perderlo ("Aquel cantar armonizaba dolorosamente con la naturaleza que nos rodeaba; los tardos ecos de esas selvas inmensas repetían sus acentos quejumbrosos, profundos y lentos."); y, en contraste, entre el desierto y la calma, el silencio, las ilusiones de Efraín ("...aquel silencio solemne que rodea los desiertos en su último sueño, sueño siempre profundo..."); el desierto es cómplice de su "deliciosa ilusión".

No olvida tampoco Isaacs el nombre de lugares geográficos: Ambalema, Bogotá, Buga, Buenaventura, Cali, Cartagena, Chocó, Kingston, Majagual, Jamaica, Quibdó, Panamá, ni el de los ríos: Dagua, Zabaletas, Nima, Atrato, Amaine; montañas: Huila, Morrillos; o golfos: Darién, Urabá.

La única ciudad que realmente no conoció, porque nunca salió de América, fue Londres. De ahí su exigua descripción:

> "La inmensa ciudad, rumorosa aún y medio embozada por su ropaje de humo, semejaba dormir bajo los densos cortinajes de un cielo plomizo." (Cap. LIV)

En síntesis, advertimos en *María* un paralelismo espacial que se relaciona con los dos grandes hitos sentimentales: el amor y la muerte:

41

El tiempo

Dice Lamartine que "el tiempo es un gran mar que, como el otro, desborda de recuerdos humanos". Y esos recuerdos son los que ordena el narrador, amigo de Efraín, en forma cronológica.

La primera oración de la novela ya nos ubica en el tiempo:

"Era yo niño aún, cuando me alejaron de la casa paterna..." (Cap. I)

Esto sucede en 1848, cuando Efraín parte hacia Bogotá para estudiar en el colegio del Espíritu Santo. A partir de esta referencia, se precisan, con verdadera exactitud, las horas, las fechas, los días, las semanas, los meses, los años y las estaciones, es decir, hay una preocupación por señalar el transcurso del tiempo físico. Por ejemplo, leemos:

"*El catorce de enero*, víspera del día en que debía dejarnos, *a las siete de la noche*, y después de haber trabajado juntos *algunas horas*..." (Cap. XLVII)

"Pasados *seis años*, *los últimos días* de un lujoso *agosto*..." (Cap. II)

"El sol no desmentía ser de *verano*." (Cap. LVII)

"En *la madrugada* del *sábado* próximo..." (Cap. V)

"*Tres semanas* habían corrido desde mi regreso..." (Cap. LXII)

También describe minuciosamente el amanecer, el mediodía, la tarde, el crepúsculo y la noche (Capítulos XXXIII, XLV, XLVI, LVI).

Respecto de las horas que pasan inexorablemente en la novela, es interesante observar la importancia que tiene la presencia del reloj que materializa ese tiempo:

"Acababa de dar las doce *el reloj* del salón." (Cap. XV)

"...dio las dos *el reloj;* él *había medido* también las horas de aquella noche angustiosa, víspera de mi viaje; él *debía medir* las de la última que pasé en la morada de mis mayores." (Cap. LXIV)

La linealidad temporal se advierte, sobre todo, en los capítulos que se refieren a la enfermedad del padre de Efraín (XXXVI y

XXXVII). En ellos, el tiempo asume el papel de protagonista de la narración, pues solo él crea ese ambiente de angustia en que se mueven los personajes. De él depende la salvación del padre:

> "Mi madre volvió a ver si lo que durante *una hora* se había estado haciendo producía algún efecto consolador, pero logramos convencerla de que el doctor estaba lleno de esperanzas para *el día siguiente...*" (Cap. XXXVII)

Los hechos se suceden en orden; las situaciones se encadenan; tanto es así que una es producto de la otra. Tropezamos, pues, con pocos "raccontos"; a través de este recurso, el novelista desarrolla en varias páginas los momentos del pasado que influyen más en la situación de los protagonistas:

> 1) cuando Salomón, primo del padre de Efraín, le entrega a éste a su hijita Ester (María, después del Bautismo) (Cap. VII);
>
> 2) cuando narra cómo su padre conoce a Nay (Cap. XLIII);
>
> 3) cuando Emma, hermana de Efraín, le refiere los últimos días de María, "la historia" de "sus últimos momentos y sus últimas palabras" (cap. LXII)

Se reconoce, además, la existencia de dos secuencias temporales: la que nos ubica en el momento en que Efraín escribe esos recuerdos (presente del narrador) y la de la narración propiamente dicha de la que él es protagonista (pasado del narrador):

> "Ya no volveré a admirar aquellos cantos, a respirar aquellos aromas, a contemplar aquellos paisajes llenos de luz, como en los días alegres de mi infancia y en los hermosos de mi adolescencia: ¡extraños habitan *hoy* la casa de mis padres!" (Cap. XXXIII)

Efraín también proyecta su tiempo de adolescente hacia un futuro, cuando piensa en la posible muerte de su padre:

> "Durante una hora desfilaron en mi imaginación todos los cuadros horrorosos que vendrían en pos de una desgracia, en la cual no podía detenerme a pensar sin que se contrajera mi corazón dolorosamente." (Cap. XXXVI)

o hacia el pasado, cuando teme la muerte de María:

> "Los más dulces recuerdos, los más tristes presentimientos volvieron a disputarse mi corazón en aquellos instantes para reanimarlo o entristecerlo." (Cap. LVII).

Descubrimos la vivencia subjetiva del tiempo:

> "Un grito, grito mío, interrumpió aquel sueño: la realidad lo turbaba celosa, *como si aquel instante hubiese sido un siglo de dicha...*" (Cap. LXIV)

Como escribe Lamartine en *Graziella*, "sabía en un minuto vivir una existencia".

El uso de los verbos es el que determina el punto de vista temporal del narrador. En la novela de Isaacs, el pretérito indefinido crea los límites de lo narrado y contribuye a mantener ese orden que dibuja la estructura lineal de aquélla, pues es el tiempo acabado el que señala, realmente, lo que fue y ya no será:

> "Sonaron las tres. El ruido del reloj hizo hacer un ligero movimiento a María como para incorporarse; pero fue más poderoso otra vez el sueño que su voluntad." (Cap. XXXVII)

El empleo del pretérito imperfecto, en cambio, asegura la continuidad de los hechos: sucedieron, pero perduran aún:

> "La contemplaba yo poseído de una ternura inmensa, y mis ojos vueltos algunas veces hacia el lecho de mi padre, tornaban a buscarla, porque mi alma estaba allí, acariciando su frente..." (Cap. XXXVII)

Pero también hay un tiempo del amor. Efraín sufre su próximo viaje a Inglaterra, pero sabe que quedan "aún más de tres meses de felicidad", antes de su partida ("María se atrevió a mirarme un instante, y esa mirada me lo reveló todo: ¡aún no habían pasado todos nuestros días de felicidad!").

El tiempo del amor transcurre sin que Efraín y María lo adviertan ("...aquellas horas no medidas en que el alma parece esforzarse por volver al cielo que aún no ha podido olvidar."). Al despertar a la realidad, lo padecen:

> "Todo me pareció tan triste y silencioso después que desapareciste en la bajada, que tuve más miedo que nunca a ese día que se

acerca, que llega, sin que sea posible evitarlo ya... ¿Qué haré? Dime, dime qué debo hacer para que estos años pasen." (Cap. L)

porque saben que, "como las de dolor, las horas de placer se van. Si alguna vez nos fuese concedido detenerlas, María hubiera logrado hacer más lentas las que antecedieron a nuestra despedida. Pero ¡ay!, todas sordas a sus sollozos, ciegas ante sus lágrimas, volaron y volaban prometiendo volver..." Aquí también se transforma en protagonista.

Desde los últimos días de agosto hasta el 30 de enero, ese sentimiento que los une encuentra correspondencia en los distintos ciclos de la naturaleza: en verano, plenitud del amor; en invierno, separación de los enamorados.

El tiempo del amor, detenido aquel 30 de enero, en que María ve partir a Efraín, vuelve a fluir ante la esperanza de su regreso:

"Ya puedo contar los días, porque cada uno que pasa acerca más aquel en que he de volver a verte." (Cap. LVI)

En el capítulo LXII, las horas van anticipando el final de la protagonista, hasta que a "las cinco de la tarde" de ese mes de julio se apaga su vida. En ese mismo mes, la luz de "un moribundo crepúsculo", que ilumina apenas la carta temblorosa de María, le presagia a Efraín su muerte (Cap. LVI). El color de aquélla ("amarillenta") nos hablará después del tiempo que pasó.

Adviértase, además, que en la novela la luz, la mañana, se identifica con la esperanza y la ilusión; en cambio, la oscuridad, la noche, con la idea de lo irrecuperable. De ahí, el principio y el final de la misma.

Los dos regresos de Efraín al Valle del Cauca se producen a fines de agosto, pero son antitéticos: el primero, para amar a María; el segundo, para llorar su muerte. Durante el primero, permanece cinco meses, pues el amor de María hace que ese tiempo merezca ser vivido allí. Durante el segundo, apenas unas semanas, pues ella ya no está y su permanencia carece de sentido. Por eso, ya no le es penoso partir hacia Europa el 18 de septiembre.

María es, como bien dice Enrique Anderson Imbert, un "drama de almas que viven en el tiempo".

Estructura temporal de la novela

Efraín narra, aproximadamente, dos años de su vida.

1848 - Parte del *Valle del Cauca*.

BOGOTÁ - *Seis años* ("Seis años ha vivido como estudiante, y le faltan por vivir así otros cinco cuando menos." Cap. XXVII)
Desde el punto de vista autobiográfico, permaneció *cinco años* en Bogotá.

1853 ó 1854. Fines de agosto. Llega al *Valle del Cauca.* Los tres años de prosperidad de Isaacs y su familia (1855 a 1858) quedan resumidos en *cinco meses* de vacaciones ("Hace ya tres meses que estás con nosotros, y solamente pasados dos más..." Cap. XVI).

1854 ó 1855. 30 de enero. Parte del *Valle del Cauca.*

LONDRES - Permanece, aproximadamente, *un año y cuatro meses* ("Durante un año tuve dos veces cada mes carta de María." Cap. LV) - 1855 ó 1856.
"En los últimos días de junio..." abandona Londres, rumbo a *Panamá.*

1855 ó 1856. 25 de julio. Llega a la *bahía de Buenaventura.* Hacia *fines de agosto,* llega a *Cali.*

"Tres semanas habían corrido desde mi regreso..." (Cap. LXII)

"...el diez de septiembre, oía yo a Emma el final de aquella relación..." (Cap. LXIII)

"A la madrugada del día que siguió a esta noche me puse en camino para Santa..." (Cap. LXIII)

"El doce, a las cuatro de la tarde..." (Cap. LXIII) se dirige a la hacienda de la sierra.

18 de septiembre. Regreso a *Europa.*

De María todo lo sabemos: de dónde provino, quiénes fueron sus padres, cuál era su nombre, cómo llegó al valle del Cauca y a qué edad. Y si ordenamos los diversos retratos con que el narrador nos la muestra, también podemos determinar su evolución física y psicológica hasta su muerte.

Adviértase que el último capítulo de la novela es, en realidad, el LXIV, pues el LXV completa temporalmente los dos anteriores.

Los personajes

> "...la adolescencia que adivinándolo todo se deleita involuntariamente con castas visiones de amor..."

Principales

Los protagonistas de la novela son, sin duda, María y Efraín. Ambos viven en un hogar patriarcal, respetuoso de las más acendradas tradiciones. Este ambiente influye en la conformación de sus rasgos psicológicos que afloran en la naturalidad de los diálogos.

Parte del Valle del Cauca fue poblada por la raza judía a la que pertenecen ambos. Ya sus nombres están ligados a la Biblia.

María aparece en la novela con la espléndida pureza de la Rebeca del Génesis (24, 16) —"La joven era muy hermosa, y virgen...";— quien se acerca a la fuente con su cántaro al hombro.

> "Llevaba una vasija de porcelana poco más blanca que los brazos que la sostenían, la que iba llenando de rosas abiertas durante la noche..." (Cap. IV)

> "...su paso ligero y digno revelaba todo el orgullo, no abatido, de nuestra raza, y el seductivo recato de la virgen cristiana." (Cap. IV)

Nos dice el narrador que ella "tan cristiana y tan llena de fe, se regocijaba al encontrar bellezas por ella presentidas en el culto católico", y ese casto recogimiento es el que le hace transportar a Efraín su "sonrisa hoyuelada" al "rostro de una virgen de Rafael". Lamartine también descubre en Graziella la semejanza con las "núbiles vírgenes del Correggio".

"Tenía nueve años. La cabellera abundante, todavía de color castaño claro, suelta y jugueteando sobre su cintura fina y movible; los ojos parleros; el acento con algo de melancólico que no tenían nuestras voces..." (Cap. VII)

Pero, cuando regresa Efraín, ya es una adolescente de quince años y, como la "Pubenza" de Julio Arboleda, su alma respira "amor, pureza y hermosura":

"María me ocultaba sus ojos tenazmente; pero pude admirar en ellos la brillantez y hermosura de los de las mujeres de su raza (...) sus labios rojos, húmedos y graciosamente imperativos (...) la abundante cabellera castaño oscura arreglada con dos trenzas..." (Cap. III)

Se enamora de ella ("...me sentía indigno de fijar una mirada sobre su frente.") y sólo la ve con los ojos del amor (Cap. XII). A partir de ese instante, María aparece idealizada; es la mujer-ángel del Romanticismo ("...su pudor era el de un ángel."). Generalmente, se la ve pálida, lívida: en su lecho de enferma, cuando sufre un síncope epiléptico ("...su rostro, cubierto de palidez mortal..."); cuando se encuentra con Efraín y no puede disimular lo que siente por él ("...palideciendo instantáneamente..."); cuando se confirma el viaje de aquél a Londres ("...estaba casi lívida..."); en los últimos momentos de su vida ("...aquellas mejillas pálidas y enflaquecidas..."), y después de muerta.

A esas características románticas se suma la visión de una mujer exótica —recordemos su raza— por eso, es seductora, de rostro hechicero y mirada fascinante. A pesar de que se exalta constantemente su belleza, hasta asignarle virtudes angélicas, es un ser mortal y su fin coincide con el de Atala, pues ella también se duerme en paz, en tierra extranjera.

Además, si reunimos otras notas dispersas en el transcurso de la narración, podremos componer nuevos retratos de la protagonista: mejilla sonrosada; anchos párpados de raso perla, orlados de largas pestañas; voz dulce, pura y agasajadora, con ese susurro inimitable de sus eses; manos aristocráticas, blancas y perfumadas; hombros de porcelana sonrosada; palmas suaves como raso; mirada anhelosa; paso leve; aliento tibio y fragante; largos y lucientes rizos; ojos brillantes. Respecto de estas dos cualidades —"lucientes", "brillantes"— observamos que la imagen de María siempre está realzada por la luz o por un esplendor que emana de su propio ser enamorado:

"Quedó al hacerlo iluminada de lleno por la luz de la mesa..." (Cap. XXXVIII)

"...la luz nueva para mí que sorprendí en sus ojos..." (Cap. VI)

No sólo son brillantes sus ojos, sino también su mirada y sus lágrimas; "la luz de los arreboles de la tarde" ilumina su cadáver y la de los cirios mortuorios "en su frente tersa y sobre los anchos párpados, proyectaba la sombra de las pestañas sobre las mejillas".

María mira a Efraín con luz y esa luz lo hace visible a sus ojos. Este aspecto se relaciona directamente con dos temas ya tratados:

a) su nombre:
   María (*estrella* de mar)
   Ester (*estrella* de Venus);

b) su semejanza con la imagen de la Virgen del oratorio, que siempre resplandece.

Esa luz completa el retrato idealizado de la protagonista. Ha dicho con acierto Anderson Imbert que María es una síntesis lírica de las experiencias de amor de Isaacs. Basta leer, para corroborarlo, el citado poema "Felisa", que él le dedicó a su esposa.

En cuanto a su retrato moral, es tierna, pudorosa, tímida, sumisa, recatada, dulce; su alma ignora "el lenguaje mundano del amor", por eso éste es casto.

Insiste el narrador en asignarle el adjetivo "infantil" y en compararla con una niña, para exaltar su inocencia y esa virtud, de la que gozan pocos, de encomendarse a Dios con corazón de niño. Ella sabía bien el precepto bíblico: "...quien no recibe el reino de Dios como un niño, no entrará en él". (San Lucas, 18, 17.) Este detalle se acentúa, cuando sabemos que muere virgen.

La presentación de Efraín no es tan cuidada como la de María, pues debemos recordar que él ha escrito esos recuerdos y ha querido centrar todo el drama en esa mujer aparentemente débil.

Durante toda la novela se muestra sensible, formal y viril. Tiene siete años cuando ve por primera vez a María y desdeña los juguetes por admirarla. A los veinte años le declara su amor (Cap. XI) y sólo le pide eso ("—Amarme como te amé entonces; como te amo hoy: amarme mucho."). Su alma está en María, de ahí que no se resigne a perderla ("Mía o de la muerte.").

A ella le sucede lo mismo cuando le comunican las intenciones amorosas de Carlos ("...antes de consentir en eso me moriré."): de Efraín o de la muerte. Más aún, Efraín, en el capítulo X, dice que no puede dejar de amarla, aunque ella no lo ame y ésta es una virtud angélica.

Ante la enfermedad de la joven, él se debate entre lo que le dicta la razón y la intensidad de sus sentimientos:

> "¡María amenazada de muerte; prometida así por recompensa a mi amor, mediante una ausencia terrible; prometida con la condición de amarla menos! ¡Yo obligado a moderar tan poderoso amor, amor adueñado para siempre de todo mi ser, so pena de verla desaparecer de la tierra como una de las beldades fugitivas de mis ensueños, y teniendo que aparecer en adelante ingrato e insensible tal vez a sus ojos, sólo por una conducta que la necesidad y la razón me obligan a adoptar!" (Cap. XVI)

La estructura tradicional de la novela nos permite conocer sus pensamientos a través del monólogo interior indirecto:

> "Si cuando tuve noticia de sus pretensiones, me decía yo, le hubiese confiado mi amor por María, y lo que en aquellos tres meses había llegado a ser ella para mí, él, incapaz de arrostrar las fatales predicciones hechas por el médico, hubiera desistido de su intento..." (Cap. XXVIII)

El carácter indirecto de este monólogo está determinado por ese verbo reflexivo ("me decía yo") que aclara que el que medita es Efraín y no otro.

Su padre ve en él el futuro apoyo de la familia, por eso desea que realice su viaje a Londres, ese viaje que se interponía entre sus esperanzas y ella. Pero Efraín no valora la verdad de aquella decisión y sufre en silencio:

> "Necesitaba disimular lo que sufría (...) llorar a solas para que María no viera mis lágrimas..." (Cap. XXXVIII)

Y el día de la despedida:

> "Mi corazón había guardado para aquel momento casi todas sus lágrimas." (Cap. LIII)

El regreso significa para él "devolverle toda la vida" que su ausencia le había robado a María —amor más poderoso que la muerte— y olvidar las tristezas. Durante el mismo, conocemos su retrato (Cap. LVI).

Cuando parte a Bogotá, María sufre "la primera sensación de dolor"; cuando viaja a Londres, su vida entera queda en el oratorio, donde ella lo despide desfalleciente, y, al volver, se enfrenta con la muerte, que no quiere aceptar, y sólo está unido a la tierra por la tristeza, la religión y el recuerdo. La verdadera sepultura de María, esa "humilde tumba de la virtud", como la llamaría Chateaubriand, está en su corazón.

Secundarios

Los personajes secundarios —como bien considera Raimundo Lazo— desempeñan el papel de un coro expectante del drama central.

El padre de Efraín representa a la sociedad patriarcal en que se halla enmarcada la vida campesina, sencilla, alegre, vigorosa, y la esclavitud sumisa, servicial:

> "Pude notar que mi padre, sin dejar de ser amo, daba un trato cariñoso a sus esclavos, se mostraba celoso por la buena conducta de sus esposas y acariciaba a los niños." (Cap. V)

La idealización de ese orden jerárquico y de esa armonía que impera en la novela junto al amor, la justicia, la caridad y la piedad, alterna con notas de verdadero realismo en las que descubrimos la idiosincrasia del pueblo colombiano (costumbres, bodas, funerales, vestimenta, habla, pensamientos).

Todos los personajes secundarios tienen su lugar destacado en la novela: la madre de Efraín, siempre dulce y tierna; sus hermanos (no olvida referirse a su hermano muerto), entre los que se destaca Emma, confidente de María; José, el montañés antioqueño que tiene algo de bíblico, y su familia; el doctor Mayn; Carlos, que se asemeja al Aymon de Virien de la novela de Lamartine; su padre, don Jerónimo; la vieja curandera Dominga; el anciano cura que da la extremaunción a María; los negros, mulatos y zambos; el administrador y los demás campesinos. El narrador nos ofrece, generalmente, su retrato físico o moral, y todos muestran, a través de sus acciones, su visión de la vida y brindan su lección de vida. Pero la descripción de Efraín no sólo se detiene en personajes humanos, ya que el perro y el caballo forman parte de su mundo. Al "cariñoso Mayo" le dedica, en 1864, una poesía en la que exalta su compañerismo incondicional: "Tuve lo que se llama / Un buen maestro, / Pero malos amigos, / Pues tuve un perro". Y en 1867 aparece en la novela con el mismo candor y la misma fidelidad "superior a todo escarmiento":

> "...aulló tan lastimosamente como si sus alaridos tuviesen algo de humano: como si con ellos quisiera recordarme cuánto me había amado y reconvenirme porque lo abandonaba en su vejez." (Cap. LXV)

Su "caballo retinto", impaciente y asustadizo, comparte su incertidumbre, cuando sale en busca del doctor Mayn, para que asista a María —aquí su descripción se asemeja a la que realiza Julio Arboleda en el *Gonzalo de Oyón* (Cap. XV)— o sus horas de serenidad junto a los que quiere:

> "...impaciente por lucir sus habilidades, arqueado el cuello fino y lustroso como el raso negro, sacudía sus crespas crines estornudando." (Cap. XXVI)

En el capítulo LX aparece montado en un caballo blanco, que desciende "casi a vuelos por el pedregoso sendero". Este brioso animal se convierte en símbolo de su esperanza, pues lo llevará a reencontrarse con María.

Recursos estilísticos empleados por el autor

Las dotes de buen narrador que posee Isaacs armonizan con las que demuestra como descriptor. Los paisajes vallecaucanos se transforman en verdaderos cuadros, en los que las imágenes visuales, sobre todo cromáticas, se unen a las auditivas y olfativas para que la pincelada pictórica adquiera un soplo de dinamismo vital. Además, las distintas imágenes cromáticas que presenta la naturaleza nos hablan del cambio que va sufriendo el mundo interior de los personajes.

La lectura del primer párrafo del capítulo XII destacará el uso de una *adjetivación* precisa, connotadora, que refleja también la influencia romántica ("montes enlutados", "claridad melancólica", "misteriosos aromas").

El narrador emplea, generalmente, el adjetivo pospuesto que deja en primer plano el valor semántico del sustantivo, es decir, se interesa más por los elementos que conforman ese paisaje que por las cualidades que lo adornan. Observamos también series binarias de adjetivos pospuestos, unidos por la conjunción copulativa "y" (luna "llena y grande", "velo inmenso y vaporoso", montes "limpios y azules").

El adjetivo antepuesto al sustantivo contiene valores emotivos; refleja la sensibilidad del narrador ("altivas lomas", "dulces esperanzas", "verdes pampas"), realza las cualidades adscriptas al sustantivo ("Una tarde ¡hermosa tarde, que vivirá siempre en mi memoria!..."). El adjetivo antepuesto deja en relieve la cualidad y no el objeto que la posee. Otros ejemplos nos muestran la simultaneidad de las dos posiciones ("hermosos ojos sombreados", "corta y ahuecada falda carmesí"). La anteposición se da también en series binarias ("dormido y sombrío San Cipriano", "suaves y misteriosos aromas").

Menos frecuentes son las series ternarias de adjetivos antepuestos y pospuestos ("olas negras, tersas y silenciosas", "noble, inocente y dulce resignación").

Hallamos, además, adjetivos que desempeñan la función de predicativos subjetivos obligatorios y no obligatorios, cuyo valor reside en intensificar la cualidad del sustantivo desde el ámbito verbal ("Las arboledas estaban silenciosas..."; "...las aguas cristalinas de las fuentes rodaban precipitadas..."). Otros desempeñan la función de predicativos objetivos ("...el florero contenía ya marchitos y desmayados los lirios..."; "Los no sombreados remansos del río reflejaban en su fondo, temblorosas, las estrellas..."). En este último ejemplo, surge un rasgo interesante: el adjetivo queda aún más aislado del sustantivo por los signos de puntuación (comas) que lo realzan.

Descubrimos en algunos fragmentos estructuras bimembradas, en las que el adjetivo ocupa los extremos de la construcción ("cariñosas sonrisas y barba enérgica"; "florecidos písamos e higuerones frondosos"); el primer lugar en cada miembro ("densa sombra y acolchonada hojarasca"), o el segundo ("garzones azules y garcitas blancas").

Suele modificar también el sustantivo a través de un complemento ("los chasquidos de los herrones de las palancas", "colmillos como uñas de gato"), o exaltar el contenido de los adjetivos con la presencia del adverbio ("tan amorosa languidez", "río menos impetuoso", "frente infantilmente grave"), que, a veces, se duplica ("noches tan majestuosamente tristes").

El adjetivo se presenta también en sus distintos grados de significación ("...algo más grandioso que el desierto..."; "...otros menos desdeñosos que sus amos"; "creidísima").

La adjetivación es, pues, un recurso estilístico de suma importancia, que no sólo nutre el ritmo narrativo (recuérdense las distintas posiciones de la misma), sino también contribuye a crear la unidad tonal de la novela: la melancolía por esa felicidad que se espera y se pierde irremediablemente.

El párrafo, al que nos referimos antes (Cap. XII), presenta otro rasgo de estilo muy frecuente: *el contraste* ("montes enlutados"; "las faldas de las montañas blanqueadas"). Estos claroscuros de carácter pictórico, barroco, transmiten indirectamente la atmósfera emocional en que se mueven los personajes ("piedras negras manchadas de musgos blancos"; "...una de mis pequeñas azucenas sobre sus cabellos de color castaño luciente"). Sus vidas también son auténticos claroscuros.

> *LUZ:*
> "...y dichoso con lo que poseía y ávido aún de dicha, traté de hacer un paraíso de la casa paterna."

> *SOMBRA:*
> "En medio de aquella naturaleza sollozante mi alma tenía una triste serenidad."

Esos momentos de sombra, que se descubren a lo largo de la novela, son verdaderas notas emocionales que nos anticipan gradualmente el desenlace. En el primer capítulo, leemos:

> "Me dormí llorando y experimenté como un vago presentimiento de muchos pesares que debía sufrir después."

En el relato de María acerca de la aparición del "ave negra" (Cap. XXXIV), presentimos la proximidad de su muerte. Aquí hallamos los planos espirituales del símbolo (representación de un sentido espiritual a través de una realidad visible):

> "...pareció encandilarse un momento con *la luz* que yo tenía en la mano (esperanza de felicidad), y *la apagó* (muerte) pasando sobre nuestras cabezas..." (Cap. XXXIV)

Aparece cuatro veces (Capítulos XV, XXXIV, XLVII, LXV): ante Efraín, ante María, ante ambos, y en la tumba de la joven, pero sólo en dos oportunidades "su espantoso canto" anuncia un hecho fatídico: en presencia de María, para anunciarle su fin, y sobre la cruz de su sepulcro, para proclamar el triunfo de la muerte.

Esos contrastes no sólo son de luz-sombra, sino también de sonido-silencio:

> "...sólo el canto lejano de las gurríes y el rumor del río turbaban el silencio de las selvas." (Cap. LII)

Detengámonos ahora en este fragmento:

> "Los primeros rayos del sol al levantarse trataban en vano de desgarrar la densa neblina que como un velo inmenso y vaporoso pendía desde las crestas de las montañas, extendiéndose flotante hasta las llanuras lejanas. Sobre los montes occidentales, limpios y azules, amarillearon luego los templos de Cali, y al pie de las faldas blanqueaban, cual rebaños agrupados, los pueblecillos de Yumbo y Vijes." (Cap. LIII)

El descriptor no omite el uso del *artículo*, que destaca la existencia de los sustantivos, su estar ahí, su realidad ("*los* primeros rayos", "*la* densa niebla", "*las* crestas de *las* montañas").

Entre los recursos semánticos, *las imágenes visuales, auditivas y olfativas* son las que predominan en la novela y adquieren un carácter simbólico, si tenemos en cuenta su relación con el tema amoroso *(visuales:* "...*la luz* inextinguible del pasado..."; *auditivas:* "...mis oídos ansiaban recoger en el viento *una voz perdida* de ella."; *olfativas:* "...*perfume* para todas las horas del porvenir..."). Además, la reiteración del color "azul" ("pampa azul", "florestas azules", "cenit azul", "un traje de muselina ligera, casi azul") ofrece un mensaje: el de la felicidad efímera. El azul es lejanía, serenidad, fría resignación, tristeza. Por eso. Efraín ve como "a través de un vidrio azulado" "las verdes pampas y selvas del valle". El simbolismo que posee dicho color en este último ejemplo es un antecedente del "azul modernista".

En menor proporción aparecen *las imágenes táctiles* ("las sedosas larvas", "los aterciopelados musgos"), y *las cinestésicas o de movimiento* ("...un viento impetuoso de occidente zumbaba (...) desordenando las abundandes crines del caballo.").

Completaremos el análisis haciendo referencia a *la comparación*, otro recurso muy empleado ("como un velo inmenso y vaporoso", "cual rebaños agrupados"), que, a veces, presenta cierta extensión ("...*como bandadas de aves enormes que se cernieran buscando sus nidos*, divisábanse sobre ella, abrillantados por la luna, los follajes de las palmeras.") o carece de nexo ("...la bella goleta debía asemejarse a una linda campesina...").

Entre *las metáforas*, son más comunes las de primer grado o impuras, pues muestran sus dos planos: el real y el imaginario ("un rostro de porcelana", "aguas de cristal", "Aquella criatura (...) era un tesoro sagrado..."), pero también hallamos algunas puras o de segundo grado, de las que sólo conocemos el plano imaginario ("...delirio delicioso... inspiración del cielo...": el plano real es el "amor").

El fragmento anterior contiene, además, una *personificación* ("Los primeros rayos del sol al levantarse trataban en vano...") y un *animismo* ("...la densa niebla (...) pendía desde las crestas de las montañas, extendiéndose flotante..."), recursos que se hallan dispersos en la novela ("...las ramas florecidas de los rosales de tu ventana entran como a buscarte y tiemblan al abrazarlas yo diciéndoles que volverás", el "vuelo rumoroso de un huracán").

Dos verbos —"amarillearon", "blanqueaban"— nos hablan de *la técnica impresionista*, que, luego, el Modernismo utilizará con frecuencia en sus obras. Como su nombre lo indica, se comunica la impresión que producen los hechos exteriores y no su auténtica realidad. Cada elemento aparece, entonces, animado por un dinamismo interno. Observemos el siguiente ejemplo, en que Efraín, impaciente, se lanza con su caballo en busca del doctor Mayn:

> "Las llanuras empezaban a desaparecer, huyendo en sentido contrario a mi carrera, semejantes a mantos inmensos arrollados por el huracán. Los bosques que más cercanos creía, parecían alejarse a medida que avanzaba hacia ellos." (Cap. XV)

La llanura y los bosques, estáticos, inmóviles, se desplazan impulsados por la velocidad del caballo. Ésta es la que crea en el jinete tal impresión.

La *cenestesia* es un recurso impresionista que materializa estados de ánimo o reproduce sensaciones que provoca el funcionamiento del cuerpo. En *María* leemos:

> "Un calofrío de pavor me recorrió el cuerpo."

La *sinestesia* es poco usual ("*suaves* y misteriosos *aromas*").

Aunque no son características de su estilo, hallamos *repeticiones* ("...su pudor era el pudor de un ángel.") y *aliteraciones* ("...un trueno dejó oír por largo rato su creciente retumbo, como si fuese un carro gigante despeñado de las cumbres rocallosas de las sierras."). Completan estos recursos fonológicos las *oraciones interrogativas y exclamativas*, las *interjecciones* ("¡Ay, ya nunca más podrá oírme!..."), los *vocativos* ("—¡Adiós, rosal mío, emblema querido de su constancia!"). Tanto las breves repeticiones como las oraciones exclamativas, las interjecciones y los vocativos contribuyen a sustentar el tono emocional de la narración y ponen en evidencia la subjetividad de la trama.

Quedan por analizar, entre los recursos morfológicos, los *diminutivos* y *aumentativos*, que surgen en el lenguaje popular, como un rasgo de afectividad y sencillez ("Amaimito", "estancita", "nadita", "afuerita", "ratico", "toditicos"; "animalote", "bizarrote").

Los *puntos suspensivos* poseen la facultad de mantener el interés de la narración y de sugerir lo que quiere expresarse directamente ("¡Montañas americanas, montañas mías!... ¡Noches azules!...") o la timidez de María ("—De veras; que me da como pena... y otra cosa, de que nos vean tantas veces solos..., y Emma y mamá van a venir.").

Desde *el punto de vista sintáctico*, son frecuentes las oraciones largas. La adjetivación múltiple, las proposiciones subordinadas, especialmente adjetivas, y algunas enumeraciones son los factores que tienden a extenderlas.

Esta clase de sintaxis que llamaremos "emocional" torna moroso el ritmo narrativo. De ahí que no podamos destacar la acción de los verbos, aunque hay ejemplos en los que se luce el empleo de los mismos (Cap. XV).

En síntesis, cada recurso halla en la novela el lugar propicio para transmitir el efecto poético deseado. De ahí, la armonía de estilo y la voluntad de selección.

El vocabulario

El rasgo más destacado es el empleo de *americanismos*, que denuncian la intención de mostrar vivamente el medio en que se desarrollan los hechos ("ñanga", "nuches", "quincha", "joto").

La novela presenta dos niveles de lengua:

a) *la expresiva*, que manifiesta sensibilidad y valoraciones: la hallamos en las descripciones de paisajes o en los retratos;

b) *la conversacional u oral*, que reproduce con carácter realista el modo de hablar de los personajes centrales y su familia, de los campesinos y de los negros.

La oralidad de la obra se enriquece cuando Isaacs imita la sintaxis, los acentos y las expresiones populares.

El español llegó al Nuevo Reino de Granada en el siglo XVI y se conservó tal como lo trajeron de España. Este dato explica los arcaísmos que sorprendemos no sólo en los campesinos o negros, sino también, a veces, en María.

Aún hoy en las aldeas y campos de Colombia se oyen las mismas palabras que usó Santa Teresa; en cambio, la ciudad ya las ha olvidado.

Sintaxis. Dice José:

> "—...y no parando, llegaremos al pueblo cuando asome el sol; saliendo ustedes de aquí a las cinco, nos alcanzarán llegando..." (Cap. XXXI)

Acentos. Cantan los bogas, Laureán y Cortico:

> "Se nos junde ya la luna; remá, remá." (Cap. LVII)

Expresiones populares. Dice Emigdio:

> "—¡Me caso aunque me lleve la trampa!" (Cap. XIX)

Juego de valabras. Dice Salomé:

> "—Como que le gusta ver moler. ¡Si supiera —continuó, más paso— lo molida que me tienen!..." (Cap. XLVIII)

Los pronombres. El uso del pronombre personal "me" con valor afectivo. Dice el administrador:

> "—¡Cortieo!... ¡Laureán!... Cuidádmelo mucho, cuidádmelo como cosa mía." (Cap. LVII)

Arcaísmos: "diz que", "ansina", "escura", "agora", "indina", "vido", "en casa de usted", "su hijo de usted", "su merced", "vusté".

Las fórmulas de tratamiento arcaicas están en boca de Bruno ("un joven negro de notable estatura"):

> "—Ña Dolores y ñor Anselmo si su merced quiere." (Cap. V)

o de Gregorio (el negro boga):

> "—Cabo Ansermo, a vusté lo va a matá un rumatismo metió entre un carizar."

Los diálogos, en general, son ágiles y no falta en ellos la nota de humor:

> "—¡El tigre!
> —¿En dónde? —preguntó don Jerónimo, derramando parte del café que tomaba, y poniéndose en pie con más presteza que era de esperar le permitiera su esférico abdomen." (Cap. XXII)

Cumplen la función de caracterizar a los personajes. El narrador no los deja solos, mantiene una posición entre ellos y el lector. Lo advertimos, porque, generalmente, los diálogos van acompañados de un verbo que aclara la actitud del hablante y denuncia la presencia de aquél:

> "—¡Hijo de mi alma! —exclamó mi madre..." (Cap. LX)

Tampoco deja de destacar el momento en que él habla:

> "—¿Dónde está, pues? ¿Dónde está? —grité, poniéndome de pie." (Cap. LX)

En este último ejemplo, señala, a modo de acotación teatral, el movimiento que realiza mientras grita esas palabras. En otros diálogos, explica la disposición de ánimo de los personajes:

> "—Sí, ea —respondió Emigdio sentándose con desconfianza, cual si temiese un nuevo fracaso." (Cap. XIX)

Por su postura de narrador-protagonista no puede ofrecernos el pensamiento de los seres que lo rodean, pero, a pesar de ello, su inclinación al detalle, a no dejar nada sin explicar, nos lo sugiere.

Los temas románticos en la novela de Isaacs

Hallamos en *María* casi todos los temas que caracterizan el movimiento romántico: el *yo*, que se extiende hacia el ser amado y hacia todo lo que aquél ama; *el dolor, la tristeza, la melancolía, la nostalgia, la soledad*, que mira en éxtasis a la joven, se reúnen en ese "¡ay!" tantas veces pronunciado en la novela, y en ese "adiós" que llora el pasado; *la fatalidad* simbolizada por el ave negra, cuyo chillido María no había oído nunca, porque ésa era la voz de la muerte y ella, *mujer-ángel*, sólo le sonreía a la vida y al amor; *el sentimiento hacia la tierra nativa*, esa *naturaleza* libre, altiva, exuberante, y casi humanizada, que se ofrece íntegra como cuna y sepulcro; *la noche, la luna, las estrellas, el atardecer*, con ese encanto perenne que ofrece la última luz del sol cuando languidece entre las hojas; *lo exótico*, en la historia de la africana Nay (Feliciana) que muere, como Atala, en tierra extranjera, lejos de Sinar, el hombre a quien ama; este episodio que surge como una digresión, sin alterar el hilo narrativo, se relaciona con otro tema romántico: *la necesidad de evadirse en el tiempo y en el espacio* (África). Lo exótico se manifiesta también en los cuentos de Nay, en el tratamiento de la naturaleza ("Sobre los ropajes turquíes de las montañas blanqueaban algunas nubes desgarradas, como chales de gasa nívea que el viento hiciese ondear sobre la falda azul de una odalisca..."), en las referencias a Oriente y a la música semisalvaje, en la idea de misterio.

Efraín *medita, imagina y sueña*, tres acciones que lo alejan de la realidad para transportarlo a su mundo ideal.

El *amor*, luz que hace hablar al corazón y llora de esperanza, lucha contra la *muerte*, sombra que le arrebata lágrimas que son vida. Efraín, sin María, piensa en *el suicidio*, "a orilla del abismo cubierto por los rosales". En este momento de la obra vibran aquellos versos del poema "Ten piedad de mí", escrito por Isaacs: "Perdona el gran dolor de mi agonía / y déjame buscar también olvido / en las tinieblas de la tumba fría".

Otros temas románticos que aparecen en la novela: *el indio* (los cunas ribereños); *el negro; lo fantástico* ("...el valle y sus montañas parecían iluminados por el resplandor de un espejo gigantesco."); *las ruinas* ("...como por la techumbre rota de un templo indiano abandonado."); *la familia* (Cap. II); *la libertad; el valor de la historia* (la referencia a la batalla de Majagual y a la libertad de esclavos de acuerdo con las leyes de 1821); *la delicada sensualidad* (el retrato de Salomé en el capítulo XLVIII).

Las flores

"...le ayudaría yo a cultivar sus flores predilectas..."

La novela debería titularse *María o El lenguaje de las flores*, pues rosas, azucenas, mejoranas, lirios, montenegros, claveles, violetas, campanillas, albahacas, azahares y jazmines constituyen un verdadero leitmotiv o motivo conductor; reiteran con sus diversos perfumes, "espíritu de María", un mismo sentimiento "flor guardada en el alma".

Las rosas abiertas nos hablan de un amor pleno, sincero, dulcemente apasionado, y las azucenas blancas, de su castidad, de su pureza; ambas flores se entrelazarán en la tumba de María, serán la última ofrenda de amor de Efraín. Manifiestan su lozanía cuando María goza de su alegre adolescencia o se las ofrece a la Virgen, y se marchitan cuando sufre y a la hora de su muerte, como aquellas "flores secas de los aromos", sobre el sepulcro de Salomé, su padre, quien también murió en tierra extranjera. Así las encontrará Efraín en su peregrinaje lírico por todos los lugares queridos, junto a otros objetos que la recordarán:

> "Pondrás en el cofrecito en que tengo sus cartas y las flores secas, este guardapelo donde están sus cabellos y los de mi madre; esta sortija que me puso en vísperas de su viaje; y en mi delantal azul envolverás mis trenzas..." (Cap. LXII)

Distintas realidades visibles para simbolizar un mismo sentido espiritual. A ellas se agregan el pañuelo perfumado, el sofá donde por primera vez le habló de amor, los vestidos, en cuyos colores se refleja el alma de la joven, y el crucifijo, símbolo de su fe inquebrantable.

Las *cartas* también constituyen un tema romántico. La de María guarda "un pedacito de cáliz de azucena", como la de Graziella, "algunas hojas de clavel".

Ha dicho Lamartine que "la palabra escrita es como un espejo", y en él Efraín ve a María ofreciéndole, con la misma candidez de otras horas, su amor, el que le deja al morir en el paquete de cartas.

> "Dios quiere librarlo del dolor de hallarme como es-
> toy, del trance de verme expirar."

Como ya lo dijimos, los personajes se mueven en un ambiente de auténtica religiosidad. El padre de Efraín y María se convierten al Cristianismo; lo mismo sucede con Nay y Sinar.

La religión de Jesús reflorece en las oraciones diarias de los amos, de los esclavos y campesinos ("Concluida la cena, los esclavos levantaron los manteles; uno de ellos rezó el Padre Nuestro, y sus amos completamos la oración.").

Los niños oran "arrodilladitos" y María, siempre con su cruce-cita al cuello, les enseña plegarias y lee libros devotos. Hasta Juan, el más pequeño de la familia, reza con fervor "el bendito".

No se olvida el día de Nuestra Señora de Guadalupe y los servidores cumplen con sus encargos "después de alabar a Dios". Los campesinos, Candelaria y Custodio, tienen en su chacra la imagen de la Virgen del Rosario y "dos pequeñas estatuas de San José y San Antonio"; en la vivienda de José hay "algunas láminas de papel iluminado representando santos, y prendidas con espinas de naranjo a las paredes sin blanquear".

El Cristianismo se halla en las expresiones populares: "¡San Pablo bendito!", "¡Jesús, creo en Dios Padre!", "Por la verdad murió Cristo".

Las despedidas se sellan con una bendición: Candelaria enco-mienda ^ Efraín al "Milagroso de Buga" y el negro Bibiano y su hija Rufina, a la Virgen.

María, casi moribunda, le pide a Emma que le ponga a Nuestra Señora las rosas que fueran abriendo.

En toda la novela subyace el sentimiento bíblico y la actitud de cada uno de los personajes parece resumirse en estas palabras del Salmo (68, 20): "Bendito sea todos los días el Señor; El lleva nuestra carga…".

El costumbrismo

Las evocaciones de la ciudad, de la vida familiar y el sabor de la sencilla vida campestre ponen una nota de pintoresquismo en la narración.

El ambiente que rodea a José, a Emigdio, a Custodio y a sus familias; las vestimentas de Lucía, Tránsito, Salomé, Remigia y

Rufina, propias de las ñapangas o mujeres del pueblo, y las de Braulio o del negro Bibiano; las faenas campesinas (el rodeo, la marca, la siembra, la cría de ganado y de aves); las costumbres (la hospitalidad, la boda, el baile, el funeral de Nay o el de María, la cacería del tigre, las orgías en la noche de velorio); los instrumentos musicales (flautas de caña, tambor, alfandoques, pandereta, tamboril, carrasca, carángano); las canciones; las comidas; las supersticiones ("...esa murciélaga fue la que le ojeó el mico..."); la sabiduría popular, que refleja la unión indisoluble del hombre con la tierra natal; la vivienda; el enfrentamiento entre el campo y la ciudad (Capítulos XIX y XLVIII), todo nos habla del americanismo que caracteriza al movimiento romántico en Hispanoamérica.

Escribe Robert Bazin que "si bien Colombia se dedicó bastante tarde al costumbrismo lo hizo al menos deseosa de recuperar el tiempo perdido. Los cuadros florecen por todas partes y hasta se podría decir que *Mosaico* fue un grupo de costumbristas. En 1886 se lanzó una antología, con las obras de sus miembros, titulada *Museo de cuadros de costumbres*".

CONCLUSIÓN

El período romántico de la novela colombiana culmina con *Manuela*, de Eugenio Díaz Castro, y con *María*, de Jorge Isaacs.

La novela que analizamos dejó en Colombia y en el mundo una huella imborrable.

"Esa fragante y desgarradora historia de María y Efraín, que le hiciera derramar tantas lágrimas" a Lucía, la protagonista de *Zogoibi*, de Enrique Larreta, prolonga su temática en *El alférez real*, del humanista colombiano Eustaquio Palacios, obra en la que se narran los sentimientos que unen a doña Inés de Lara, dama de antiguo linaje, con un joven nacido de huertanos y artesanos, quien, finalmente, pertenece a la familia del propio alférez real, que acepta complacido aquel amor.

Ambas novelas presiden la tradición de la comarca. Pero *María* guarda la belleza de ese sueño primero, de esa mañana de gracia, en que despierta el corazón para escribir una página de ternura con la palabra auroral de la vida.

Y Jorge Isaacs nos ha revelado a través de ella que —como bien dijo Jaime Torres Bodet— "la misión más alta del escritor es devolver la esperanza a los hombres".

ALICIA MARÍA ZORRILLA

NUESTRA EDICIÓN

Esta edición ha sido compuesta de acuerdo con la primera edición de *María*, publicada, en la Biblioteca Americana, por el Fondo de Cultura Económica (México, 1951).

NOTICIA SOBRE LA ANOTADORA

Alicia María Zorrilla es licenciada en Letras —Sección de Literatura Hispánica—, egresada de la Facultad de Filosofía y Letras de la Universidad Complutense de Madrid; profesora especializada en castellano, literatura y latín, egresada de la Escuela Normal Nacional Superior del Profesorado Nº 1 "Presidente Roque Sáenz Peña"; profesora experta en literatura infantil y juvenil iberoamericana y extranjera y profesora adscripta a la cátedra de literatura hispanoamericana en el profesorado de la Escuela Normal Nº 1.

En 1974 realizó un viaje cultural a España como becaria del Instituto de Cultura Hispánica de Madrid y, en 1975, a Italia, como becaria de la Universita degli Studi di Siena, Scuola di lingua e cultura italiana per stranieri.

Es miembro del Centro de Investigaciones de Antropología Filosófica y Cultural —CIAFIC— y becaria del Consejo Nacional de Investigaciones Científicas y Técnicas —CONICET.

Ha ejercido la docencia como profesora de literatura argentina en los cursos del profesorado y en establecimientos de enseñanza secundaria.

Actualmente tiene a su cargo la cátedra de metodología y práctica de la enseñanza en el profesorado especializado de la Escuela Normal Nº 1 y es asesora y jefe del departamento de letras del Instituto "San Pablo" (Niñas).

María

LEYENDO "MARÍA"

¡Páginas queridas, demasiado queridas quizá!
Mis ojos han vuelto a llorar sobre ellas.
Las altas horas de la noche me han sorprendido muchas veces con la frente apoyada sobre estas últimas, desalentado, para trazar algunos renglones más.

A lo menos en las salvajes riberas del Dagua, el bramido de sus corrientes arrastrándose al pie de mi choza, iluminada en medio de las tinieblas del desierto, me avisaba que él velaba conmigo.

La brisa de aquellas selvas ignotas venía a refrescar mi frente calenturienta. Mis ojos, fatigados por el insomnio, veían blanquear las espumas bajo los peñascos coronados de chontas, cual jirones de un sudario que agitara el viento sobre el suelo negro de una tumba removida.

Aquí el silencio forzado de la ciudad, de las paredes de mi pobre albergue por horizonte. Las campanadas, del torreón, centinela tenebroso, importunándome con el golpe de las horas en que necesito reposar para vivir...

Vuela tú, entristecida alma mía: cruza las pampas, salva las cumbres que me separan del valle natal. ¡Cuán bello debe estar ahora entoldado por las gasas azules de la noche!

Ciérnete sobre mis montañas; vaga otra vez bajo esos bosques que me niegan sus sombras...

Como en la orilla juncosa de la laguna solitaria, cuando llega la noche, se ve un grupo de garzas dormidas juntas, en pie y escondidos los cuellos bajo las alas; así blanquea a lo lejos en medio de sotos umbríos la casa de mis padres.

¡Descansa y llora sobre sus umbrales, alma mía!

Yo volveré a visitarla cuando las malezas crezcan enmarañadas sobre los escombros de sus pavimentos; cuando lunas que vendrán, bañen con macilenta luz aquellos muros sin techumbre ya, ennegrecidos por los años y carcomidos por las lluvias.

¡No! Yo pisaré venturoso esa morada a la luz del mediodía: los pórticos y columnas estarán decorados con guirnaldas de flores; en los salones resonarán músicas alegres; todos los seres que

*amo me rodearán allí. Los labradores vecinos, y los menestero-
sos, irán a dar la bienvenida a los hijos de aquel a quien tanto
amaban; y en los sotos silenciosos reinará el júbilo, porque los
pobres encontrarán servido su festín bajo esas sombras.*

*Exótico señor de aquella morada. ¿Qué mano invisible arroja
de allí a los suyos? Sirven las riquezas al avaro para enseñar a los
malos contra el bueno; sirven hasta para comprar las lágrimas de
una viuda y de huérfanos desvalidos. Pero hay un juez a quien no
se puede seducir con oro.*

*¡No tardes en volver, alma mía! Ven pronto a interrumpir mi
sueño, bella visionaria, adorada compañera de mis dolores. Trae
humedecidas tus alas con el rocío de las patrias selvas, que yo
enjugaré amoroso tus plumajes; con las esencias de las flores
desconocidas de sus espesuras, venga perfumada la tenue gasa de
tus ropajes, y cuando ya aquí sobre mis labios suspires, despierte
yo creyendo haber oído susurrar las auras de las noches de estío
en los naranjos del huerto de mis amores.*

JORGE ISAACS

MARÍA

DEDICATORIA
A
LOS HERMANOS DE EFRAÍN

*He aquí, caros amigos míos, la historia de la adolescencia de
aquel a quien tanto amasteis y que ya no existe. Mucho tiempo os he
hecho esperar estas páginas. Después de escritas me han parecido
pálidas e indignas de ser ofrecidas como un testimonio de mi gratitud y de mi afecto.*

*Vosotros no ignoráis las palabras que pronunció aquella noche
terrible, al poner en mis manos el libro de sus recuerdos: "Lo que ahí
falta tú lo sabes; podrás leer hasta lo que mis lágrimas han borrado."
¡Dulce y triste misión! Leedlas, pues, y si suspendéis la lectura para
llorar, ese llanto me probará que la he cumplido fielmente.*

I

Era yo niño aún, cuando me alejaron de la casa paterna para que diera principio a mis estudios en el colegio de*, establecido en Bogotá * hacía pocos años, y famoso en toda la República por aquel tiempo.

En la noche víspera de mi viaje, después de la velada, entró a* mi cuarto una de mis hermanas y sin decirme una sola palabra cariñosa, porque los sollozos le embargaban la voz, cortó de mi cabeza unos cabellos: cuando salió, habían rodado por mi cuello algunas lágrimas suyas.

Me dormí llorando y experimenté como un vago presentimiento de muchos pesares que debía sufrir después. Esos cabellos quitados a una cabeza infantil, esa precaución del amor contra la muerte delante de tanta vida, hicieron que durante mi sueño, vagase mi alma por todos aquellos sitios donde yo había pasado sin comprenderlo las horas más felices de mi existencia.

A la mañana siguiente, mi padre desató de mi cabeza humedecida por tantas lágrimas, los brazos de mi madre. Mis hermanas, al decirme sus adioses, las enjugaron con besos. María esperó humildemente su turno, y balbuciendo su despedida, juntó su mejilla sonrosada a la mía, helada por la primera sensación de dolor.

Pocos momentos después seguía yo a mi padre, que ocultaba el rostro a mis miradas. Las pisadas de nuestros caballos en el sendero guijarroso ahogaban mis últimos sollozos. El rumor del Zabaletas*, cuyas vegas quedaban a nuestra derecha, se aminoraba por instantes. Dábamos ya la vuelta a una de las colinas de la vereda,

en el colegio de. Según lo declara Jorge Isaacs, en 1848 empezó a estudiar en Bogotá, en el colegio del Espíritu Santo, del doctor Lorenzo María Lleras.

Bogotá. Santa Fe de Bogotá, nombre mitad cristiano, mitad chibcha ("remate de labranzas"). Fue fundada en 1538 por Gonzalo Jiménez de Quesada. Capital de Colombia.

entró a: En América, lo normal es "entrar a" y no "entrar en". En España, aunque no se desconoce la construcción con "a", su uso tiene un matiz especial de dirección: alude al comienzo de la acción de *entrar*, mientras que la construcción con "en" alude al término de esa acción. La construcción con "a" es muy antigua; ya aparece en el *Poema del Mío Cid*.

Zabaletas. Río del Valle del Cauca.

en las que solían divisarse desde la casa viajeros deseados; volví la vista hacia ella buscando uno de tantos seres queridos: María estaba bajo las enredaderas que adornaban las ventanas del aposento de mi madre.

II

Pasados seis años, los últimos días de un lujoso agosto me recibieron al regresar al nativo valle. Mi corazón rebosaba de amor patrio. Era ya la última jornada de mi viaje, y yo gozaba de la más perfumada mañana del verano. El cielo tenía un tinte azul pálido; hacia el oriente y sobre las crestas altísimas de las montañas, medio enlutadas aún, vagaban algunas nubecillas de oro, como las gasas del turbante de una bailarina, esparcidas por un aliento amoroso. Hacia el sur flotaban las nieblas que durante la noche habían embozado los montes lejanos. Cruzaba planicies alfombradas en verdes gramales, regadas por riachuelos cuyo paso me obstruían hermosas vacadas, que abandonaban sus sesteaderos para internarse en las lagunas o en sendas abovedadas por florecidos pisamos* e higuerones frondosos. Mis ojos se habían fijado con avidez en aquellos sitios medio ocultos al viajero por las copas de añosos guadales; en aquellos cortijos donde había dejado gentes virtuosas y amigas. En tales momentos no habrían conmovido mi corazón las arias del piano de U*... ¡Si los perfumes que aspiraba eran tan gratos comparados con el de los vestidos lujosos de ella...; si el canto de aquellas aves sin nombre tenía armonías tan dulces a mi corazón!

Estaba mudo ante tanta belleza, cuyo recuerdo había creído conservar en mi memoria porque algunas de mis estrofas*, admiradas por mis condiscípulos, tenían de ella pálidas tintas. Cuando en un salón de baile, inundado de luz, lleno de melodías voluptuo-

---

pisamos. En otras ediciones aparece "písamos".

las arias del piano de U... Efraín se había enamorado en Bogotá de una maestra de música.

mis estrofas. Se refiere a las poesías que leyó en la tertulia de El Mosaico y que publicó en 1864.

sas, de aromas mil mezclados, de susurros de tantos ropajes de mujeres seductoras, encontramos aquella con quien hemos soñado a los dieciocho años, y una mirada fugitiva suya quema nuestra frente, y su voz hace enmudecer por un instante toda la voz para nosotros, y sus flores dejan tras sí esencias desconocidas; entonces caemos en una postración celestial: nuestra voz es impotente, nuestros oídos no escuchan ya la suya, nuestras miradas no pueden seguirla. Pero cuando, refrescada la mente, vuelve ella a la memoria horas después, nuestros labios murmuran en cantares su alabanza, y es esa mujer, en su acento, es su mirada, es el ruido de sus pasos sobre las alfombras lo que remeda aquel canto, que el vulgo creerá ideal. Así el cielo, los horizontes, las pampas y las cumbres del Cauca* hacen enmudecer a quien los contempla. Las grandes bellezas de la creación no pueden a un tiempo ser vistas y cantadas: es necesario que vuelvan al alma empalidecidas por la memoria infiel.

Antes de ponerse el sol ya había yo visto blanquear sobre la falda de la montaña la casa de mis padres. Al acercarme a ella, contaba con mirada ansiosa los grupos de sus sauces y naranjos, al través de los cuales vi cruzar poco después las luces que se repartían en las habitaciones.

Respiraba al fin aquel olor nunca olvidado del huerto que se vio formar. Las herraduras de mi caballo chispearon sobre el empedrado del patio*. Oí un grito indefinible; era la voz de mi madre; al estrecharme ella en los brazos y acercarme a su pecho, una sombra me cubrió los ojos: era el supremo placer que conmovía a una naturaleza virgen.

Cuando traté de reconocer en las mujeres que veía, a las hermanas que había dejado niñas, María estaba en pie junto a mí, y velaban sus ojos anchos párpados orlados de largas pestañas. Fue su rostro el que se cubrió de más notable rubor cuando al rodar mi brazo en sus hombros, rozó con su talle; y sus ojos estaban humedecidos aún al sonreír a mi primera expresión afectuosa, como los de un niño cuyo llanto ha acallado una caricia materna.

Cauca. Departamento de Colombia. Su capital es Popayán.

patio. Espacio cerrado y descubierto, aunque acotado, fuera de las casas de habitación y adyacente a éstas.

III

A las ocho fuimos al comedor, el cual estaba pintorescamente situado en la parte oriental de la casa. Desde él se veían las crestas desnudas de las montañas sobre el fondo estrellado del cielo. Las auras del desierto* pasaban por el jardín recogiendo aromas, para venir a juguetear con los rosales que nos rodeaban. El viento voluble dejaba oír por instantes el rumor del río. Aquella naturaleza parecía ostentar toda la hermosura de sus noches, como para recibir a un huésped amigo.

Mi padre ocupó la cabecera de la mesa y me hizo colocar a su derecha; mi madre se sentó a la izquierda, como de costumbre; mis hermanas y los niños se situaron indistintamente, y María quedó frente a mí.

Mi padre, encanecido durante mi·ausencia, me dirigía miradas de satisfacción, y sonreía con aquel, su modo, malicioso y dulce a su mismo tiempo, que no he visto nunca en otros labios. Mi madre hablaba poco, porque en esos momentos era más feliz que todos los que la rodeaban. Mis hermanas se empeñaban en hacerme probar las colaciones y cremas, y se sonrojaba aquella a quien yo dirigía una palabra lisonjera o una mirada examinadora. María me ocultaba sus ojos tenazmente; pero pude admirar en ellos la brillantez y hermosura de los de las mujeres de su raza, en dos o tres veces que, a su pesar, se encontraron de lleno con los míos; sus labios rojos, húmedos y graciosamente imperativos, me mostraron sólo un instante el arco simétrico de su linda dentadura. Llevaba, como mis hermanas, la abundante cabellera castaño oscura arreglada en dos trenzas*, sobre el nacimiento de una de las cuales se veía un clavel encarnado. Vestía un traje de muselina ligera, casi azul, del cual sólo se descubría parte del corpiño y la falda, pues un pañolón de algodón fino color de púrpura le ocultaba el seno hasta la base de su garganta, de blancura mate. Al volver las trenzas a la espalda, de donde rodaban al inclinarse ella a servir, admiré el

---

auras del desierto. Vientos suaves y apacibles.

en dos trenzas. El cabello de la ñapanga o mujer de pueblo va alisado en dos bandas y termina en dos trenzas, cuyas puntas no van trenzadas, sino peinadas simplemente. Así se peinaba también María.

envés de sus brazos deliciosamente torneados, y sus manos cuidadas como las de una reina.

Concluida la cena, los esclavos levantaron los manteles; uno de ellos rezó el Padrenuestro, y sus amos completamos la oración.

La conversación se hizo entonces confidencial entre mis padres y yo.

María tomó en los brazos el niño que dormía en su regazo, y mis hermanas la siguieron a los aposentos: ellas la amaban mucho y se disputaban su dulce afecto.

Ya en el salón, mi padre, para retirarse, les besó la frente a sus hijas. Quiso mi madre que yo viera el cuarto que se me había destinado. Mis hermanas y María, menos tímidas ya, querían observar qué efecto me causaba el esmero con que estaba adornado. El cuarto quedaba en el extremo del corredor del frente de la casa; su única ventana tenía por la parte de adentro la altura de una mesa-cómoda; en aquel momento, estando abiertas las hojas y rejas, entraban por ella floridas ramas de rosales a acabar de engalanar la mesa, en donde un hermoso florero de porcelana azul contenía trabajosamente en su copa azucenas y lirios, claveles y campanillas moradas del río. Las cortinas del lecho eran de gasa blanca, atadas a las columnas con cintas anchas de color rosa, y cerca de la cabecera, por una fineza materna, estaba la Dolorosa pequeña* que me había servido para mis altares cuando era niño. Algunos mapas, asientos cómodos y un hermoso juego de baño completaban el ajuar.

—¡Qué bellas flores! —exclamé al ver todas las que del jardín y del florero cubrían la mesa.

—María recordaba cuánto te agradaban —observó mi madre.

Volví los ojos para darle las gracias, y vi los suyos cómo se esforzaban* en soportar aquella vez mi mirada.

—María —dije— va a guardármelas, porque son nocivas en la pieza donde se duerme.

—¿Es verdad? —respondió—; pues las repondré mañana.

¡Qué dulce era su acento!

---

la Dolorosa pequeña. Imagen de María Santísima en su expresión dolorosa por la muerte de Cristo.

cómo se esforzaban. En algunas ediciones leemos "que se esforzaban".

—¿Tantas así hay?

—Muchísimas; se repondrán todos los días.

Después que mi madre me abrazó, Emma me tendió la mano, y María, abandonándome por un instante la suya, sonrió como en la infancia me sonreía: esa sonrisa hoyuelada era la de la niña de mis amores infantiles sorprendida en el rostro de una virgen de Rafael*

IV

Dormí tranquilo, como cuando me adormecía en la niñez uno de los maravillosos cuentos del esclavo Pedro.

Soñé que María entraba a renovar las flores de mi mesa, y que al salir había rozado las cortinas de mi lecho con su falda de muselina vaporosa salpicada de florecillas azules.

Cuando desperté, las aves cantaban revoloteando en los follajes de los naranjos y pomarosos, y los azahares llenaron mi estancia con su aroma tan luego como entreabrí la puerta.

La voz de María llegó entonces a mis oídos dulce y pura: era su voz de niña, pero más grave y lista ya para prestarse a todas las modulaciones de la ternura y de la pasión. ¡Ay!, ¡cuántas veces en mis sueños un eco de ese mismo acento ha llegado después a mi alma, y mis ojos han buscado en vano aquel huerto donde la vi tan bella en aquella mañana de agosto!

La niña cuyas inocentes caricias habían sido todas para mí, no sería ya la compañera de mis juegos; pero en las tardes doradas de verano estaría en los paseos a mi lado, en medio del grupo de mis hermanas; le ayudaría yo a cultivar sus flores predilectas; en las veladas oiría su voz, me mirarían sus ojos, nos separaría un solo paso.

Luego que me hube arreglado ligeramente los vestidos, abrí la ventana y divisé a María en una de las calles del jardín, acompañada de Emma; llevaba un traje más oscuro que el de la víspera, y el pañolón color de púrpura, enlazado a la cintura, le caía en forma

---

Rafael. Rafael Sanzio o Santi, pintor italiano; nació en Urbino (1483-1520). Fue uno de los más ilustres artistas de todas las épocas. Uno de sus primeros éxitos fue *Los desposorios de la Virgen* (1504).

de banda sobre la falda; su larga cabellera, dividida en dos cren-
chas, le ocultaba a medias parte de la espalda y el pecho; ella y mi
hermana tenían descalzos los pies. Llevaba una vasija de porcelana
poco más blanca que los brazos que la sostenían, la que iba llenando
de rosas abiertas durante la noche, desechando por marchitas las
menos húmedas y lozanas. Ella, riendo con su compañera, hundía
sus mejillas, más frescas que las rosas, en el tazón rebosante.
Descubrióme Emma; María lo notó, y sin volverse hacia mí, cayó
de rodillas para ocultarme sus pies, desatóse del talle el pañolón, y
cubriéndose con él los hombros, fingía jugar con las flores. Las
hijas núbiles de los patriarcas no fueron más hermosas en las
alboradas en que recogían flores para sus altares.

Pasado el almuerzo, me llamó mi madre a su costurero. Emma y
María estaban bordando cerca de ella. Volvió ésta a sonrojarse
cuando me presenté; recordaba, tal vez, la sorpresa que involuntariamente le había yo dado por la mañana.

Mi madre quería verme y oírme sin cesar.

Emma, más insinuante ya, me preguntaba mil cosas de Bogotá;
me exigía que le describiera bailes espléndidos, hermosos vestidos
de señora que estuvieran en uso, las más bellas mujeres que
figuraran entonces en la alta sociedad. Oían sin dejar sus labores.
María me miraba algunas veces al descuido, o hacía por lo bajo
observaciones a su compañera de asiento, y al ponerse en pie para
acercarse a mi madre a consultar algo sobre el bordado, pude ver
sus pies primorosamente calzados; su paso ligero y digno revelaba
todo el orgullo, no abatido, de nuestra raza, y el seductivo recato
de la virgen cristiana. Ilumináronse sus ojos cuando mi madre
manifestó deseo de que yo diese a las muchachas algunas lecciones
de gramática y geografía, materias en que no tenían sino muy
escasas nociones. Convínose en que daríamos principio a las lecciones pasados seis u ocho días, durante los cuales podría yo graduar
el estado de los conocimientos de cada una.

Horas después me avisaron que el baño estaba preparado y fui a
él. Un frondoso y corpulento naranjo, agobiado de frutos maduros,
formaba pabellón sobre el ancho estanque de canteras bruñidas;
sobrenadaban en el agua muchísimas rosas; era un baño oriental, y
estaba perfumado con las flores que en la mañana había recogido
María.

V

Habían pasado tres días cuando me convidó mi padre a visitar sus haciendas del Valle, y fue preciso complacerlo; por otra parte, yo tenía interés real a favor de sus empresas. Mi madre se empeñó vivamente por nuestro pronto regreso. Mis hermanas se entristecieron. María no me suplicó como ellas, que regresase en la misma semana; pero me seguía incesantemente con los ojos durante los preparativos de viaje.

En mi ausencia, mi padre había mejorado sus propiedades notablemente: una costosa y bella fábrica de azúcar*, muchas fanegadas de caña para abastecerla, extensas dehesas con ganado vacuno y caballar, buenos cebaderos y una lujosa casa de habitación, constituían lo más notable de sus *haciendas de tierra caliente* Los esclavos, bien vestidos y contentos, hasta donde es posible estarlo en la servidumbre, eran sumisos y afectuosos para con su amo. Hallé hombres a los que, niños años antes, me habían enseñado a poner trampas a las chilacoas y guatines en la espesura de los bosques; sus padres y ellos volvieron a verme con inequívocas señales de placer. Solamente a Pedro, el buen amigo y fiel ayo, no debía encontrar; él había derramado lágrimas al colocarme sobre el caballo el día de mi partida para Bogotá, diciendo: "Amito mío, ya no te veré más." El corazón le avisaba que moriría antes de mi regreso

Pude notar que mi padre, sin dejar de ser amo, daba un trato cariñoso a sus esclavos, se mostraba celoso de la buena conducta de sus esposas y acariciaba a los niños.

Una tarde, ya a puesta de sol, regresábamos de las labranzas a la fábrica, mi padre, Higinio (mayordomo) y yo. Ellos hablaban de trabajos hechos y por hacer; a mí me ocupaban cosas menos serias:

---

una costosa y bella fábrica de azúcar. Se supone que las primeras estacas de caña de azúcar fueron traídas de Quito por Sebastián de Belalcázar o Benalcazar. Su cultivo sistemático se inició a mediados del siglo XVI.

tierra caliente. El clima de Colombia puede clasificarse de la siguiente manera: una tierra caliente, desde el nivel del mar hasta los 915 metros de altura, de clima cálido, cuya temperatura oscila entre los 30° y 38°C; una tierra templada, entre los 915 y 1 830 metros de altura (la zona del café), con una temperatura media anual de 14°C, y por último, una tierra fría, con altitud que varía de 1 983 a 3 050 metros, y una temperatura media anual de 11°C.

pensaba en los días de mi infancia. El olor peculiar de los bosques recién derribados y el de las piñuelas en sazón; la greguería de los loros en los guadales y guayabales vecinos; el tañido lejano del cuerno de algún pastor, repetido por los montes; las castrueras de los esclavos que volvían espaciosamente de las labores con las herramientas al hombro; los arreboles vistos al través de los cañaverales movedizos, todo me recordaba las tardes en que abusando mis hermanas, María y yo, de alguna licencia de mi madre, obtenida a fuerza de tenacidad, nos solazábamos recogiendo guayabas de nuestros árboles predilectos, sacando nidos de piñuelas, muchas veces con grave lesión de brazos y manos, y espiando polluelos de pericos en las cercas de los corrales.

Al encontrarnos con un grupo de esclavos, dijo mi padre a un joven negro de notable apostura:

—¿Conque, Bruno, todo lo de tu matrimonio está arreglado para pasado mañana?

—Sí, mi amo —le respondió quitándose el sombrero de junco y apoyándose en el mango de su pala.

—¿Quiénes son los padrinos?

—Ña Dolores y ñor Anselmo, si su merced quiere.

—Bueno; Remigia y tú estaréis bien confesados. ¿Compraste todo lo que necesitarás para ella y para ti con el dinero que mandé darte?

—Todo está ya, mi amo.

—¿Y nada más deseas?

—Su merced verá.

—El cuarto que te ha señalado Higinio, ¿es bueno?

—Sí, mi amo.

—¡Ah! Ya sé... Lo que quieres es baile.

Rióse entonces Bruno, mostrando sus dientes de blancura deslumbrante, volviendo a mirar a sus compañeros.

—Justo es; te portas muy bien. Ya sabes —agregó, dirigiéndose a Higinio—: arregla eso, y que queden contentos.

—¿Y sus mercedes se van antes? —preguntó Bruno.

—No —le respondí yo—; nos damos por convidados.

En la madrugada del sábado próximo se casaron Bruno y Remigia. Esa noche, a las siete, montamos mi padre y yo para ir al baile, cuya música empezábamos a oír. Cuando llegamos Julián, esclavo capitán de la cuadrilla salió a tomarnos el estribo y a recibir nuestros caballos. Estaba lujoso con su vestido de domingo, y le pendía de la cintura el largo machete de guarnición plateada, insignia de su empleo. Una sala de nuestra antigua casa habitación había sido desocupada de los enseres de labor que contenía, para hacer el baile en ella. Habíanla rodeado de tarimas; en una araña de madera suspendida en una de las vigas, daban vueltas media docena de luces; los músicos y cantores, mezcla de agregados, esclavos manumisos*, ocupaban una de las puertas. No había sino dos flautas de caña, un tambor improvisado, dos alfandoques y una pandereta; pero las finas voces de los negritos entonaban los bambucos con maestría tal; había en sus cantos tan sentida combinación de melancólicos, alegres y ligeros acordes; los versos que cantaban eran tan tiernamente sencillos, que el más culto aficionado hubiera escuchado en éxtasis aquella música semisalvaje. Penetramos en la sala con zamarros y sombreros. De los bailarines eran en ese momento Remigia y Bruno; ella con follao de boleros azules, tumbadillo de flores rojas, camisa blanca bordada de negro y gargantilla y zarcillos de cristal color de rubí, danzaba con toda la gentileza y donaire que eran de esperarse de su talle cimbrador. Bruno, doblados sobre los hombros los paños de su ruana* de hilo, calzón de vistosa manta y camisa blanca aplanchada y un *cabi-blanco* nuevo a la cintura, zapateaba con destreza admirable.

Pasada aquella mano, que así llaman los campesinos a cada pieza de baile, tocaron los músicos su más hermoso bambuco, porque Julián les anunció que era para el amo. Remigia, animada por su marido y por el capitán, se resolvió al fin a bailar unos momentos con mi padre; pero entonces no se atrevía a levantar los ojos, y sus movimientos en la danza eran menos espontáneos. Al cabo de una hora nos retiramos.

---

esclavos manumisos. Esclavos que lograron la libertad con arreglo a las prescripciones de la ley antiesclavista sancionada por el Congreso de Cúcuta (1821).

los paños de su ruana. Lana fue lo primero que trajeron los españoles a Cundinamarca, desde Ruán. Con paños de Ruán se transformaron los ligeros ponchos en otros gruesos y abrigados que, por venir la lana de donde venía, se llamaron ruanas. Hoy se conoce la ruana en el mundo: su cuna original está en Cundinamarca y Boyacá.

Quedó mi padre satisfecho de mi atención durante la visita que hicimos a las haciendas; mas cuando le dije que en adelante deseaba participar de sus fatigas quedándome a su lado, me manifestó, casi con pesar, que se veía en el caso de sacrificar su bienestar a favor mío, cumpliéndome la promesa que me tenía hecha de tiempo atrás, de enviarme a Europa a concluir mis estudios de medicina, y que debía emprender viaje, a más tardar, dentro de cuatro meses. Al hablarme así, su fisonomía se revistió de una seriedad solemne, sin afectación, que se notaba en él cuando tomaba resoluciones irrevocables. Esto pasaba la tarde en que regresábamos a la sierra. Empezaba a anochecer, que a no haber sido así, habría notado la emoción que su negativa me causaba. El resto del camino se hizo sin que continuásemos hablando. ¡Cuán feliz hubiera yo vuelto a ver a María, si la noticia de ese viaje no se hubiese interpuesto desde aquel momento entre mis esperanzas y ella!

VI

¿Qué había pasado en aquellos cuatro días en el alma de María?

Iba ella a colocar una lámpara en una de las mesas del salón cuando me acerqué a saludarla, y ya había yo extrañado no verla en medio del grupo de la familia en la escalera donde acabábamos de desmontarnos. El temblor de su mano expuso la lámpara, y yo le presté mi ayuda, menos tranquilo de lo que creí estarlo. Parecióme ligeramente pálida y alrededor de sus ojos había una leve sombra, imperceptible para quien la hubiese visto sin mirarla. Volvió el rostro hacia mi madre, que hablaba en ese momento, evitando así que yo pudiera examinarlo bañado por la luz que teníamos cerca; noté entonces que en el nacimiento de una de las trenzas tenía un clavel marchito; y era, sin duda, el que le había yo dado la víspera de mi marcha para el Valle. La crucecilla de coral esmaltado que había traído para ella, igual a las de mis hermanas, la llevaba al cuello, pendiente de un cordón de pelo negro. Estuvo silenciosa, sentada en medio de las butacas que ocupábamos mi madre y yo. Como la resolución de mi padre sobre mi viaje no se apartaba de mi memoria, debí de parecerle a ella triste, pues me dijo en voz casi baja:

—¿Te ha hecho daño el viaje?

—No, María —le contesté—; pero nos hemos asoleado y hemos andado tanto...

Iba a decirle algo más, pero el acento confidencial de su voz, la luz nueva para mí que sorprendí en sus ojos, me impidieron hacer otra cosa que mirarla, hasta que, notando que se avergonzaba de la involuntaria fijeza de mis miradas, y encontrándome examinado por una de mi padre (más terribles cuando cierta sonrisa pasajera vagaba en sus labios poéticos), salí del salón con dirección a mi cuarto.

Cerré las puertas*. Allí estaban las flores recogidas por ella para mí. Las ajé con mis besos; quise aspirar de una vez todos sus aromas, buscando en ellos los de los vestidos de María; bañélas con mis lágrimas... ¡Ah! ¡Los que no habéis llorado de felicidad así, llorad de desesperación si ha pasado vuestra adolescencia, porque así tampoco volveréis a amar ya!

¡Primer amor!... Noble orgullo de sentirnos amados: sacrificio dulce de todo lo que antes nos era caro a favor de la mujer querida; felicidad que, comprada para un día con las lágrimas de toda una existencia, recibiríamos como un don de Dios; perfume para todas las horas del porvenir, luz inextinguible del pasado; flor guardada en el alma y que no es dado marchitar a los desengaños; único tesoro que no puede arrebatarnos la envidia de los hombres, delirio delicioso..., inspiración del cielo... ¡María! ¡María! ¡Cuánto te amé! ¡Cuánto te amara!

VII

Cuando hizo mi padre el último viaje a las Antillas, Salomón. primo suyo a quien mucho había amado desde la niñez, acababa de perder su esposa. Muy jóvenes habían venido juntos a Sudamérica, y en uno de sus viajes se enamoró mi padre de la hija de un

---

Cerré las puertas... Hasta el fin del capítulo puede observarse un fragmento típicamente romántico, por su intenso tono emocional, interjecciones enfáticas, oraciones exclamativas, vocativos y puntos suspensivos. Con expresiones características: flores ajadas por besos y bañadas en lágrimas; primer amor, flor guardada en el alma y que no es dado marchitar a los desengaños, etc. El autor, felizmente, no abusa de esta retórica romántica, lo cual salva su novela de la cursilería.

español, intrépito capitán de navío, que después de haber dejado el servicio por algunos años se vio forzado, en 1819*, a tomar nuevamente las armas en defensa de los reyes de España, y que murió fusilado en Majagual* el veinte de mayo de 1820.

La madre de la joven que mi padre amaba exigió por condición para dársela por esposa que renunciase él a la religión judaica. Mi padre se hizo cristiano a los veinte años de edad. Su primo se aficionó en aquellos días a la religión católica, sin ceder por eso a las instancias para que también se hiciese bautizar, pues sabía que lo que hecho por mi padre le daba la esposa que deseaba, a él le impediría ser aceptado por la mujer a quien amaba en Jamaica.

Después de algunos años de separación volvieron a verse, pues, los dos amigos. Ya era viudo Salomón. Sara, su esposa, le había dejado una niña, que tenía a la sazón tres años. Mi padre lo encontró desfigurado moral y físicamente por el dolor, y entonces su nueva religión le dio consuelos para su primo, consuelos que en vano habían buscado los parientes para salvarlo. Instó a Salomón para que le diera su hija, a fin de educarla a nuestro lado, y se atrevió a proponerle que la hiciera cristiana. Salomón aceptó, diciéndole: "Es verdad que solamente mi hija me ha impedido emprender un viaje a la India, que mejoraría mi espíritu y remediaría mi pobreza; también ha sido ella mi único consuelo después de la muerte de Sara; pero tú lo quieres, sea hija tuya. Las cristianas son dulces y buenas, y tu esposa debe ser una santa madre. Si el cristianismo da en las desgracias supremas el alivio que tú me has dado, tal vez yo haría desdichada a mi hija dejándola judía. No lo digas a nuestros parientes; pero cuando llegues a la primera costa donde se halle un sacerdote católico, hazla bautizar y que le cambien el nombre de Ester en el de María." Esto decía el infeliz derramando muchas lágrimas.

en 1819. El 7 de agosto de este año se llevó a cabo la batalla de Boyacá, en la que Bolívar obtuvo un amplio triunfo sobre las fuerzas realistas sellando así la independencia de Colombia. Meses después, el 17 de diciembre, el Congreso de Angostura proclamó la unión de la Gran Colombia, formada por Nueva Granada, Venezuela y Ecuador.

Majagual. Población y municipio de Colombia, departamento de Bolívar, provincia de Magangué.

A pocos días se daba a la vela en la bahía de Montego* la goleta que debía conducir a mi padre a las costas de Nueva Granada*. La ligera nave ensayaba sus blancas alas, como una garza de nuestros bosques las suyas antes de emprender un largo vuelo. Salomón entró en la habitación de mi padre, que acababa de arreglar su traje de a bordo, llevando a Ester sentada en uno de sus brazos, y pendiente del otro un cofre que contenía el equipaje de la niña; ésta tendió los bracitos a su tío, y Salomón, poniéndola en los de su amigo, cayó, sollozando, sentado sobre el pequeño baúl. Aquella criatura, cuya cabeza preciosa acaba de bañar con una lluvia de lágrimas el bautismo del dolor antes que el de la religión de Jesús, era un tesoro sagrado; mi padre lo sabía bien, y no lo olvidó jamás. A Salomón le fue recordada por su amigo, al saltar éste a la lancha que iba a separarlos, una promesa, y él respondió con voz ahogada: "Las oraciones, de mi hija por mí y las mías por ella y su madre, subirán juntas a los pies del Crucificado."

Contaba yo siete años cuando regresó mi padre, y desdeñé los juguetes preciosos que me trajo de su viaje por admirar aquella niña tan bella, tan dulce y sonriente. Mi madre la cubrió de caricias y mis hermanas la agasajaron con ternura, desde el momento en que mi padre, poniéndola en el regazo de su esposa, le dijo: "Esta es la hija de Salomón, que él te envía."

Durante nuestros juegos infantiles sus labios empezaron a modular acentos castellanos, tan armoniosos y seductores en una linda boca de mujer y en la risueña de un niño.

Habrían corrido unos seis años. Al entrar yo una tarde en el cuarto de mi padre lo oí sollozar; tenía los brazos cruzados sobre la mesa y en ellos apoyaba la frente. Cerca de él mi madre lloraba, y en sus rodillas reclinaba María la cabeza, sin comprender ese dolor y casi indiferente a los lamentos de su tío: era que una carta de Kingston*, recibida aquel día, daba la nueva de la muerte de Salomón. Recuerdo solamente una expresión de mi padre en aque-

Montego. Ciudad marítima de la isla de Jamaica (Antillas mayores).

Nueva Granada. Nombre que adoptó Colombia en 1832; en 1853, época en que, aproximadamente, está ambientada la novela, ya se denominaba Confederación Granadina.

Kingston. Capital y puerto principal de Jamaica.

lla tarde: "Si todos me van abandonando sin que pueda recibir sus últimos adioses, ¿a qué volveré yo a mi país?" ¡Ay! ¡Sus cenizas debían descansar en tierra extraña, sin que los vientos del océano, en cuyas playas retozó siendo niño, cuya inmensidad cruzó joven y ardiente, vengan a barrer sobre la losa de su sepulcro las flores secas de los aromos y el polvo de los años!

Pocos eran entonces los que conociendo nuestra familia, pudiesen sospechar que María no era hija de mis padres. Hablaba bien nuestro idioma, era amable, viva e inteligente. Cuando mi madre le acariciaba la cabeza, al mismo tiempo que a mis hermanas y a mí, ninguno hubiera podido adivinar cuál era allí la huérfana.

Tenía nueve años. La cabellera abundante, todavía de color castaño claro, suelta y jugueteando sobre su cintura fina y movible; los ojos parleros*; el acento con algo de melancólico que no tenían nuestras voces: tal era la imagen que de ella llevé cuando partí de la casa paterna; así estaba en la mañana de aquel triste día bajo las enredaderas de las ventanas de mi madre.

VIII

A prima noche* llamó Emma a mi puerta para que fuera a la mesa. Me bañé el rostro para ocultar las huellas de las lágrimas y me mudé los vestidos para disculpar mi tardanza.

No estaba María en el comedor, y en vano imaginé que sus ocupaciones la habían hecho demorarse más de lo acostumbrado. Notando mi padre un asiento desocupado, preguntó por ella, y Emma la disculpó diciendo que desde esa tarde había tenido dolor de cabeza y que dormía ya. Procuré no mostrarme impresionado; y haciendo todo esfuerzo por que la conversación fuera amena, hablé con entusiasmo de todas las mejoras que había encontrado en las fincas que acabábamos de visitar. Pero todo fue inútil; mi padre estaba más fatigado que yo, y se retiró temprano; Emma y mi madre se levantaron para ir a acostar a los niños y ver cómo estaba

ojos parleros. Ojos que dan a entender los afectos del ánimo o descubren lo que se ignoraba.

A prima noche. Modo adverbial que significa "en las primeras horas de la noche"

María, lo cual les agradecí, sin que me sorprendiera ya ese sentimiento de gratitud.

Aunque Emma volvió al comedor, la sobremesa no duró largo tiempo. Felipe y Eloísa, que se habían empeñado en que tomara parte en su juego de naipes, acusaron de soñolientos mis ojos. Aquél había solicitado inútilmente de mi madre permiso para acompañarme al día siguiente a la montaña, por lo cual se retiró descontento.

Meditando en mi cuarto, creí adivinar la causa del sufrimiento de María. Recordé la manera cómo yo había salido del salón después de mi llegada y cómo la impresión que me hizo la voz confidencial de ella fue motivo de que le contestara con la falta de tino propia de quien está reprimiendo una emoción. Conociendo ya el origen de su pena, habría dado mil vidas por obtener un perdón suyo; pero la duda vino a agravar la turbación de mi espíritu. Dudé del amor de María. ¿Por qué, pensaba yo, se esfuerza mi corazón en creerla sometida a este mismo martirio? Consideréme indigno de poseer tanta belleza, tanta inocencia. Echéme en cara ese orgullo que me había ofuscado hasta el punto de creerme por él objeto de su amor, siendo solamente merecedor de su cariño de hermana. En mi locura pensé con menos terror, no, con placer casi, en mi próximo viaje.

IX

Levantéme al día siguiente cuando amanecía. Los resplandores que delineaban hacia el Oriente las cúspides de la cordillera central doraban en semicírculos sobre ella algunas nubes ligeras que se desataban las unas de las otras para alejarse y desaparecer. Las verdes pampas y selvas del valle, se veían como al través de un vidrio azulado, y en medio de ellos algunas cabañas blancas, humaredas de los montes recién quemados elevándose en espiral y alguna vez las revueltas de un río. La cordillera de Occidente, con sus pliegues y senos, semejaba mantos de terciopelo azul oscuro suspendidos de sus centros por manos de genios y velados por las nieblas. Al frente de mi ventana, los rosales y los follajes de los árboles del huerto parecían temer las primeras brisas que vendrían a derramar el rocío que brillaba en sus hojas y flores. Todo me pareció triste. Tomé la escopeta: hice una señal al cariñoso Mayo, que, sentado sobre las piernas traseras, me miraba fijamente, arrugada la frente por la excesiva atención aguardando la primera orden; y saltando el vallado de piedra cogí el camino de la montaña. Al internarme, la hallé fresca y temblorosa bajo las caricias de las últimas auras de la noche. Las garzas abandonaban sus dormideros*, formando en su vuelo líneas ondulantes que plateaba el sol, como cintas abandonadas al capricho del viento. Bandadas numerosas de loros se levantaban de los guaduales para dirigirse a los maizales vecinos, y el diostedé saludaba el día con su canto triste y monótono desde el corazón de la sierra.

Bajé a la vega montuosa del río por el mismo sendero por donde lo había hecho tantas veces seis años antes. El trueno de su raudal iba aumentando, y poco después descubrí las corrientes, impetuosas al precipitarse en los saltos, convertidas en espumas hervidoras en ellos, cristalinas y tersas en los remansos, rodando siempre sobre un lecho de peñascos afelpados de musgos, orlados en la ribera por iracales, helechos y cañas de amarillos tallos, plumajes sedosos y semilleros de color púrpura.

Detúveme en la mitad del puente formado por el huracán con un cedro corpulento, el mismo por donde había pasado en otro tiempo. Floridas parásitas colgaban de sus ramas, y campanillas azules y tornasoladas bajaban en festones desde mis pies a mecerse en las ondas. Una vegetación exuberante y altiva abovedaba a trechos el río, y al través de la cual penetraban algunos rayos del sol naciente como por la techumbre rota de un templo indiano abandonado. Mayo aulló, cobarde, en la ribera que yo acababa de dejar, y a instancias mías se resolvió a pasar por el puente fantástico, tomando en seguida, antes que yo, el sendero que conducía a la posesión del viejo José, quien esperaba de mí aquel día el pago de su visita de bienvenida.

Después de una pequeña cuesta pendiente y oscura, y de atravesar a saltos por sobre el arbolado seco de los últimos derribos del

---

Las garzas abandonaban sus dormideros... El autorizado crítico chileno Arturo Torres-Rioseco señala el párrafo iniciado con estas palabras, hasta el punto aparte ("desde el corazón de la sierra"), como un ejemplo de "la excelente interpretación romántica del paisaje" en *María*, "parte no pequeña de su encanto".

montañés*, me hallé en la placeta sembrada de legumbres, desde donde divisé, humeando, la casita situada en medio de las colinas verdes que yo había dejado entre bosques al parecer indestructibles. Las vacas, hermosas por su tamaño y color, bramaban a la puerta del corral buscando sus becerros. Las aves domésticas alborotaban recibiendo la ración matutina; en las palmeras cercanas, que había respetado el hacha de los labradores, se mecían las oropéndolas bulliciosas en sus nidos colgantes, y en medio de tan grata algarabía se oía a las veces el grito agudo del pajarero que, desde su barbacoa* y armado de honda, espantaba las guacamayas hambrientas que revoloteaban sobre el maizal.

Los perros del antioqueño* le dieron con sus ladridos parte de mi llegada. Mayo, temeroso de ellos, se me acercó mohino. José salió a recibirme, el hacha en una mano y el sombrero en la otra.

La pequeña vivienda denunciaba laboriosidad, economía y limpieza; todo era rústico, pero estaba cómodamente dispuesto y cada cosa en su lugar. La sala de la casita, perfectamente barrida; poyos de guadua alrededor cubiertos de esteras de junco y pieles de oso; algunas láminas de papel iluminado representando* santos, y prendidas con espinas de naranjo a las paredes sin blanquear; tenía a derecha e izquierda la alcoba de la mujer de José y de las muchachas. La cocina, formada de caña menuda y con el techo de hoja de la misma planta, estaba separada de la casa por un huertecillo donde el perejil, la manzanilla, el poleo y las albahacas mezclaban sus aromas.

montañés. El territorio antioqueño se conoce con el nombre de "La Montaña"; de ahí que Efraín llamara así al viejo José.

el pajarero... desde su barbacoa... En Colombia, llámase "pajarero" al muchacho que "pajarea", es decir, que ahuyenta los pájaros de los sembrados. En el lugar anotado, el "pajarero" está ubicado en una "barbacoa", rústico andamio que improvisan quienes cuidan los maizales. Jorge Isaacs pone de relieve aquí, una vez más, el realismo con que describe las tierras y gentes del Cauca. Realismo que forma saludable contraste con el romanticismo de la novela.

antioqueño. Natural de Santa Fe de Antioquia, capital de la provincia de Occidente, en el departamento de Colombia, situada a orillas del Tonusco y muy cerca del Cauca, sobre el cual hay un magnífico puente, al que hace referencia Efraín.

representando. Uso erróneo del gerundio, por influencia francesa, con valor de adjetivo. La expresión correcta es "...algunas láminas de papel iluminado que representaban santos..."

Las mujeres parecían vestidas con más esmero que de ordinario. Las muchachas, Lucía y Tránsito, llevaban enaguas de zaraza morada y camisas muy blancas con golas de encaje ribeteadas de trencilla negra, bajo las cuales escondían parte de sus rosarios y gargantillas de bombillas de vidrio con color de ópalo. Las trenzas de sus cabellos, gruesas y de color azabache, les jugaban sobre las espaldas al más leve movimiento de los pies desnudos, cuidados y ligeros. Me hablaban con suma timidez y fue su padre quien, notando eso, las animó diciéndoles: "¿Acaso no es el mismo niño Efraín, porque venga del colegio sabido* y ya mozo?" Entonces se hicieron más joviales y risueñas: nos enlazaban amistosamente los recuerdos de los juegos infantiles, poderosos en la imaginación de los poetas y de las mujeres. Con la vejez, la fisonomía de José había ganado mucho; aunque no se dejaba la barba, su faz tenía algo de bíblico, como casi todas las de los ancianos de buenas costumbres del país donde nació: una cabellera cana abundante le sombreaba la tostada y ancha frente, y sus sonrisas revelaban tranquilidad de alma. Luisa, su mujer, más feliz que él en la lucha con los años, conservaba en el vestir algo de la manera antioqueña, y su jovialidad y alegría dejaban comprender que estaba contenta con su suerte.

José me condujo al río y me habló de sus siembras y cacerías, mientras yo me sumergía en el remanso diáfano desde el cual se lanzaban las aguas formando una pequeña cascada. A nuestro regreso encontramos servido en la única mesa de la casa el provocativo almuerzo. Campeaba el maíz por todas partes* en la sopa de mote servida en platos de loza vidriada y en doradas arepas esparcidas sobre el mantel. El único cubierto del menaje estaba cruzado sobre mi plato blanco y orillado de azul.

Mayo se sentó a mis pies con mirada atenta, pero más humilde que de costumbre.

José remendaba una atarraya, mientras sus hijas, listas, pero vergonzosas, me servían llenas de cuidado, tratando de adivinarme

sabido. Instruido.

Campeaba el maíz por todas partes... Efectivamente, pues la *sopa de mote* tiene por ingrediente principal el maíz, y las *arepas* son panecillos redondos de dicho cereal.

en los ojos lo que podía faltarme. Mucho se habían embellecido, y de niñas loquillas que eran se habían hecho mujeres oficiosas.

Apurado el vaso de espesa y espumosa leche, postre de aquel almuerzo patriarcal, José y yo salimos a recorrer el huerto y la roza* que estaba cogiendo. Él quedó admirado de mis conocimientos teóricos sobre las siembras y volvimos a la casa una hora después para despedirme yo de las muchachas y de la madre.

Púsele al buen viejo en la cintura el cuchillo* de monte que le había traído del reino*; al cuello de Tránsito y Lucía preciosos rosarios, y en manos de Luisa un relicario que ella había encargado a mi madre. Tomé la vuelta de la montaña cuando era mediodía por filo*, según el examen que del sol hizo José.

X

A mi regreso, que hice lentamente, la imagen de María volvió a asirse a mi memoria. Aquellas soledades, sus bosques silenciosos, sus flores, sus aves y sus aguas, ¿por qué me hablaban de ella? ¿Qué había allí de María en las sombras húmedas, en la brisa que movía los follajes, en el rumor del río?… Era que veía el Edén*, pero faltaba ella; era que no podía dejar de amarla, aunque no me amase. Y aspiraba el perfume del ramo de azucenas silvestres que las hijas de José habían formado para mí, pensando yo que acaso merecían ser tocadas por los labios de María: así se habían debilitado en tan pocas horas mis propósitos heroicos de la noche.

Apenas llegué a casa me dirigí al costurero de mi madre. María estaba con ella; mis hermanas se habían ido al baño. María, des-

---

roza. Recuérdese el poema "Memoria sobre el cultivo del maíz en Antioquia", de Gregorio Gutiérrez González, poeta colombiano (1826-1872).

en la cintura el cuchillo. Costumbre española.

reino. Se refiere a Cundinamarca, departamento de Colombia. Su capital es Bogotá.

por filo. Modo adverbial que significa "en punto".

Edén. Paraíso terrestre, morada del primer hombre antes de su desobediencia. Lugar ameno y delicioso.

pués de contestarme el saludo, bajó los ojos sobre la costura. Mi madre se manifestó regocijada por mi vuelta, pues, sobresaltados en casa con la demora habían enviado a buscarme en aquel momento. Hablaba con ellas ponderando los progresos de José, y Mayo quitaba con la lengua a mis vestidos los cadillos que se les habían prendido en las malezas.

Levantó María otra vez los ojos, fijándolos en el ramo de azucenas que yo tenía en la mano izquierda, mientras me apoyaba con la derecha en la escopeta; creí comprender que las deseaba, pero un temor indefinible, cierto respeto a mi madre y a mis propósitos de por la noche*, me impidieron ofrecérselas. Mas me deleitaba imaginando cuán bella quedaría una de mis pequeñas azucenas sobre sus cabellos de color castaño luciente. Para ella debían ser, porque habrá recogido durante la mañana azahares y violetas para el florero de mi mesa. Cuando entré en mi cuarto no vi una flor allí. Si hubiese encontrado enrollada sobre la mesa una víbora no hubiera yo sentido emoción igual a la que me ocasionó la ausencia de las flores. Su fragancia había llegado a ser algo del espíritu de María que vagaba a mi alrededor en las horas de estudio, que se mecía en las cortinas de mi lecho durante la noche... ¡Ah! ¿Conque era verdad que no me amaba? ¿Conque había podido engañarme tanto mi imaginación visionaria? Y de ese ramo que había traído para ella, ¿qué podía yo hacer? Si otra mujer, pero bella y seductora, hubiese estado allí en ese momento, en ese instante de resentimiento contra mi orgullo y de resentimiento con María, a ella lo habría dado a condición de que lo mostrase a todos y se embelleciera con él. Lo llevé a mis labios como para despedirme por última vez de una ilusión querida, y lo arrojé por una ventana.

XI

Hice esfuerzos para mostrarme jovial durante el resto del día. En la mesa hablé con entusiasmo de las mujeres hermosas de Bogotá, y ponderé intencionalmente las gracias y el ingenio de P... Mi padre se complacía oyéndome; Eloísa habría querido que la

de por la noche. De la noche anterior.

sobremesa durase hasta la noche. María estuvo callada, pero me pareció que sus mejillas palidecían algunas veces y que su primitivo color no había vuelto a ellas, así como el de las rosas que durante la noche han engalanado un festín.

Hacia la última parte de la conversación, María había fingido jugar con la cabellera de Juan, hermano mío, de tres años de edad, a quien ella mimaba. Soportó hasta el fin; mas tan luego como me puse en pie, se dirigió ella con el niño al jardín.

Todo el resto de la tarde y en la prima noche fue necesario ayudar a mi padre en sus trabajos de escritorio.

A las ocho, y luego que las mujeres habían ya rezado sus oraciones de costumbre, nos llamaron al comedor. Al sentarnos a la mesa quedé sorprendido viendo una de las azucenas en la cabeza de María. Había en su rostro bellísimo tal aire de noble, inocente y dulce resignación, que, como magnetizado por algo desconocido hasta entonces para mí en ella, no me era posible dejar de mirarla.

Niña cariñosa y risueña, mujer tan pura y seductora como aquellas con quienes yo había soñado, así la conocía; pero resignada ante mi desdén, era nueva para mí. Divinizada por la resignación, me sentía indigno de fijar una mirada sobre su frente.

Respondí mal a unas preguntas que se me hicieron sobre José y su familia. A mi padre no se le podía ocultar mi turbación, y dirigiéndose a María le dijo sonriendo:

—Hermosa azucena tienes en los cabellos: yo no he visto de ésas en el jardín.

María, tratando de disimular su desconcierto, respondió con voz casi imperceptible:

—Es que de estas azucenas sólo hay en la montaña.

Sorprendí en aquel momento una sonrisa bondadosa en los labios de Emma.

—¿Y quién las ha enviado? —preguntó mi padre.

El desconcierto de María era ya notable. Yo la miraba; y ella debió de hallar algo nuevo y animador en mis ojos, pues respondió con acento firme:

—Efraín botó unas al huerto; y nos pareció que, siendo tan raras, era lástima que se perdiesen; ésta es una de ellas.

—María —le dije yo—, si hubiese sabido que eran tan estimables esas flores, las habría guardado para vosotras; pero me han parecido menos bellas que las que se ponen diariamente en el florero de mi mesa.

Comprendió ella la causa de mi resentimiento, y me lo dijo tan claramente una mirada suya, que temí que se oyeran las palpitaciones de mi corazón.

Aquella noche, a la hora de retirarse la familia del salón, María estaba casualmente sentada cerca de mí. Después de haber vacilado mucho, le dije al fin con voz que denunciaba mi emoción: "María, eran para ti; pero no encontré las tuyas."

Ella balbucía alguna disculpa, cuando tropezando en el sofá mi mano con la suya se la retuve por un movimiento ajeno a mi voluntad. Dejó de hablar. Sus ojos me miraron asombrados y huyeron de los míos. Pasóse por la frente con angustia la mano que tenía libre, y apoyó en ella la cabeza, hundiendo el brazo desnudo en el almohadón inmediato. Haciendo al fin un esfuerzo para deshacer ese doble lazo de la materia y del alma que en tal momento nos unía, púsose en pie; y como concluyendo una reflexión empezada, me dijo tan quedo que apenas pude oírla: "Entonces…, yo recogeré todos los días las flores más lindas." Y desapareció.

Las almas como la de María ignoran el lenguaje mundano del amor; pero se doblegan estremeciéndose a la primera caricia de aquel a quien aman, como la adormidera de los bosques bajo el ala de los vientos.

Acababa de confesar mi amor a María; ella me había animado a confesárselo, humillándose como una esclava a recoger aquellas flores. Me repetí con deleite sus últimas palabras; su voz susurraba aún en mi oído: "Entonces…, yo recogeré todos los días las flores más lindas."

XII

La luna, que acababa de elevarse, llena y grande, bajo un cielo profundo sobre los montes enlutados, iluminaba las faldas de las montañas blanqueadas a trechos por las copas de los yarumos, argentando las espumas de los torrentes y difundiendo su claridad melancólica hasta el fondo del valle. Las plantas exhalaban sus más suaves y misteriosos aromas. Este silencio, interrumpido solamente por el bramido del río*, era más grato que nunca a mi alma.

Apoyado de codos sobre el marco de mi ventana, me imaginaba verla en medio de los rosales entre los cuales la había sorprendido en aquella mañana primera: estaba allí recogiendo el ramo de azucenas, sacrificando su orgullo a su amor. Era yo quien iba a turbar en adelante el sueño infantil de su corazón: podría ya hablarle de mi amor, hacerla el objeto de mi vida. ¡Mañana!, mágica palabra la noche en que se nos ha dicho que somos amados. Sus miradas, al encontrarse con las mías, no tendrían ya nada que ocultarme; ella se embellecería para felicidad y orgullo mío.

Nunca las auroras de julio en el Cauca fueron tan bellas como estaba María cuando se me presentó al día siguiente momento después de salir del baño; la cabellera de carey sombreado, suelta a medio rizar; las mejillas tintas de color rosa suavemente desvanecido, pero en algunos momentos avivado por el rubor; y jugando en sus labios cariñosos aquella sonrisa castísima que revela en las mujeres como María una felicidad que no les es posible ocultar. Sus miradas, ya más dulces que brillantes, mostraban que su sueño era tan apacible como habían solido. Al acercármele noté en su frente una contracción graciosa y apenas perceptible, especie de fingida severidad de que usó muchas veces para conmigo, cuando, después de deslumbrarme con toda la luz de su belleza, imponía silencio a mis labios, próximos a repetir lo que ella tanto sabía.

Era ya para mí una necesidad tenerla constantemente a mi lado; no perder un solo instante de su existencia abandonada a mi amor; y dichoso con lo que poseía y ávido aún de dicha, traté de hacer un paraíso de la casa paterna. Hablé a María y a mi hermana del deseo que habían manifestado de hacer algunos estudios elementales bajo mi dirección; ellas volvieron a entusiasmarse con el proyecto, y se decidió que desde ese mismo día se daría principio.

Convirtieron uno de los ángulos del salón en gabinete de estudio; desclavaron algunos mapas de mi cuarto; desempolvaron el globo geográfico que en el escritorio de mi padre había permanecido

---

río. Se refiere al río Cauca, que nace en los ventisqueros de la cordillera central de Colombia, a 4 500 metros de altura, y desemboca en el Magdalena, después de 1 350 kilómetros de curso, 500 de los cuales son navegables.

hasta entonces ignorado; fueron despejadas de adornos dos consolas para hacer de ellas mesas de estudio. Mi madre sonreía al presenciar todo aquel desarreglo que nuestro proyecto aparejaba.

Nos reuníamos todos los días dos horas, durante las cuales les explicaba yo algún capítulo de geografía, leíamos algo de historia universal, y las más veces muchas páginas del *Genio del Cristianismo**. Entonces pude avaluar todos los talentos de María; todas mis frases quedaban grabadas indeleblemente en su memoria, y su comprensión se adelantaba casi siempre con triunfo infantil a mis explicaciones.

Emma había sorprendido el secreto, y se complacía en nuestra inocente felicidad. ¿Cómo ocultarle yo en aquellas frecuentes conferencias lo que en mi corazón pasaba? Emma debió observar mi mirada inmóvil sobre el rostro hechicero de su compañera mientras daba ésta una explicación pedida. Había visto ella temblarle la mano a María si yo se la colocaba en algún punto buscado inútilmente en el mapa. Y siempre que sentado cerca de la mesa, ellas en pie a uno y otro lado de mi asiento, se inclinaba María para ver mejor algo que estaba en mi libro o en las cartas, y su aliento, rozando mis cabellos, sus trenzas al rodar de sus hombros, turbaron mis explicaciones, y Emma pudo verla enderezarse pudorosa.

En ocasiones quehaceres domésticos llamaban la atención a mis discípulas, y mi hermana tomaba siempre a su cargo ir a desempeñarlos para volver un rato después a reunírsenos. Entonces mi corazón palpitaba fuertemente. María, con la frente infantilmente grave y los labios casi risueños, abandonaba a las mías alguna de sus manos aristocráticas sembradas de hoyuelos, hechas para oprimir frentes como la de Byron*; y su acento, sin dejar de tener aquella música que le era peculiar, se hacía lento y profundo al

---

Genio del Cristianismo. Obra máxima del escritor francés François-René de Chateaubriand, publicada en 1802 para destruir el prejuicio antirreligioso y despertar, por medio de descripciones pintorescas o patéticas, la religiosidad dormida en el fondo de los corazones. Consta de cuatro partes: "El dogma y la doctrina", "Poética", "Bellas artes y literatura" y "El culto".

Byron. George Gordon, Lord Byron (1788-1824). Poeta romántico inglés. Obras principales: *Horas de ocio* (1807); *Bardos ingleses y críticos escoceses; El corsario; Lara; El infiel; La novia de Abidos; Childe Harold; Melodías hebreas* (1815); *Manfredo* (1817); *Beppo* (1818); *Mazeppa* (1819); *Don Juan* (1818-1824).

pronunciar palabras suavemente articuladas que en vano probaría
yo a recordar* hoy: porque no he vuelto a oírlas, porque pronunciadas por otros labios no son las mismas, y escritas en estas
páginas parecerían sin sentido. Pertenecen a otro idioma, del cual
hace muchos años no viene a mi memoria ni una frase.

XIII

Las páginas de Chateaubriand* iban lentamente dando tintas a
la imaginación de María. Ella, tan cristiana y tan llena de fe, se
regocijaba al encontrar bellezas por ella presentidas en el culto
católico. Su alma tomaba de la paleta que yo le ofrecía los más
preciosos colores para hermosearlo todo; y el fuego poético, don del
cielo que hace admirables a los hombres que lo poseen y diviniza a
las mujeres que a su pesar lo revelan, daba a su semblante encantos desconocidos para mí hasta entonces en el rostro humano. Los
pensamientos del poeta, acogidos en el alma de aquella mujer tan
seductora en medio de su inocencia, volvían a mí como eco de una
armonía lejana y conocida cuyas notas apaga la distancia y se
pierden en la soledad.

Una tarde, tarde como las de mi país*, engalanada con nubes de
color de violeta y lampos de oro pálido, bella como María, bella y
transitoria como fue ésta para mí, ella, mi hermana y yo, sentados
sobre la ancha piedra de la pendiente, desde donde veíamos a la
derecha en la honda vega rodar las corrientes bulliciosas del río, y
teniendo a nuestros pies el valle majestuoso y callado, leía yo el
episodio de Atala*, y las dos, admirables en su inmovilidad y
abandono, oían brotar de mis labios toda aquella melancolía aglo-

probaría yo a recordar. Galicismo. La construcción correcta es "trataría yo de
recordar"

Chateaubriand. François-René de Chateaubriand (1768-1848). Escritor francés. Su
obra mayor es el *Genio del Cristianismo* con sus dos novelas anexas, *Atala* y *René.*

país. Se refiere al Valle del Cauca.

Atala. Obra del citado escritor francés Chateaubriand.

merada por el poeta para "hacer llorar al mundo"*. Mi hermana, apoyado el brazo derecho en uno de mis hombros, la cabeza casi unida a la mía, seguía con los ojos las líneas que yo iba leyendo. María, medio arrodillada cerca de mí, no separaba sus miradas de mi rostro, miradas húmedas ya.

El sol se había ocultado cuando con voz alterada leí las últimas páginas del poema. La cabeza pálida de Emma descansaba sobre mi hombro. María se ocultaba el rostro con entrambas manos. Luego que leí aquella desgarradora despedida de Chactas*, despedida que tantas veces ha arrancado un sollozo a mi pecho: "¡Duerme en paz en extranjera tierra, joven desventurada! En recompensa de tu amor, de tu destierro y de tu muerte, quedas abandonada hasta del mismo Chactas", María, dejando de oír mi voz, se descubrió la faz, y por ella rodaban gruesas lágrimas. Era tan bella como la creación del poeta, y yo la amaba con el amor que él imaginó. Nos dirigimos en silencio y lentamente hacia la casa. ¡Ay! Mi alma y la de María, no sólo estaban conmovidas por esa lectura; estaban abrumadas por el presentimiento.

XIV

Pasados tres días, una tarde que bajaba yo de la montaña, me pareció notar algún sobresalto en los semblantes de los criados con quienes tropecé en los corredores interiores. Mi hermana me refirió luego que María había sufrido un ataque nervioso; y, al agregar que estaba aún sin sentido, procuró calmar cuanto le fue posible mi dolorosa ansiedad.

Olvidado de toda precaución, entré a la alcoba donde estaba María y, dominando el frenesí que me hubiera hecho estrecharla contra mi corazón para volverla a la vida, me acerqué desconcer-

---

"hacer llorar al mundo". Dice Julio Caillet-Bois: "La famosísima frase que el abate Trenqualye aplicó a *Paul et Virginie* (a fait pleurer a tout le monde) imperfectamente traducida se hizo proverbial. Montalvo dice que podría escribirse sobre el odio un libro para 'hacer llorar al mundo'. El recuerdo de esa frase, que Isaacs aplica a *Atala* nos asegura la sustitución".

Chactas. Protagonista masculino de *Atala.*

tado a su lecho. A los pies de éste se hallaba sentado mi padre: fijó en mí una de sus miradas intensas, y volviéndola después sobre María, parecía quererme hacer una reconvención al mostrármela. Mi madre estaba allí; pero no levantó la vista para buscarme, porque, sabedora de mi amor, me compadecía, como sabe compadecer una buena madre, en la mujer amada por su hijo, a su hijo mismo.

Permanecí inmóvil contemplando a María, sin atreverme a averiguar cuál era su mal. Estaba como dormida: su rostro, cubierto de palidez mortal, se veía medio oculto por la cabellera descompuesta, en la cual se descubrían estrujadas las flores que yo le había dado en la mañana; la frente contraída revelaba un sufrimiento insoportable, y un ligero sudor le humedecía las sienes: de los ojos cerrados habían tratado de brotar lágrimas, que brillaban detenidas en las pestañas.

Comprendiendo mi padre todo mi sufrimiento, se puso en pie para retirarse; mas antes de salir se acercó al lecho y, tomando el pulso a María, dijo:

—Todo ha pasado; ¡pobre niña! Es exactamente el mismo mal que padeció su madre.

El pecho de María se elevó lentamente como para formar un sollozo, pero al volver a su natural estado exhaló sólo un suspiro. Salido que hubo mi padre, coloquéme a la cabecera del lecho; y olvidado de mi madre y de Emma, que permanecían silenciosas, tomé de sobre el almohadón una de las manos de María y la bañé en el torrente de mis lágrimas, hasta entonces contenido. Había yo medido toda mi desgracia; era el mismo mal de su madre, y su madre había muerto muy joven, atacada de una epilepsia incurable. Esta idea se adueñó de todo mi ser para quebrantarlo.

Sentí algún movimiento en esa mano yerta, a la que mi aliento no podía volver el calor. María empezaba ya a respirar con más libertad, y sus labios parecían esforzarse en pronunciar alguna palabra. Movió la cabeza de un lado a otro cual si tratara de deshacerse de un peso abrumador. Pasado un momento de reposo balbució palabras ininteligibles, pero al fin se percibió entre ellos claramente mi nombre. En pie yo, devorándola mis miradas, tal vez oprimí demasiado entre mis manos las suyas, quizá mis labios la llamaron. Abrió lentamente los ojos como heridos por una luz intensa, y los fijó en mí haciendo esfuerzo para reconocerme. Medio incorporándose un instante después: "¿Qué es?" —me dijo apartándome—; "¿qué ha sucedido?" —continuó, dirigiéndose a mi madre.

Tratamos de tranquilizarla, y con un acento en que había algo de reconvención, que por entonces no pude explicarme agregó: "¡Ya ves! Yo lo temía."

Quedó después del acceso dolorida y profundamente triste. Volví por la noche a verla, cuando y como la etiqueta establecida en tales casos por mi padre lo permitió. Al despedirme de ella, reteniéndome un instante la mano, "¡Hasta mañana!", me dijo, y acentuó esta última palabra como solía hacerlo siempre que, interrumpida nuestra conversación en alguna velada, quedaba deseando el día siguiente para que la concluyésemos.

XV

Cuando salí al corredor que conducía a mi cuarto, un cierzo impetuoso columpiaba los sauces del patio, y al acercarme al huerto lo oí rasgarse en los sotos de naranjos, de donde se lanzaban las aves asustadas. Relámpagos débiles, semejantes al reflejo instantáneo de un broquel herido por el resplandor de una hoguera, parecían querer iluminar el fondo tenebroso del valle.

Recostado en una de las columnas del corredor, sin sentir la lluvia que me azotaba las sienes, pensaba en la enfermedad de María, sobre la cual había pronunciado mi padre tan terribles palabras. ¡Mis ojos querían volver a verla, como en las noches silenciosas y serenas, que acaso no volverían ya más!

No sé cuánto tiempo había pasado, cuando algo como el ala vibrante de un ave vino a rozar mi frente. Miré hacia los bosques inmediatos para seguirla: era un ave negra*

---

un ave negra. Dice Anderson Imbert: "La dolorosa certidumbre de que María ha de morir tiene su símbolo en el pájaro agorero. Se ha creído que ese pájaro es 'el cuervo' de Poe. Puede que Isaacs leyera a Poe. De todos modos, muchos pájaros fatídicos volaban por la literatura romántica aun antes de Poe". Adviértase cómo el pájaro aparece aquí en un cuadro fatalista típico: trueno, ráfaga de viento que apaga la lámpara...

Mi cuarto estaba frío; las rosas de mi ventana temblaban como si se temiesen abandonadas a los rigores del viento de invierno; el florero contenía ya marchitos y desmayados los lirios que en la mañana había colocado en él María. En esto una ráfaga de viento apagó la lámpara, y un trueno dejó oír por largo rato su creciente retumbo, como si fuese un carro gigante despeñado de las cumbres rocallosas de las sierras.

En medio de aquella naturaleza sollozante mi alma tenía una triste serenidad.

Acababa de dar las doce el reloj del salón. Sentí pasos cerca de mi puerta, y muy luego la voz de mi padre que me llamaba "Levántate —me dijo tan pronto como le respondí—; María sigue mal."

El acceso había repetido. Después de un cuarto de hora estaba yo apercibido para marchar. Mi padre me hacía las últimas indicaciones sobre los nuevos síntomas de la enfermedad, mientras el negrito Juan Ángel aquietaba mi caballo retinto, impaciente y asustadizo. Monté; sus cascos herrados crujieron sobre el empedrado, y un instante después bajaba yo hacia las llanuras del valle buscando el sendero a la luz de algunos relámpagos lívidos. Iba en solicitud del doctor Mayn, que pasaba a la sazón una temporada de campo a tres leguas de nuestra hacienda.

La imagen de María, tal como la había visto en el lecho aquella tarde, al decirme ese "Hasta mañana" que tal vez no llegaría, iba conmigo y, avivando mi impaciencia, me hacía medir incesantemente la distancia que me separaba del término del viaje; impaciencia que la velocidad del caballo no alcanzaba a moderar.

Las llanuras empezaban a desaparecer, huyendo en sentido contrario a mi carrera, semejantes a mantos inmensos arrollados por el huracán. Los bosques que más cercanos creía, parecían alejarse a medida que avanzaba hacia ellos. Sólo algún gemido del viento entre los higuerones y chimangos sombríos, sólo el resuello fatigoso del caballo y el choque de sus cascos en los pedernales, que chispeaban, interrumpían el silencio de la noche.

Algunas cabañas de Santa Elena quedaron a mi derecha, y poco después dejé de oír ya los ladridos de sus perros. Vacadas dormidas sobre el camino empezaban a hacerme moderar el paso.

La hermosa casa de los señores de M..., con su capilla blanca y sus bosques de seibas, se divisaba a lo lejos a los primeros rayos de la luna naciente, cual castillo cuyas torres y techumbres hubiese desmoronado el tiempo.

El Amaine* bajaba crecido con las lluvias de la noche, y su estruendo me lo anunció mucho antes de que llegase yo a la orilla. A la luz de la luna, que atravesando los follajes de las riberas iba a platear las ondas, pude ver cuánto había aumentado su caudal. Pero no era posible esperar: había hecho dos leguas en una hora, y aún era poco. Puse las espuelas en los ijares del caballo, que con las orejas tendidas hacia el fondo del río y resoplando sordamente parecía calcular la impetuosidad de las aguas que se azotaban a sus pies; sumergió en ellas las manos; pero como sobrecogido por un terror invencible, retrocedió veloz girando sobre las patas. Le acaricié el cuello, las crines humedecidas, y lo aguijoneé de nuevo para que se lanzase al río; entonces levantó las manos impacientado, pidiendo al mismo tiempo toda la rienda, la que le abandoné, temeroso de haber errado el botadero* de las crecientes. Él subió por la ribera unas veinte varas, tomando la ladera de un peñasco; acercó la nariz a las espumas, y levantándola en seguida se precipitó en la corriente. El agua lo cubrió casi todo, llegándome hasta las rodillas. Las olas se encresparon poco después alrededor de mi cintura. Con una mano le palmeaba el cuello al animal, única parte visible ya de su cuerpo, mientras con la otra trataba de hacerle describir más curva hacia arriba la línea de corte porque de otro modo, perdida la parte baja de la ladera, era inaccesible por su altura y por la fuerza de las aguas, que columpiaban guaduales desgajados. Había pasado el peligro. Me apeé para examinar las cinchas, de las cuales se había reventado una. El noble bruto se sacudió, y un instante después continuó la marcha.

Luego que anduve un cuarto de legua atravesé las ondas del Nima, humildes, diáfanas y tersas, que rodaban iluminadas hasta perderse en las sombras de bosques silenciosos. Dejé a la izquierda la pampa de Santa…, cuya casa, en medio de arboledas de seibas y bajo el grupo de palmeras que elevan los follajes sobre su techo,

Amaine. Río de Colombia, tributario del Cauca.

botadero. En Colombia y otros países de América, lugar del río donde se toma el vado.

semeja en las noches de luna la tienda de un rey oriental colgada de los árboles de un oasis.

Eran las dos de la madrugada cuando, después de atravesar la villa de P..., me desmonté a la puerta de la casa en que vivía el médico.

XVI

En la tarde del mismo día se despedía de nosotros el doctor, después de dejar casi completamente restablecida a María y de haberle prescripto un régimen para evitar la repetición del acceso, aunque prometió visitar a la enferma con frecuencia. Yo sentí un alivio indecible al oírle asegurar que no había peligro alguno, y, por él, doble cariño del que hasta entonces le había profesado, solamente porque tan pronta reposición pronosticaba a María. Entré a la habitación de ésta, luego que el médico y mi padre, que iba a acompañarlo en una legua de camino, se pusieron en marcha. Estaba acabando de trenzarse los cabellos viéndose en un espejo que mi hermana sostenía sobre los almohadones. Apartando ruborizada el mueble me dijo:

—Éstas no son ocupaciones de enferma, ¿no es verdad? Pero ya estoy buena. Espero no volver a ocasionarte un viaje tan peligroso como el de anoche.

—En ese viaje no ha habido peligros —le respondí.

—¡El río, sí, el río! Yo pensé en eso y en tantas cosas que podían sucederte por causa mía.

—¿Un viaje de tres leguas? ¿Eso llamas?...

—Ese viaje en que has podido ahogarte, según refirió aquí el doctor, tan sorprendido que aún no me había pulsado y ya hablaba de eso. Tú y él, al regreso, habéis tenido que aguardar dos horas para que bajase el río.

—El doctor a caballo es una maula*, y su mula pacienzuda no es lo mismo que un buen caballo.

—El hombre que vive en la casita del paso —me interrumpió María—, al reconocer esta mañana tu caballo negro, se admiró de

---

una maula. Una cosa inútil, según la primera acepción del léxico oficial. En la Argentina, el sustantivo es masculino y significa cobarde, pillo, tramposo.

que no se hubiese ahogado el jinete que anoche se botó al río a tiempo que él le gritaba que no había vado. ¡Ay!, no, no; yo no quiero volver a enfermarme. ¿No te ha dicho el doctor que no tendré ya novedad?

—Sí —le respondí—, y me ha prometido no dejar pasar dos días seguidos en estos quince días sin venir a verte.

—Entonces no tendrás que hacer otro viaje de noche. ¿Qué habría hecho yo si?...

—Me habrías llorado mucho, ¿no es verdad? —repliqué sonriéndome.

Miróme por algunos momentos, y yo agregué:

—¿Puedo acaso estar cierto de morir en cualquier tiempo convencido de?...

—¿De qué?

Y adivinando lo demás en mi mirada:

—¡Siempre, siempre! —añadió casi en secreto, aparentando examinar los hermosos encajes de los almohadones.

Y, después de unos minutos de silencio, continuó:

—Yo tengo cosas muy tristes que decirte, tan tristes que son la causa de mi enfermedad. Tú estabas en la montaña... Mamá lo sabe todo, y yo oí que papá le decía a ella que mi madre había muerto de un mal cuyo nombre no alcancé a oír; que tú estabas destinado a hacer una bella carrera, y que yo... ¡ah!, yo no sé si es cierto lo que oí..., será que no merezco que seas como eres conmigo...

De sus ojos velados rodaron a sus mejillas pálidas, lágrimas que se apresuró a enjugar.

—No digas eso, María, no lo pienses —le dije—; no, yo te lo suplico.

—Pero si yo lo he oído, y después fue cuando no supe de mí... ¿Por qué, entonces?...

—Mira, yo te ruego..., yo..., ¿quieres permitirme te mande que no hables más de eso?

Había dejado ella caer la frente sobre el brazo en que se apoyaba, y cuya mano estrechaba yo entre las mías, cuando oí en la pieza inmediata el ruido de los ropajes de Emma, que se acercaba.

Aquella noche, a la hora del refresco, estábamos en el comedor mis hermanas y yo esperando a mis padres, que tardaban más tiempo del acostumbrado. Por último se les oyó hablar en el salón, como dando fin a una conversación importante. La noble fisonomía de mi padre mostraba, en la ligera contracción de las extremidades de sus labios y en la pequeña arruga perpendicular que por en medio de las cejas le surcaba la frente, que acababa de sostener una lucha moral que lo había alterado. Mi madre estaba pálida; pero sin hacer el menor esfuerzo para mostrarse tranquila, me dijo al sentarse a la mesa:

—No me había acordado de decirte que José estuvo esta mañana a vernos y a convidarte para una cacería; mas cuando supo la novedad ocurrida, prometió volver mañana muy temprano. ¿Sabes tú si es cierto que se casa una de sus hijas?

—Tratará de consultarte su proyecto —observó distraídamente mi padre.

—Se trata probablemente de una cacería de osos —le respondí.

—¿De osos? ¡Qué!, ¿cazas tú osos?

—Sí, señor; es una cacería divertida que he hecho con él algunas veces.

—En mi país —repuso mi padre— te tendrían por un bárbaro o por un héroe.

—Y, sin embargo, esa clase de partidas es menos peligrosa que la de venados, la cual se hace todos los días y en todas partes, pues aquélla, en lugar de exigir de los cazadores que tiren a derrumbarse desalentados por entre breñas y cascadas, necesita solamente un poco de agilidad y puntería certera.

Mi padre, sin dejar ver ya en el semblante el ceño que antes tenía, habló de la manera cómo se cazan los ciervos en Jamaica y de lo aficionados que habían sido sus parientes a esa clase de pasatiempos, distinguiéndose entre ellos, por su tenacidad, destreza y entusiasmo, Salomón, de quien nos refirió, riendo ya, algunas anécdotas.

Al levantarnos de la mesa se acercó a mí para decirme:

—Tu madre y yo tenemos que hablar algo contigo; ven luego a mi cuarto.

A tiempo que entraba en él, mi padre escribía dando la espalda a mi madre, que se hallaba en la parte menos alumbrada de la habitación, sentada en la butaca que ocupaba siempre que se detenía allí:

—Siéntate —me dijo él, dejando por un momento de escribir y

mirándome por encima de los anteojos, que eran de vidrios blancos y fino engaste de oro.

Pasados algunos minutos, habiendo colocado cuidadosamente en su lugar el libro de cuentas en que estaba escribiendo, acercó un asiento al que yo ocupaba y en voz baja habló así:

—He querido que tu madre presencie esta conversación, porque se trata de un asunto grave sobre el cual tiene ella la misma opinión que yo.

Dirigióse a la puerta para entornarla y botar el cigarro que estaba fumando, y continuó de esta manera:

—Hace ya tres meses que estás con nosotros, y solamente pasados dos más podrá el señor A... emprender su viaje a Europa, y con él es con quien debes tú irte. Esa demora, hasta cierto punto, nada significa, tanto porque es muy grato para nosotros tenerte a nuestro lado después de seis años de ausencia, a que han de seguir otros, como porque observo con placer que, aun aquí, es el estudio uno de tus goces predilectos. No puedo ocultarte, ni debo hacerlo, que he concebido grandes esperanzas, por tu carácter y aptitudes, de que coronarás lucidamente la carrera que vas a seguir. No ignoras que pronto la familia necesitará de tu apoyo, con mayor razón después de la muerte de tu hermano.

Luego, haciendo una pausa, prosiguió:

—Hay algo en tu conducta que es preciso decirte no está bien: tú no tienes más que veinte años, y a esa edad un amor fomentado inconsideradamente podría hacer ilusorias todas las esperanzas de que acabo de hablarte. Tú amas a María, y hace muchos días que lo sé, como es natural. María es casi mi hija, y yo no tendría nada que observar si tu edad y posición nos permitieran pensar en un matrimonio; pero no lo permiten, y María es muy joven. No son solamente éstos los obstáculos que se presentan: hay uno quizá insuperable, y es mi deber hablar de él. María puede arrastrarte y arrastrarnos contigo a una desgracia lamentable de que está amenazada. El doctor Mayn se atreve casi a asegurar que ella morirá joven del mismo mal a que sucumbió su madre, lo que sufrió ayer es un síncope epiléptico, que tomando incremento en cada acceso terminará por una epilepsia del peor carácter conocido: eso dice el doctor. Responde tú ahora, meditando mucho lo que vas a decir, a una sola pregunta; responde como hombre racional y caballero que

eres, y que no sea lo que contestes dictado por una exaltación
extraña a tu carácter, tratándose de tu porvenir y el de los tuyos.
Sabes la opinión del médico, opinión que merece respeto, por ser
Mayn quien la da; te es conocida la suerte de la esposa de Salomón:
si nosotros consintiéramos en ello, ¿te casarías hoy con María?

—Sí, señor —le respondí.

—¿Lo arrostrarías todo?

—¡Todo, todo!

—Creo que no solamente hablo con un hijo, sino con el caballero
que en ti he tratado de formar.

Mi madre ocultó en ese momento el rostro en el pañuelo. Mi
padre, enternecido tal vez por esas lágrimas, y acaso también por
la resolución que en mí encontraba, conociendo que la voz iba a
faltarle, dejó por unos instantes de hablar.

—Pues bien —continuó—; puesto que esa noble resolución te
anima, convendrás conmigo en que antes de cinco años no podrás
ser esposo de María. No soy yo quien debe decirte que ella,
después de haberte amado desde niña, te ama hoy de tal manera
que emociones intensas, nuevas para ella, son las que, según
Mayn, han hecho aparecer los síntomas de la enfermedad; es decir,
que tu amor y el suyo necesitan precauciones, y que en adelante
exijo que me prometas, para tu bien, puesto que tanto así la amas,
y para bien de ella, que seguirás los consejos del doctor, dados por
si llegaba este caso. Nada le debes prometer a María, pues que la
promesa de ser su esposo, una vez cumplido el plazo que he
señalado, haría vuestro trato más íntimo, que es precisamente lo
que se trata de evitar. Inútiles son para ti más explicaciones;
siguiendo esa conducta, no solamente puedes salvar a María, sino
evitarte la desgracia de perderla.

—En recompensa de todo lo que concedemos —dijo volviéndose a
mi madre—, debes prometerme lo siguiente: no hablar a María del
peligro que la amenaza, ni revelarle nada de lo que esta noche ha
pasado entre nosotros. Debes saber también mi opinión sobre tu
matrimonio con ella: si su enfermedad persistiera después de tu
regreso al país..., pues vamos pronto a separarnos por algunos años,
como padre tuyo y de María, no sería de mi aprobación ese enlace. Al
expresar esta resolución irrevocable, no es por demás hacerte saber
que Salomón, en los tres últimos años de su vida, consiguió formar un

capital de alguna consideración, el cual está en mi poder, destinado a servir de dote a su hija. Mas si ella muere antes de casarse, debes pasar aquél a manos de su abuela materna, que está en Kingston.

Mi padre se paseó algunos momentos por el cuarto. Creyendo yo ya concluida nuestra confidencia, me puse en pie para retirarme; pero él, volviendo a ocupar su asiento, e indicándome el mío, reanudó su discurso así:

—Hace cuatro días que recibí una carta del señor de M... pidiéndome la mano de María para su hijo Carlos.

No pude ocultar la sorpresa que me causaron estas palabras. Mi padre sonrió imperceptiblemente, antes de agregar:

—El señor de M... da quince días de término para aceptar o no su propuesta, durante los cuales vendrán a hacernos una visita que antes me tenían prometida. Todo te será fácil después de lo pactado entre tú y nosotros.

—Buenas noches, pues —dijo poniéndome afectuosamente la mano sobre el hombro—; que seas muy feliz en tu cacería: yo necesito la piel del oso que mates para ponerla a los pies de mi catre.

—Está bien —le respondí.

Mi madre me tendió la mano, y reteniendo la mía me dijo:

—Te esperamos temprano; cuidado con esos animales.

Tantas emociones se habían sucedido agitándome en las últimas horas, que apenas podía darme cuenta de cada una de ellas y me era imposible hacerme cargo de mi extraña y difícil situación.

¡María amenazada de muerte; prometida así por recompensa a mi amor, mediante una ausencia terrible; prometida con la condición de amarla menos! ¡Yo obligado a moderar tan poderoso amor, amor adueñado para siempre de todo mi ser, so pena de verla desaparecer de la tierra como una de las beldades fugitivas de mis ensueños, y teniendo que aparecer en adelante ingrato e insensible tal vez a sus ojos, sólo por una conducta que la necesidad y la razón me obligaban a adoptar! Ya no podría yo volver a oírle aquellas confidencias hechas con voz conmovida; mis labios no podrían tocar ni siquiera el extremo de una de sus trenzas. Mía o de la muerte. Entre la muerte y yo, un paso más para acercarme a ella sería perderla; y dejarla llorar en abandono era un suplicio superior a mis fuerzas.

¡Corazón cobarde!, no fuiste capaz de dejarte consumir por aquel fuego que, mal escondido, podía agostarla... ¿Dónde está ella ahora, ahora que ya no palpitas, ahora que los días y los años pasan sobre mí sin que sepa yo que te poseo?

Cumpliendo Juan Ángel mis órdenes, llamó a la puerta de mi cuarto al amanecer.

—¿Cómo está la mañana? —le pregunté.

—Mala, mi amo; quiere llover.

—Bueno, vete a la montaña y dile a José que no me espere hoy.

Cuando abrí la ventana me arrepentí de haber enviado al negrito, quien silbando y tarareando bambucos iba a internarse en la primera mancha del bosque.

Soplaba de la sierra un viento frío y destemplado que sacudía los rosales y mecía los sauces, desviando en su vuelo a una que otra pareja de loros viajeros. Todas las aves, lujo del huerto en las mañanas alegres, callaban y solamente los pellares revoloteaban en los prados vecinos, saludando con su canto al triste día de invierno.

En breve las montañas desaparecieron bajo el velo ceniciento de una lluvia nutrida que dejaba oír ya su creciente rumor al acercarse azotando los bosques. A la media hora, turbios y estrepitosos arroyos descendían peinando los pajonales de las laderas del otro lado del río, el cual, acrecentado, tronaba iracundo, y se divisaba en las lejanas revueltas amarillento, desbordado y undoso.

XVII

Diez días habían pasado desde que tuvo lugar aquella penosa conferencia. No sintiéndome capaz de cumplir los deseos de mi padre sobre la nueva especie de trato que, según él, debía yo usar con María, y preocupado dolorosamente con la propuesta de matrimonio hecha por Carlos, había buscado toda clase de pretextos para alejarme de la casa. Pasé aquellos días, ya encerrado en mi cuarto, ya en la posesión de José, las más veces vagando a pie por los alrededores. Llevaba por compañero en mis paseos algún libro en que no acertaba a poder leer, mi escopeta que nunca disparaba, y a Mayo que me seguía fatigado.

Mientras dominado yo por una honda melancolía dejaba correr

algunas horas oculto en los sitios más agrestes, él procuraba en vano dormitar enroscado sobre la hojarasca de donde lo desalojaban las hormigas o lo hacían saltar impacientado los tábanos y zancudos. Cuando el viejo amigo se cansaba de la inacción y el silencio, que le eran antipáticos a pesar de sus achaques, se me acercaba, y recostando la cabeza sobre una de mis rodillas me miraba cariñosamente, para alejarse después y esperarme a algunas varas de distancia en el sendero que conducía a la casa, y en su afán por que emprendiésemos la marcha una vez conseguido que yo lo siguiera, se propasaba hasta dar algunos brincos de alegría, juveniles, entusiasmos en que, a más de olvidar su gravedad, salía poco airoso.

Una mañana entró mi madre en mi cuarto, y sentándose a la cabecera de la cama, de la cual no había salido yo aún, me dijo:

—Esto no puede ser; no debes seguir viviendo así; yo no me conformo.

Como yo guardara silencio, continuó:

—Lo que haces no es lo que tu padre te ha exigido; es mucho más, y tu conducta es cruel para con nosotros y más cruel aún para con María. Estaba persuadida de que tus frecuentes paseos tenían por objeto ir a casa de Luisa con motivo del cariño que te profesan allí; pero Braulio, que vino ayer tarde, nos hizo saber que hacía cinco días que no te veía. ¿Qué es lo que te causa esa profunda tristeza que no puedes dominar ni en los pocos ratos que pasas en sociedad con la familia, y que te hace buscar constantemente la soledad como si fuera enojoso el estar con nosotros?

Sus ojos estaban llenos de lágrimas.

—María, señora —le respondí—, debe ser completamente libre para aceptar o no la buena suerte que le ofrece Carlos; y yo, como amigo suyo, no debo hacerle ilusorias las esperanzas que fundadamente debe de alimentar de ser aceptado.

Así revelaba yo, sin poder evitarlo, el más insoportable dolor que me había atormentado desde la noche en que supe la propuesta de los señores de M... Nada habían llegado a ser para mí delante de aquella propuesta los fatales pronósticos del doctor sobre la enfermedad de María; nada la necesidad de separarme de ella por muchos años.

—¿Cómo has podido imaginar tal cosa? —me preguntó sorprendida mi madre. Apenas habrá visto ella dos veces a tu amigo: justamente, una en que estuvo aquí él algunas horas, y otra en que fuimos a visitar a su familia.

—Pero, madre mía, poco es el tiempo que falta para que se justifique o se desvanezca lo que he pensado. Me parece que bien vale la pena de esperar.

—Eres muy injusto, y te arrepentirás de haberlo sido. María, por dignidad y por deber, sabiéndose dominar mejor que tú, oculta lo mucho que tu conducta la está haciendo sufrir. Me cuesta trabajo creer lo que veo; me asombra oír lo que acabas de decir. ¡Yo, que creí darte una grande alegría y remediarlo todo haciéndote saber lo que Mayn nos dijo ayer al despedirse!

—Diga usted, dígalo —le supliqué incorporándome.

—¿Para qué ya?

—¿Ella no será siempre..., no será siempre mi hermana?

—Tarde piensas así. ¿O es que puede un hombre ser caballero y hacer lo que tú haces? No, no, eso no debe hacerlo un hijo mío... ¡Tú hermana! ¡Y te olvidas de que lo estás diciendo a quien te conoce más que tú mismo! ¡Tu hermana, y sé que te ama desde que os dormía a ambos sobre mis rodillas! ¿Y es ahora cuando lo crees, ahora que venía a hablarte de eso, asustada por el sufrimiento que la pobrecita trata inútilmente de ocultarme?

—Yo no quiero, ni un instante, darle motivo a usted para un disgusto como el que me deja conocer. Dígame qué debo hacer para remediar lo que ha encontrado usted de reprochable en mi conducta.

—Así debe ser. ¿No deseas que la quiera tanto como a ti?

—Sí, señora, y así es; ¿no es verdad?

—Así sería, aunque me hubiera olvidado de que no tiene más madre que yo, de las recomendaciones de Salomón y de la confianza de que él me creyó digna; porque ella merece, y ¡te ama tanto! El doctor asegura que el mal de María no es el que sufrió Sara.

—¿El lo ha dicho?

—Sí; tu padre, tranquilizado ya por esa parte, ha querido que yo te lo haga saber.

—¿Podré, pues, volver a ser con ella como antes? —pregunté enajenado.

—Casi...

—¡Oh!, ella me disculpará; ¿no lo cree usted? ¿El doctor ha dicho que no hay ya ninguna clase de peligro? —agregué—: es necesario que lo sepa Carlos.

Mi madre me miró con extrañeza antes de responderme:

—¿Y por qué se le había de ocultar? Réstame decirte lo que creo debes hacer, puesto que los señores de M... han de venir mañana, según lo anuncian. Dile esta tarde a María... Pero ¿qué puedes decirle que baste a justificar tu despego sin faltar a las órdenes de tu padre? Y aunque pudieras hablarle de lo que él te exigió, no podrías disculparte, pues que para hacer lo que has hecho en estos días hay una causa que por orgullo y delicadeza no debes descubrir. He ahí el resultado. Es forzoso que yo manifieste a María el motivo real de tu tristeza.

—Pero si usted hace eso, si he sido ligero en creer lo que he creído, ¿qué pensará ella de mí?

—Pensará menos mal que considerándote capaz de una veleidad e inconsecuencia, más odiosa que todo.

—Tiene usted razón, hasta cierto punto; pero yo le suplico no diga a María nada de lo que acabamos de hablar. He incurrido en un error que tal vez me ha hecho sufrir más a mí que a ella, y debo remediarlo; le prometo a usted que lo remediaré: le exijo solamente dos días para hacerlo como se debe.

—Bien —me dijo levantándose para irse—; ¿sales hoy?

—Sí, señora.

—¿Adónde vas?

—Voy a pagar a Emigdio su visita de bienvenida; y es imprescindible, porque ayer le mandé a decir con el mayordomo de su padre que me esperara hoy a almorzar.

—Mas ¿volverás temprano?

—A las cuatro o las cinco.

—Vente a comer aquí.

—Sí. ¿Está usted otra vez satisfecha de mí?

—¡Cómo no! —respondió sonriendo—. Hasta la tarde, pues; darás finos recuerdos a las señoras, de parte mía y de las muchachas.

XVIII

Ya estaba yo listo para partir cuando Emma entró a mi cuarto. Extrañó verme con semblante risueño.

—¿Adónde vas tan contento? —me preguntó.

—Ojalá no tuviera que ir a ninguna parte: a ver a Emigdio, que se queja de mi inconstancia en todos los tonos, siempre que me encuentro con él.

—¡Qué injusto! —exclamó riendo—. ¿Inconstante tú?

—¿De qué te ríes?

—Pues de la injusticia de tu amigo. ¡Pobre!

—No, no; tú te ríes de otra cosa.

—De eso es —dijo tomando de mi mesa de baño una peineta y acercándoseme—. Deja que te peine yo, porque sabrá usted, señor "constante", que una de las hermanas de su amigo es una linda muchacha. Lástima es —continuó haciendo el peinado ayudada de sus graciosas manos— que el señorito Efraín se haya puesto un poquito pálido en estos días, porque las bugueñas* no imaginan belleza varonil sin frescos colores en las mejillas. Pero si la hermana de Emigdio estuviese al corriente de...

—Tú estás muy parlera hoy.

—¿Sí?, y tú muy alegre. Mírate al espejo y dime si no has quedado muy bien.

—¡Qué visita! —Exclamé oyendo la voz de María que llamaba a mi hermana.

—¿De veras? ¡Cuánto mejor sería ir a dar un paseo por los picachos del boquerón de Amaime y disfrutar del grandioso y solitario paisaje, o andar por los montes como res herida espantando zancudos, sin perjuicio de que Mayo se llene de nuches... ¡pobre! que está *imposible*.

—María te llama —la interrumpí.

—Ya sé para qué es.

—¿Para qué?

—Para que la ayude a hacer una cosa que no debiera hacer.

—¿Se puede saber cuál?

---

buguña. **Natural de Buga, ciudad y municipio de Colombia, en el departamento del Valle del Cauca, provincia de su nombre.**

—No hay inconveniente: me está esperando para que vayamos a coger flores que han de servir para reemplazar éstas —dijo señalando las del florero de mi mesa—: y si yo fuera ella, no volvería a poner ninguna más ahí.

—Si tú supieras...

—Y si supieras tú...

Mi padre, que me llamaba desde su cuarto, interrumpió aquella conversación, que continuada habría podido frustrar lo que desde mi última entrevista con mi madre me había propuesto llevar a cabo.

Al entrar en el cuarto de mi padre, examinaba él en la ventana la máquina de un hermoso reloj de bolsillo, y decía:

—Es una cosa admirable; indudablemente vale las treinta libras.

Volviéndose en seguida hacia mí, agregó:

—Éste es el reloj que encargué a Londres; míralo.

—Es mucho mejor que el que usted usa —observé examinándolo.

—Pero el que uso es muy exacto, y el tuyo muy pequeño; debes regalarlo a una de las muchachas y tomar para ti éste.

Sin dejarme tiempo para darle las gracias, añadió:

—¿Vas a casa de Emigdio? Di a su padre que puede preparar el potrero de quinea para que hagamos la ceba en compañía, pero que su ganado debe estar listo, precisamente, el 15 del entrante.

Volví en seguida a mi cuarto a tomar mis pistolas. María, desde el jardín y al pie de mi ventana, entregaba a Emma un manojo de montenegros, mejoranas y claveles; pero el más hermoso de éstos, por su tamaño y lozanía, lo tenía ella en los labios.

—Buenos días, María —le dije apresurándome a recibirle las flores.

Ella, palideciendo instantáneamente, correspondió cortada al saludo y el clavel se le desprendió de la boca. Entregóme las flores, dejando caer algunas a los pies, las cuales recogió y puso a mi alcance cuando sus mejillas estaban nuevamente sonrosadas.

—¿Quieres —le dije al recibir las últimas— cambiarme todas éstas por el clavel que tenías en los labios?

—Lo he pisado —respondió bajando la cabeza para buscarlo.

—Así, pisado, te daré todas éstas por él.

Permanecía en la misma actitud sin responderme.

—¿Permites que vaya yo a recogerlo?

Se inclinó entonces para tomarlo, y me lo entregó sin mirarme.

Entretanto, Emma fingía completa distracción, colocando las flores nuevas.

Estrechéle a María la mano con que me entregaba el clavel deseado, diciéndole:

—Gracias, gracias. Hasta la tarde.

Alzó los ojos para verme con la más arrobadora expresión que pueden producir, al combinarse en la mirada de una mujer, la ternura y el pudor, la reconvención y las lágrimas.

XIX

Había hecho yo algo más de una legua de camino y bregaba ya por abrir la puerta de golpe* que daba entrada a los mangones de la hacienda del padre de Emigdio. Vencida la resistencia que oponían los goznes y ejes enmohecidos, y la más tenaz aún del pilón, compuesto de una piedra tamaña enzurronada, la cual, suspendida del techo con un rejo, daba tormento a los transeúntes manteniendo cerrado aquel aparato singular, me di por afortunado de no haberme atascado en el lodazal pedregoso, cuya antigüedad respetable se conocía por el color del agua estancada.

Atravesé un corto llano en el cual el rabo-de-zorro, el friegaplato y la zarza dominaban sobre los gramales humillados y pantanosos; allí ramoneaban algunos caballejos molenderos rapados de crin y cola, correteaban potros y meditaban burros viejos, tan lacrados y mutilados por el carguío de leña y la crueldad de los arrieros, que Buffón* se habría encontrado perplejo al tener que clasificarlos entre los cuadrúpedos.

La casa, grande y antigua, rodeada de cocoteros y mangos, destacaba su techumbre ceniciente y alicaída sobre el alto y tupido bosque del cacaotal.

la puerta de golpe. Puerta provista del pestillo de golpe. La cancilla.

Buffón. Georges-Louis Leclerc, conde de Buffon (1707-1788). Naturalista francés; fue un verdadero sabio que se dedicó exclusiva e infatigablemente al estudio, fruto de lo cual fue su *Historia natural.*

No se habían agotado los obstáculos para llegar, pues tropecé con los corrales rodeados del tetillal, y allí fue lo de rodar trancas* de robustísimas guaduas sobre escalones desvencijados. Vinieron en mi auxilio dos negros; varón y mujer; él, sin más vestido que unos calzones, mostraba la espalda atlética luciente con el sudor peculiar de la raza; ella vestía follao de fulo azul y por camisa un pañuelo anudado hacia la nuca y cogido con la pretina, el cual le cubría el pecho. Ambos llevaban sombreros de junco, de aquellos que a poco uso se aparaguan y toman color de techo pajizo.

Iba la risueña y fumadora pareja nada menos que a habérselas con otra de potros a los cuales les había llegado ya su turno en el mayal*, y supe a qué, porque me llamó la atención el ver, no sólo al negro, sino también a su compañera, armados de rejos de enlazar. En gritos y carreras estaban cuando me apeé bajo el alar de la casa, despreciando las amenazas de dos perrazos inhospitalarios que se hallaban tendidos bajo los escaños del corredor.

Algunas angarillas y sudaderos de junco deshilachados y montados sobre el barandaje bastaron a convencerme* de que todos los planos hechos en Bogotá por Emigdio, impresionado con mis críticas, se habían estrellado contra lo que él llamaba chocheras de su padre. En cambio, había mejorado notablemente la cría de ganado menor, de lo cual eran prueba las cabras de varios colores que apestaban el patio*, e igual mejora se observaba en la volatería, pues muchos pavos reales saludaron mi llegada con gritos alarmadores, y entre los patos criollos o de ciénaga, que nadaban en la acequia vecina, se distinguían por su porte circunspecto, algunos de los llamados chilenos.

Emigdio era un excelente muchacho. Un año antes de mi regreso al Cauca, lo envió su padre a Bogotá con el objeto de ponerlo, según decía el buen señor, en camino para hacerse mercader y

---

lo de rodar trancas. La expresión correcta es "allí ocurrió que rodé trancas".

el mayal. Palos de las norias, molinos, etc. *Les había llegado ya su turno en el mayal* significa que era el momento de ser uncidos.

bastaron a convencerme. Galicismo. La expresión correcta es "bastaron para convencerme". Por influencia francesa, la preposición "a" es usada en lugar de "para".

apestaban el patio. Había gran abundancia de cabras.

buen tratante. Carlos, que vivía conmigo en aquel entonces y se hallaba siempre al corriente hasta de lo que no debía saber, tropezó con Emigdio no sé dónde, y me lo plantó por delante un domingo de mañana, precediéndolo al entrar en nuestro cuarto para decirme: "¡Hombre! Te voy a matar del gusto; te traigo la cosa más linda".

Yo corrí a abrazar a Emigdio, quien, parado a la puerta, tenía la más rara figura que imaginarse pueda. Es una insensatez pretender describirlo.

Mi paisano había venido cargado con el sombrero de pelo color de café con leche, gala de don Ignacio, su padre, en las semanas santas de sus mocedades. Sea que le viniese estrecho, sea que le pareciese bien llevarlo así, el trasto formaba con la parte posterior del largo y renegrido cuello de nuestro amigo un ángulo de noventa grados. Aquella flacura; aquellas patillas enralecidas y lacias haciendo juego con la cabellera más desconsolada en su abandono que se haya visto; aquella tez amarillenta descaspando las asoleadas del camino; el cuello de la camisa hundido sin esperanzas bajo las solapas de un chaleco blanco cuyas puntas se odiaban; los brazos aprisionados en las mangas de una casaca azul, punta de diamante; los calzones de cambrún con anchas tablillas de cordobán, y los botines de cuero de venado alustrado, eran causa más que suficiente para exaltar el entusiasmo de Carlos.

Llevaba Emigdio un par de espuelas orejonas* en una mano y una voluminosa encomienda para mí en la otra. Me apresuré a descargarlo de todo, aprovechando un instante para mirar severamente a Carlos, quien, tendido en una de las camas de nuestra alcoba, mordía una almohada llorando a lágrima viva cosa que por poco me produce el desconcierto más inoportuno.

Ofrecí a Emigdio mi asiento en el saloncito; y como eligiese un sofá de resortes, el pobre, sintiendo que se hundía procuró a todo trance buscar algo de qué asirse en el aire; mas, perdida toda esperanza, se rehizo como pudo y, una vez en pie dijo:

—¡Qué demonios! A este Carlos no le entra el juicio. ¿Y ahora?... Con razón venía riéndose en la calle de la pegadura que me iba a hacer. ¿Y tu también?... ¡Vaya! Si esta gente de aquí es el

espuelas orejonas. Espuelas grandes usadas en la sabana de Bogotá.

mismo demontres. ¿Qué te parece lo que me han hecho hoy?

Carlos salió de la alcoba aprovechándose de tan feliz ocasión y ambos pudimos reírnos ya a nuestras anchas.

—¡Qué Emigdio! —dije a nuestro visitante—; siéntate en esta butaca que no tiene trampa. Es necesario que críes correa*.

—Sí, ea* —respondió Emigdio sentándose con desconfianza, cual si temiese un nuevo fracaso.

—¿Qué te han hecho? —rió más que preguntó Carlos.

—¡Hase visto! Estaba por no contarles nada.

—Pero ¿por qué? —insistió el implacable Carlos, echándole un brazo sobre los hombros—: cuéntanos.

Emigdio se había enfadado al fin, y a duras penas pudimos contentarlo. Unas copas de vino y algunos cigarros ratificaron nuestro armisticio. Sobre el vino observó nuestro paisano que era mejor el de naranja que hacían en Buga* y el anisete verde de la venta de Paporrina. Los cigarros de Ambalema* le parecieron inferiores a los que, aforrados en hojas secas de plátano y perfumados con otras de higo y de naranjo picadas, traía él en los bolsillos.

Pasados dos días estaba ya nuestro Telémaco* vestido convenientemente y acicalado por el maestro Hilario; y aunque su ropa a la moda le incomodaba y las botas nuevas le hacían ver candelillas*, hubo de sujetarse, estimulado por la vanidad y por Carlos, a lo que él llamaba un martirio.

Establecido en la casa de asistencia que habitábamos nosotros, nos solazaba en las horas de sobremesa refiriendo a nuestras case-

---

críes correa. Tengas paciencia.

Sí, ea. Modismo característico de Colombia, que consiste en repetir en tono de burla la última parte de la palabra final del interlocutor.

Buga. Véase nota de página 112.

cigarros de Ambalema. Ambalema es una ciudad de Colombia, situada en el estado de Tolima, a la orilla izquierda del Magdalena. Hoy sólo vive de recuerdos; en otro tiempo florecieron allí las industrias del tabaco y el azúcar. Ya no se habla en el mundo de los cigarros de Ambalema.

Telémaco. Personaje mitológico, hijo de Ulises y de Penélope. Como terminada la guerra de Troya, en la que había tomado parte su padre, éste no reapareciese, fue en su busca, guiado por Minerva, que había tomado la figura de Mentor. De regreso a Itaca, halló a su progenitor, a quien ayudó a deshacerse de los pretendientes de Penélope y acompañó a casa del anciano Laertes.

ver candelillas. Ver las estrellas; estar muy conturbado.

ras las aventuras de su viaje, y emitiendo concepto sobre todo lo que le había llamado la atención en la ciudad. En la calle era diferente, pues nos veíamos en la necesidad de abandonarlo a su propia suerte, o sea a la jovial impertinencia de los talabarteros y buhoneros, que corrían a sitiarlo, apenas lo divisaban, para ofrecerle sillas chocontanas*, arretrancas, zamarros, frenos y mil baratijas.

Por fortuna ya había terminado Emigdio todas sus compras, cuando vino a caer en cuenta de que la hija de la señora de la casa, muchacha despabilada, despreocupadilla y reidora, se moría por él.

Carlos, que no veía moscas, logró convencerlo de que Micaelina había desdeñado hasta entonces los galanteos de todos los comensales; pero el diablo, que no duerme, hizo que Emigdio sorprendiese en chicoleos una noche en el comedor a su cabrión y a su amada, cuando creían dormido al infeliz, pues eran las diez, hora en que solía hallarse él en su tercer sueño; costumbre que justificaba madrugando siempre, aunque fuese tiritando de frío.

Visto por Emigdio lo que vio y oído lo que oyó, que ojalá para su reposo y el nuestro nada hubiese visto ni oído pensó solamente en acelerar su marcha.

Como no tenía queja de mí, hízome sus confidencias la noche víspera de viaje, diciéndome entre otros muchos desahogos:

—En Bogotá no hay señoras; éstas son todas unas coquetas de siete suelas*. Cuando ésta lo ha hecho, ¿qué se espera? Estoy hasta por no despedirme de ella. ¡Qué caray! No hay nada como las muchachas de nuestra tierra; aquí no hay sino peligros. Ya ves a Carlos; anda hecho un altar de corpus*, se acuesta a las once de la noche y está más fullero que nunca. Déjalo estar, que yo se lo haré saber a don Chomo para que le ponga la ceniza*. Me admira verte a ti pensando tan sólo en tus estudios.

---

sillas chocontanas. Procedentes de Chocontá, ciudad y municipio de Colombia, departamento de Cundinamarca.

coquetas de siete suelas. Muy pícaras.

hecho un altar de corpus. Muy compuesto, muy acicalado.

le ponga la ceniza. Le quite sus presunciones excediéndolo en alguna habilidad o convenciéndolo en alguna disputa. Hace referencia al acto de recibir de rodillas la ceniza en la frente de manos del sacerdote del primer día de Cuaresma.

Partió, pues, Emigdio, y con él la diversión de Carlos y Micaelina.

Tal era, en suma, el honradote y campechano amigo a quien iba yo a visitar.

Esperando verlo venir del interior de la casa, di frente a retaguardia oyendo que me gritaba al saltar una cerca del patio:

—¡Por fin, so* maula! Ya creía que me dejabas esperándote. Siéntate, que voy allá —y se puso a lavarse las manos, que tenía ensangrentadas, en la acequia del patio.

—¿Qué hacías? —le pregunté después de nuestros saludos.

—Como hoy es día de matanza y mi padre madrugó a irse a* los potreros, estaba yo racionando a los negros*, lo que es una friega; pero ya estoy desocupado. Mi madre tiene mucho deseo de verte; voy a avisarle que estás aquí. ¡Quién sabe si logramos que las muchachas salgan, porque se han vuelto más cerreras cada día! ¡Choto! —gritó; y a poco se presentó un negrito medio desnudo, pasas monas* y un brazo seco y lleno de cicatrices.

—Lleva a la canoa* ese caballo y límpiame el potro alazán.

Y volviéndose a mí, después de haberse fijado en mi cabalgadura, añadió:

—¡Carrizo con el retinto!

—¿Cómo se averió así el brazo ese muchacho? —pregunté.

—Metiendo caña al trapiche: ¡son tan brutos éstos! No sirve ya sino para cuidar los caballos.

En breve empezaron a servir el almuerzo, mientras yo me las había* con doña Andrea, madre de Emigdio, la que por poco deja

---

so. Contracción de "seó" (apócope de "seor", que, a su vez, es síncopa de "señor"). Modismo familiar que se usa solamente seguido de adjetivos despectivos con los cuales se increpa a alguna persona y sirve para reforzar la significación de aquéllos.

madrugó a irse a. Galicismo. La expresión correcta es "madrugó para irse a".

racionando a los negros. Distribuyendo raciones a los negros.

pasas monas. Cada uno de los mechones de cabellos cortos, crespos y ensortijados de los negros.

canoa. En algunas regiones de América, lugar donde se pone la comida de los animales.

yo me las había. Yo me entendía.

su pañolón sin flecos, durante un cuarto de hora que estuvimos conversando solos.

Emigdio fue a ponerse una chaqueta blanca, para sentarse a la mesa, pero antes nos presentó una negra engalanada el azafate pastuso* con aguamanos, llevando pendiente de uno de los brazos una toalla primorosamente bordada.

Servíanos de comedor la sala, cuyo ajuar estaba reducido a viejos canapés de vaqueta, algunos retablos quiteños* que representaban santos, colgados en lo alto de las paredes no muy blancas, y dos mesitas adornadas con fruteros y loros de yeso.

Sea dicha la verdad, en el almuerzo no hubo grandezas; pero se conocía que la madre y las hermanas de Emigdio entendían eso de disponerlo. La sopa de tortilla, aromatizada con yerbas frescas de la huerta; el frito de plátanos, carne desmenuzada y roscas de harina de maíz; el excelente chocolate de la tierra; el queso de piedra; el pan de leche y el agua servida en antiguos y grandes jarros de plata, no dejaron qué desear.

Cuando almorzábamos alcancé a ver espiando por entre una puerta medio entornada a una de las muchachas, y su carita simpática, iluminada por unos ojos negros como chambimbes*, dejaba pensar que lo que ocultaba debía armonizar muy bien con lo que dejaba ver.

Me despedí a las once de la señora Andrea, porque habíamos resuelto ir a ver a don Ignacio en los potreros donde estaba haciendo rodeo, y aprovechar el viaje para darnos un baño en el Amaime.

Emigdio se despojó de su chaqueta para reemplazarla con una ruana de hilo; de los botines de *soche*, para calzarse alpargatas usadas; se abrochó unos zamarros blancos de piel melenuda de cabrón, se puso un gran sombrero de Suaza* con fundá de percal blanco y montó en el alazán, teniendo antes la precaución de

---

pastuso. Procedente de Pasto, ciudad y municipio de Colombia, capital del departamento de Nariño y de la provincia de su nombre.

retablos quiteños. Procedentes de Quito, capital de Ecuador.

chambimbes. Semilla muy negra y redonda.

Suaza. Nombre que llevó la población colombiana de Santa Librada.

vendarle los ojos con un pañuelo. Como el potrón se hizo una bola y escondió la cola entre las piernas, el jinete le gritó: "¡Ya vienes con tus fullerías!", descargándole enseguida dos sonoros latigazos con el manatí palmirano* que empuñaba. Con lo que después de dos o tres corcovos, que no lograron ni mover siquiera al caballero en su silla chocontana, monté y nos pusimos en marcha.

Mientras llegábamos al sitio del rodeo, distante de la casa más de media legua, mi compañero, luego que se aprovechó del primer llamito aparente para tornear y *rayar* el caballo, entró en conversación tirada conmigo. Desembuchó cuanto sabía respecto de las pretensiones matrimoniales de Carlos, con quien había reanudado amistad desde que volvieron a verse en el Cauca.

—¿Y tú qué dices? —acabó por preguntarme.

Esquivé mañosamente darle respuesta; y él continuó:

—¿Para qué es negarlo? Carlos es un muchacho trabajador; luego que se convenza de que no puede ser hacendado si no deja antes a un lado los guantes y el paraguas, tiene que irle bien. Todavía se burla de mí porque enlazo, hago talanquera y *barbeo* muletos*, pero él tiene que hacer lo mismo o reventar. ¿No lo has visto?

—No.

—Pues ya lo verás. ¿Me crees que no va a bañarse al río cuando el sol está fuerte, y que si no le ensillan el caballo no monta? ¡Todo por no ponerse moreno y no ensuciarse las manos! Por lo demás, es un caballero, eso sí; no hace ocho días que me sacó de un apuro prestándome doscientos patacones que necesitaba para comprar unas novillonas. Él sabe que no lo echa en saco roto; pero eso es lo que se llama servir a tiempo. En cuanto a su matrimonio..., te voy a decir una cosa, si me ofreces no chamuscarte.

—Di, hombre, di lo que quieras.

---

palmirano. Natural de Palmira, población y distrito de Colombia, departamento del Valle del Cauca, capital de la provincia de su mismo nombre.

hago talanquera y barbeo muletos. Dos pruebas de destreza, como *rayar* el caballo, que muestran a Emigdio como experto hombre de campo; "criollo parejo", diríamos en el Río de la Plata. *Hacer talanquera* o *guinchar* es picar un animal con palo puntiagudo o guincha; *barbear* significa echar al suelo un animal, en este caso un mulo cerril, agarrándolo por la oreja y mandíbula inferior. En todo el diálogo hay un alarde de virtudes rurales, que recuerda las clásicas disputas entre gauchos y puebleros de la literatura popular argentina.

—En tu casa, como que viven con mucho tono, y se me figura que una de esas niñas criadas entre holán como las de los cuentos, necesita ser tratada como cosa bendita...

Soltó una carcajada y prosiguió:

—Lo digo porque ese don Jerónimo, padre de Carlos, tiene más cáscaras que un siete-cueros y es bravo como un ají chivato*. Mi padre no lo puede ver desde que lo tiene metido en un pleito por linderos y yo no sé qué más. El día que lo encuentra tenemos que ponerle por la noche fomentos de yerba mora* y darle friegas de aguardiente con malambo.

Habíamos llegado ya al lugar del rodeo. En medio del corral, a la sombra de un guásimo y al través de la polvareda levantada por la torada en movimiento, descubrí a don Ignacio, quien se acercó a saludarme. Montaba un cuartago rosillo y cotudo, enjaezado con un *galápago* cuyo lustre y deterioro proclamaban sus merecimientos. La exigua figura del rico propietario estaba decorada así: zamarros de león raídos y con capelladas; espuelas de plata con rodajas, encascabeladas; chaqueta de género sin aplanchar y ruana blanca recargada de almidón; coronándolo todo un enorme sombrero de jipijapa*, de esos que llaman cuando va al galope quien los lleva; bajo su sombra hacían la tamaña nariz y los ojillos azules de don Ignacio el mismo juego que en la cabeza de un paletón disecado los granates que lleva por pupilas y prolongado pico.

Dije a don Ignacio lo que mi padre me había encargado acerca del ganado que debían cebar en compañía.

—Está bien —me respondió—. Ya ve que la novillada no puede ser mejor: todos parecen unas torres. ¿No quiere entrar a divertirse un rato?

A Emigdio se le iban los ojos viendo la faena de los vaqueros en el corral.

bravo como un ají chivato. **Persona inquieta o revoltosa. En Colombia, "chivato" significa bellaco, ruin.**

yerba mora. **Planta herbácea, anual, con tallos de tres a cuatro decímetros de altura, ramosos y velludos; flores de corola blanca y fruto en baya negra. Se emplea en medicina como calmante.**

sombrero de jipijapa. **Sombrero de ala ancha, tejido con paja muy fina.**

—¡Ah, tuso! —gritó—; cuidado con aflojar el pial*... ¡A la cola! ¡A la cola!

Me excusé con don Ignacio, dándole al mismo tiempo las gracias. Él continuó:

—Nada, nada; los bogotanos les tienen miedo al sol y a los toros bravos; por eso los muchachos se echan a perder en los colegios de allá. No me dejará mentir ese niño bonito hijo de don Chomo; a las siete de la mañana lo he encontrado de camino aforrado con un pañuelo, de modo que no se le veía sino un ojo, y con paraguas. Usted, por lo que veo, siquiera no usa esas cosas.

En ese momento gritaba el vaquero que con la marca candente empuñada iba aplicándosela en la paleta a varios toros tendidos y maniatados en el corral: "Otro..., otro..." A cada uno de esos gritos seguía un berrido, y hacia don Ignacio con su cortaplumas una muesquecilla* más en una varita de guásimo que le servía de foete.

Como al levantarse las reses podía haber algunos lances peligrosos, don Ignacio, después de haber recibido mi despedida, se puso en salvo entrando a una correleja vecina.

El sitio escogido por Emigdio en el río era el más adecuado para disfrutar del baño que las aguas del Amaime ofrecen en el verano, especialmente a la hora en que llegamos a su orilla. Guabos churimos, sobre cuyas flores revoloteaban millares de esmeraldas*, nos ofrecían densa sombra y acolchonada hojarasca, donde extendimos las ruanas. En el fondo del profundo remanso que estaba a nuestros pies se veían hasta los más pequeños guijarros y jugueteaban sardinas plateadas. Abajo, sobre las piedras que no cubrían las corrientes, garzones azules y garcitas blancas pescaban espiando o se peinaban el plumaje. En la playa de enfrente rumiaban acostadas hermosas vacas; guacamayas escondidas en los follajes de los cacimbos charlaban a media voz; y tendida en las ramas altas dormía una partida de monos en perezoso abandono. Las chicharras hacían resonar por dondequiera sus cantos monótonos. Una que otra ardilla curiosa asomaba por entre el cañaveral y desapare-

---

pial. Lazo, que en Colombia es de cuerda o soga, en vez de cuero crudo como en el Río de la Plata.

muesquecilla. Diminutivo de muesca.

esmeraldas. Insectos así llamados por el color de sus alas.

cía velozmente. Hacia el interior de la selva oíamos de rato en rato el trino melancólico de las chilacoas.

—Cuelga tus zamarros lejos de aquí —dije a Emigdio—, porque si no, saldremos del baño con dolor de cabeza.

Rióse él de buena gana, observándome al colocarlos en la horqueta de un árbol distante:

—¿Quieres que todo huela a rosas? El hombre debe oler a chivo.

—Seguramente; y en prueba de lo que crees, llevas en tus zamarros todo el almizcle de una cabrera.

Durante nuestro baño, sea que la noche y la orilla de un hermoso río dispongan el ánimo a hacer confidencias, sea que yo me diese trazas* para que mi amigo me las hiciera, confesóme que después de haber guardado por algún tiempo como reliquia el recuerdo de Micaelina, se había enamorado locamente de una preciosa *ñapan- guita*, debilidad que procuraba esconder a la malicia de don Igna- cio, pues éste había de pretender desbaratarle todo, porque la muchacha no era señora y en fin de fines* raciocinó así:

—¡Como si pudiera convenirme a mí el casarme con una señora para que resultara de todo que tuviera que servirla yo a ella en vez de ser servido! Y por más caballero que yo sea, ¿qué diablos iba a hacer con una mujer de esa laya? Pero si conocieras a Zoila... ¡Hombre! No te pondero: hasta le harías versos... ¡Qué versos! Se te volvería la boca agua... Sus ojos son capaces de hacer ver a un ciego; tiene la risa más ladina, los pies más lindos, y una cintura que...

—Poco a poco —le interrumpí—; ¿es decir que estás tan frené- ticamente enamorado que te echarás a ahogar si no te casas con ella?

—¡Me caso aunque me lleve la trampa!

—¿Con una mujer del pueblo? ¿Sin consentimiento de tu pa- dre?... Ya se ve... Tú eres hombre de barbas* y debes de saber lo que haces. ¿Y Carlos tiene noticia de todo eso?

—¡No faltaba otra cosa! ¡Dios me libre! Si en Buga lo tienen en

me diese trazas. Me diese maña.

en fin de fines. Finalmente, expresión que se usa para dar mayor energía a lo que se trata.

hombre de barbas. Hombre de experiencia.

las palmas de las manos y á boca qué quieres*. La fortuna es que Zoila vive en San Pedro y no va a Buga sino cada marras*.

—Pero a mí sí me la mostrarías.

—A ti es otra cosa; el día que quieras te llevo.

A las tres de la tarde me separé de Emigdio, disculpándome de mil maneras para no comer con él, y las cuatro serían cuando llegué a casa.

XX

Mi madre y Emma salieron al corredor a recibirme.

Mi padre había montado para ir a visitar los trabajos.

A poco rato se me llamó al comedor y no tardé en acudir, porque allí esperaba encontrar a María, pero me engañé; y como le preguntase a mi madre por ella, me respondió:

—Como esos señores vienen mañana, las muchachas están afanadas por que queden muy bien hechos algunos dulces; creo que han acabado ya y que vendrán ahora.

Iba a levantarme de la mesa cuando José, que subía del valle a la montaña, arreando dos mulas cargadas de cañabrava, se paró en el altico desde el cual se divisaba el interior y me gritó:

—Buenas tardes. No puedo llegar, porque llevo una cañabrava y se me hace noche. Ahí le dejo un recado con las niñas. Madrugue mucho mañana, porque la cosa está segura.

—Bien —le contesté—, iré muy temprano; saludos a todos.

—No se olvide de los balines.

Y saludándome con el sombrero, continuó subiendo.

Dirigíme a mi cuarto a preparar la escopeta, no tanto porque ella necesitase de limpieza cuanto por buscar pretexto para no permanecer en el comedor, en donde al fin no se presentó María.

Tenía yo abierta en la mano una cajita de pistones, cuando vi a María venir hacia mí trayéndome el café, que probó con la cucharita antes de verme.

Los pistones se me regaron por el suelo apenas se acercó.

a boca qué quieres. A pedir de boca, **magníficamente.**

cada marras. Una vez **cada** tanto.

Sin resolverse a mirarme me dio las buenas tardes, y colocando con mano insegura el platito y la taza en la baranda buscó por un instante, con ojos cobardes, los míos, que la hicieron sonrojar y entonces arrodillada, se puso a recoger los pistones.

—No hagas tú eso —le dije—; yo lo haré después.

—Yo tengo muy buenos ojos para buscar cosas chiquitas —respondió—; a ver la cajita.

Alargó el brazo para recibirla exclamando al verla:

—¡Ay! Si se han regado todos.

—No estaba llena —le observé, ayudándola.

—Y que se necesitan mañana de éstos —dijo soplándoles el polvo a los que tenía en la sonrosada palma de una de sus manos.

—¿Por qué mañana, y por qué de éstos?

—Porque como esa cacería es peligrosa, se me figura que errar un tiro sería terrible, y conozco por la cajita que éstos son los que el doctor te regaló el otro día, diciendo que eran ingleses y muy buenos...

—Tú lo oyes todo.

—Algo hubiera dado algunas veces por no oír. Tal vez sería mejor no ir a esa cacería... José te dejó un recado con nosotras.

—¿Quieres tú que no vaya?

—¿Y cómo podía yo exigir eso?

—¿Por qué no?

Miróme y no respondió.

—Ya me parece que no hay más —dijo poniéndose en pie y mirando el suelo a su alrededor—; yo me voy. El café estará ya frío.

—Pruébalo.

—Pero no acabes de cargar esa escopeta ahora... Está bueno —añadió tocando la taza.

—Voy a guardar la escopeta y a tomarlo; pero no te vayas.

Yo había entrado a mi cuarto y vuelto a salir.

—Hay mucho que hacer allá dentro.

—¡Ah, sí! —le contesté—; preparar postres y las galas para mañana. ¿Te vas, pues?

Hizo con los hombros, inclinando al mismo tiempo la cabeza a un lado, un movimiento que significaba: como tú quieras.

—Yo te debo una explicación —le dije acercándome a ella. ¿Quieres oírme?

—¿No digo que hay cosas que no quisiera oír? —contestó haciendo sonar los pistones dentro de la cajita.

—Creí que lo que yo...

—Es cierto eso que vas a decir; eso que crees.

—¿Qué?

—Que a ti sí debiera oírte; pero esta vez no.

—¡Qué mal habrás pensado de mí en estos días!

Ella leía, sin contestarme, los letreros de la cajita.

—Nada te diré, pues; pero dime qué te ha supuesto.

—¿Para qué ya?

—¿Es decir que no me permites tampoco disculparme para contigo?

—Lo que quisiera saber es por qué has hecho eso; sin embargo, me da miedo saberlo por lo mismo que para nada he dado motivo, y siempre pensé que tendrías alguno que yo no debía saber... Mas como parece que estás contento otra vez..., yo también estoy contenta.

—Yo no merezco que seas tan buena como eres conmigo.

—Quizá seré yo quien no merezco...

—He sido injusto contigo, y si lo permitieras te pediría de rodillas que me perdonaras.

Sus ojos, velados hacía rato, lucieron con toda su belleza, y exclamó:

—¡Ay, no! ¡Dios mío! Yo lo he olvidado todo... ¿Oyes bien? ¡Todo! Pero con una condición —añadió después de una corta pausa.

—La que quieras.

—El día que yo haga o diga algo que te disguste me lo dirás, y yo no volveré a hacerlo ni a decirlo. ¿No es muy fácil eso?

—Y yo, ¿no debo exigir de tu parte lo mismo?

—No, porque yo no puedo aconsejarte a ti, ni saber siempre si lo que pienso es lo mejor; además, tú sabes lo que voy a decirte antes que te lo diga.

—¿Estás cierta? ¿Vivirás, pues, convencida de que te quiero con toda mi alma? —le dije en voz baja y conmovida.

—Sí, sí —respondió muy quedo; y casi tocándome los labios con una de sus manos para significarme que callara, dio algunos pasos hacia el salón.

—¿No oyes que Juan me llama y llora porque no me encuentra?

Indecisa por un momento, en su sonrisa había tal dulzura y tan amorosa languidez en su mirada, que ya había ella desaparecido y aún la veía mi alma.

XXI

Al día siguiente al amanecer tomé el camino de la montaña, acompañado de Juan Ángel, que iba cargado con algunos regalos de mi madre para Luisa y las muchachas. Seguíanos Mayo: su fidelidad era superior a todo escarmiento, a pesar de algunos malos ratos que había tenido en esa clase de expediciones, impropias ya de sus años.

Pasado el puente del río, encontramos a José y a su sobrino Braulio, que venían ya a buscarme. Aquél me habló al punto de su proyecto de caza, reducido a asestar un golpe certero a un tigre famoso en las cercanías, que le había muerto algunos corderos. Teníale seguido el rastro al animal y descubierta una de sus guaridas en el nacimiento del río, a más de media legua arriba de la posesión.

Juan Ángel dejó de sudar al oír estos pormenores, y poniendo sobre la hojarasca el cesto que llevaba, nos veía con ojos tales cual si estuviera oyendo discutir un proyecto de asesinato.

José continuó hablando así de su plan de ataque:

—Respondo con mis orejas de que no se nos va. Ya veremos si el valluno* Lucas es tan jaque* como dice. De Tiburcio si respondo. ¿Trae la munición gruesa?

—Sí —le respondí—, y la escopeta larga.

—Hoy es el día de Braulio. Él tiene mucha gana de verlo a usted una jugada, porque yo le he dicho que usted y yo llamamos errados los tiros cuando apuntamos a la frente de un oso y la bala se zampa por un ojo.

Se rió estrepitosamente, dándole palmadas sobre el hombro a su sobrino.

valluno. Natural o habitante de los valles del Cauca y del Nelva.

jaque. Valentón, perdonavidas.

—Bueno, y vámonos —continuó—; pero que lleve el negrito estas legumbres a la señora, porque yo me vuelvo. —Y se echó a la espalda el cesto de Juan Ángel, diciendo—: ¿Serán cosas dulces que la niña María pone para su primo?

—Ahí vendrá algo que mi madre le envía a Luisa.

—Pero ¿qué es lo que ha tenido la niña? Yo la vi ayer a la pasada tan fresca y lucida como siempre. Parece un botón de rosa de Castilla.

—Está buena ya.

—Y tú, ¿qué haces ahí que no te largas negritico? —dijo José a Juan Ángel. Carga con la guambía* y vete, para que vuelvas pronto, porque más tarde no te conviene andar solo por aquí. No hay que decir nada allá abajo.

—Cuidado con no volver —le grité cuando estaba él al otro lado del río.

Juan Ángel desapareció entre el carrizal como un guatín* asustado.

Braulio era un mocetón de mi edad. Hacía dos meses que había venido de la provincia* a acompañar a su tío, y estaba locamente enamorado, de tiempo atrás, de su prima Tránsito.

La fisonomía del sobrino tenía toda la nobleza que hacía interesante la del anciano; pero lo más notable en ella era una linda boca sin bozo aún, cuya sonrisa femenina contrastaba con la energía varonil de las otras facciones. Manso de carácter, apuesto e infatigable en el trabajo, era un tesoro para José y el más adecuado marido para Tránsito.

La señora Luisa y las muchachas salieron a recibirme a la puerta de la cabaña risueñas y afectuosas. Nuestro frecuente trato en los últimos meses había hecho que las muchachas fuesen menos tímidas conmigo. José mismo en nuestras cacerías, es decir, en el campo de batalla, ejercía sobre mí una autoridad paternal todo lo

---

guambía. Mochila de soga, cordel.

guatín. Así se llama en Colombia al *agutí*, pequeño y tímido roedor de la América tropical.

provincia. Antioquia.

cual desaparecía cuando se presentaban en casa, como si fuese un secreto nuestra amistad leal y sencilla.

—¡Al fin, al fin! —dijo la señora Luisa tomándome por el brazo para introducirme a la salita. ¡Siete días!, uno por uno los hemos contado.

Las muchachas me miraban sonriendo maliciosamente.

—¡Pero, Jesús, qué pálido está! —exclamó Luisa mirándome más de cerca. Eso no está bueno así; si viniera usted con frecuencia estaría tamaño de gordo.*

—Y a ustedes, ¿cómo les parezco? —dije a las muchachas.

—¡Eh! —contestó Tránsito. ¿Pues qué nos va a parecer? Si por estarse allá en sus estudios y...

—Hemos tenido tantas cosas buenas para usted —interrumpió Lucía—; dejamos dañar la primera badea de la mata nueva esperándolo; el jueves, creyendo que venía le tuvimos una natilla* tan buena...

—Y qué peje, ¡ah, Luisa! —añadió José. Si eso ha sido el juicio*, no hemos sabido qué hacer con él. Pero ha tenido razón para no venir —continuó en tono grave—, ha habido motivo; y como pronto lo convidarás a que pase con nosotros un día entero..., ¿no es así, Braulio?

—Sí, sí, paces, y hablemos de eso. ¿Cuándo es ese gran día señora Luisa; cuándo es, Tránsito?

Ésta se puso como una grana, y no hubiera levantado los ojos para ver a su novio por todo el oro del mundo.

—Eso tarda —respondió Luisa—; ¿no ve que falta blanquear la casita* y ponerle las puertas? Vendrá siendo el día de Nuestra Señora de Guadalupe, porque Tránsito es su devota.

tamaño de gordo. Muy gordo.

natilla. Plato típico de Antioquia, Colombia, compuesto de maíz cocido, leche y otros ingredientes.

Si eso ha sido el juicio. Si eso ha sido el colmo, lo máximo que pudo ocurrir, por referencia al que ha de hacer Jesucristo de todos los hombres al fin del mundo, para dar a cada uno el premio o el castigo por sus obras.

blanquear la casita. En Cali y en las tierras vecinas del norte abunda el óxido de calcio con el que en Andalucía se pintan las paredes.

—Y eso, ¿cuándo es?

—¿Y no sabe? Pues el 12 de diciembre. ¿No le han dicho estos muchachos que quieren hacerlo su padrino?

—No, y la tardanza en darme tan buena noticia no se la perdono a Tránsito.

—¡Si yo le dije a Braulio que se lo dijera a usted, porque mi padre creía que era mejor así!...

—Yo agradezco tanto esa elección como no podéis figurároslo, mas es con la esperanza de que me hagáis muy pronto compadre.*

Braulio miró de la manera más tierna a su preciosa novia, y avergonzada ésta, salió presurosa a disponer el almuerzo, llevándose de paso a Lucía.

Mis comidas en casa de José no eran ya como la que describí en otra ocasión; yo hacía en ellas parte de la familia y, sin aparatos de mesa, salvo el único cubierto que se me destinaba siempre, recibía mi ración de frijoles, mazamorra, leche y *gamuza* de manos de la señora Luisa, sentada ni más ni menos que José y Braulio en un banquillo de raíz de guadua. No sin dificultad los acostumbré a tratarme así.

Viajero años después por las montañas del país de José, he visto ya a puestas del sol llegar labradores alegres a la cabaña donde se me daba hospitalidad; luego que alababan a Dios ante el venerable jefe de familia, esperaban en torno al hogar la cena que la anciana y cariñosa madre repartía: un plato bastaba a cada pareja de esposos, y los pequeñuelos hacían pinicos apoyados en las rodillas de sus padres. Y he desviado mis miradas de esas escenas patriarcales, que me recordaban los últimos días felices de mi juventud...

El almuerzo fue suculento, como de costumbre, y sazonado con una conversación que dejaba conocer la impaciencia de Braulio y de José por dar principio a la cacería.

Serían las diez cuando, listos ya todos, cargado Lucas con el fiambre que Luisa nos había preparado, y después de las entradas y salidas de José para poner en su gran garniel de nutria tacos de cabuya y otros chismes que se le habían olvidado, nos pusimos en marcha.

Eramos cinco los cazadores: el mulato Tiburcio, peón de la cha-

me hagáis muy pronto compadre. Me hagáis padrino del primer hijo.

gra; Lucas, neivano* agregado de una hacienda vecina; José, Braulio y yo. Todos íbamos armados de escopetas. Eran de cazoleta* las de los dos primeros, y excelentes, por supuesto, según ellos. José y Braulio llevaban además lanzas cuidadosamente enastadas.

En la casa no quedó perro útil: todos atramojados de dos en dos, engrosaron la partida expedicionaria dando aullidos de placer, y hasta el favorito de la cocinera Marta, Palomo, a quien los conejos temían con ceguera, brindó el cuello para ser contado en el número de los hábiles; pero José lo despidió con un ¡zumba! seguido de algunos reproches humillantes.

Luisa y las muchachas quedaron intranquilas, especialmente Tránsito, que sabía bien era su novio quien iba a correr mayores peligros, pues su idoneidad para el caso era indisputable.

Aprovechando una angosta y enmarañada trocha, empezamos a ascender por la ribera septentrional del río.

Su sesgo cauce, si tal puede llamarse el fondo selvoso de la cañada, encañonado por peñascos en cuyas cimas crecían, como en azoteas, crespos helechos y cañas enredadas por floridas trepadoras, estaba obstruido a trechos con enormes piedras, por entre las cuales se escapaban las corrientes en ondas veloces, blancos borbollones y caprichosos plumajes.

Poco más de media legua habíamos andado, cuando José, deteniéndose a la desembocadura de un zanjón ancho, seco y amurallado por altas barrancas, examinó algunos huesos mal roídos dispersos en la arena; eran los del cordero que el día antes se le había puesto de cebo a la fiera. Precediéndonos Braulio, nos internamos José y yo por el zanjón. Los rastros subían. Braulio, después de unas cien varas de ascenso, se detuvo, y sin mirarnos hizo ademán de que parásemos. Puso oído a los rumores de la selva; aspiró todo el aire que su pecho podía contener; miró hacia la alta bóveda que los cedros, jiguas y yarumos formaban sobre nosotros, y siguió andando con lentos y silenciosos pasos. Detúvose de nuevo al cabo

---

neivano. Natural de Neiva, ciudad de Colombia, capital de la provincia de su nombre, departamento de Huila.

cazoleta. Pieza de la llave de las armas de chispa, inmediata al oído del cañón: era cóncava, a modo de media esfera, y se llenaba de pólvora para que, al recibir las chispas del pedernal, inflamase la carga e hiciese disparar el tiro.

de un rato; repitió el examen hecho en la primera estación y mostrándonos los rasguños que tenía el tronco de un árbol que se levantaba desde el fondo del zanjón, nos dijo, después de un nuevo examen de las huellas: "Por aquí salió; se conoce que está bien comido y baqueano". La chamba terminaba veinte varas adelante por un paredón, desde cuyo tope se conocía, por la hoya que tenía al pie, que en los días de lluvia se despeñaban por allí las corrientes de la falda.

Contra lo que creía yo conveniente, buscamos otra vez la ribera del río, y continuamos subiendo por ella.

Al poco halló Braulio las huellas del tigre en una playa, y esta vez llegaban hasta la orilla del río.

Era necesario cerciorarnos de si la fiera había pasado por allí al otro lado, o si, impidiéndoselo las corrientes, ya muy descolgadas e impetuosas, había continuado subiendo por la rivera en que estábamos, que era lo más probable.

Braulio, la escopeta terciada a la espalda, vadeó el raudal atándose a la cintura un rejo, cuyo extremo retenía José para evitar que un mal paso hiciera rodar al sobrino a la cascada inmediata.

Guardábamos un silencio profundo, y acallábamos uno que otro aullido de impaciencia que dejaban escapar los perros.

—No hay rastro acá —dijo Braulio después de examinar las arenas y maleza.

Al ponerse en pie, vuelto hacia nosotros, sobre la cima de un peñón, le entendimos, por los ademanes, que nos mandaba estar quietos.

Zafóse de los hombros la escopeta; la apoyó en el pecho como para disparar sobre las peñas que teníamos a la espalda; se inclinó ligeramente hacia adelante, firme y tranquilo, y dio fuego.

—¡Allí! —gritó señalando hacia el arbolado de las peñas, cuyos filos nos era imposible divisar; y bajando a saltos la ribera, añadió:

—¡La cuerda firme! ¡Los perros más arriba!

Los perros parecían estar al corriente de lo que había sucedido: no bien los soltamos, cumpliendo la orden de Braulio, mientras José le ayudaba a pasar el río, desaparecieron a nuestra derecha por entre los cañaverales.

—¡Quietos! —volvió a gritar Braulio ganando la ribera.

Y mientras cargaba precipitadamente la escopeta, divisándome a mí, agregó:

—Usted aquí, patrón.

Los perros perseguían de cerca la presa, que no debía tener fácil salida, puesto que los ladridos venían de un mismo punto de la falda.

Braulio tomó una lanza de manos de José, diciéndonos a los dos:

—Ustedes más abajo y más altos, para cuidar este paso, porque el tigre volverá sobre su rastro si se nos escapa de donde está. Tiburcio con ustedes —agregó.

Y dirigiéndose a Lucas:

—Los dos a costear un peñón por arriba.

Luego, con su sonrisa dulce de siempre, terminó al colocar con pulso firme un pistón en la chimenea de la escopeta:

—Es un gatico*, y está ya herido.

En diciendo las últimas palabras, nos dispersamos.

José, Tiburcio y yo subimos a una roca convenientemente situada. Tiburcio miraba y remiraba la ceba de su escopeta. José era todo ojos. Desde allí veíamos lo que pasaba en el peñón y podíamos guardar el paso recomendado, porque los árboles de la falda, aunque corpulentos, eran raros.

De los seis perros, dos estaban ya fuera de combate; uno de ellos destripado a los pies de la fiera; el otro, dejando ver las entrañas por entre uno de los costillares desgarrados, había venido a buscarnos y expiraba dando quejidos lastimeros junto a la piedra que ocupábamos.

De espaldas contra un grupo de robles, haciendo serpentear la cola, erizado el dorso, los ojos llameantes y la dentadura descubierta, el tigre lanzaba bufidos roncos y al sacudir la enorme cabeza, las orejas hacían un ruido semejante al de las castañuelas de madera.

Al revolver, hostigado por los perros, no escarmentados, aunque no muy sanos, se veía por su ijar izquierdo chorrear sangre la que a veces intentaba lamer inútilmente porque entonces lo acosaba la jauría con ventaja.

gatico. Es muy común en el Cauca formar los diminutos de los nombres con los sufijos -ico, -ica.

134

Braulio y Lucas se presentaron, saliendo del cañaveral, sobre el peñón, pero un poco más distantes de la fiera que nosotros. Lucas estaba lívido, y las manchas de carate* de sus pómulos, de azul turquí*.

Formábamos así un triángulo los cazadores y la pieza, pudiendo ambos grupos disparar a un tiempo sobre ella sin ofendernos mutuamente*.

—¡Fuego todos a un tiempo! —gritó José.

—No, no; los perros —respondió Braulio; y dejando solo a su compañero, desapareció.

Comprendí que un disparo general podía terminarlo todo, pero era cierto que algunos perros sucumbirían, y no muriendo el tigre le era fácil hacer una diablura encontrándonos sin armas cargadas.

La cabeza de Braulio, con la boca entreabierta y jadeante, los ojos desplegados y la cabellera revuelta, asomó por entre el cañaveral un poco atrás de los árboles que defendían la espalda de la fiera; en el brazo derecho llevaba enristrada la lanza y con el izquierdo desviaba los bejucos que le impedían ver bien.

Todos quedamos mudos; los perros mismos parecían interesados en el fin de la partida.

José gritó al fin:

—¡Hubi! ¡Mataleón! ¡Hubi! ¡Pícalo, Truncho!

No convenía dar tregua a la fiera, y se evitaba así riesgo mayor a Braulio.

Los perros volvieron al ataque simultáneamente. Otro de ellos quedó muerto sin dar un quejido.

El tigre lanzó un maullido horroroso.

Braulio apareció tras el grupo de robles, hacia nuestro lado, empuñando el asta de la lanza sin hoja.

La fiera dio la misma vuelta en busca, y él gritó:

---

manchas de carate. Manchas producidas por cierta erupción de la piel. Detalle de mal gusto, raro en Isaacs, quien, como afirma el crítico peruano Luis Alberto Sánchez, cultivó el realismo, no el naturalismo, "que eso es feísimo, y para Isaacs jamás hubo fealdad laudable". Esta cacería del tigre, precisamente, es una de las descripciones realistas de *María*, consagradas por la crítica.

azul turquí. El azul más oscuro; es el sexto color del espectro solar.

sin ofendernos mutuamente. Sin hacernos daño físicamente.

—¡Fuego!, ¡fuego! —volviendo a quedar de un brinco en el mismo punto donde había asestado la lanzada.

El tigre lo buscaba. Lucas había desaparecido. Tiburcio estaba de color de aceituna. Apuntó, y sólo se quemó la ceba.

José disparó: el tigre rugió de nuevo tratando como de morderse el lomo, y de un salto volvió instantáneamente sobre Braulio. Éste, dando una nueva vuelta tras de los robles, lanzóse hacia nosotros a recoger la lanza que le arrojaba José.

Entonces la fiera nos dio frente. Sólo mi escopeta estaba disponible; disparé: el tigre se sentó sobre la cola, tambaleó y cayó.

Braulio miró atrás instintivamente para saber el efecto del último tiro. José, Tiburcio y yo nos hallábamos ya cerca de él, y todos dimos a un tiempo un grito de triunfo.

La fiera arrojaba sanguaza espumosa por la boca: tenía los ojos empañados e inmóviles, y en el último paroxismo de muerte estiraba las piernas temblorosas y removía la hojarasca al enrollar y desenrollar la hermosa cola.

—¡Valiente tiro!..., ¡qué tiro! —exclamó Braulio, poniéndole un pie al animal sobre el cogote—; ¡en la frente! ¡Eso sí es un pulso firme!

José, con voz no muy segura todavía (el pobre amaba tanto a su hija), dijo limpiándose con la manga de la camisa el sudor de la frente:

—No, no..., si es mecha*. ¡Santísimo Patriarca!, ¡qué animal tan bien criado! ¡Hij'un demonio! ¡Si te toca ni se sabe!...

Miró tristemente los cadáveres de los tres perros, diciendo:

—¡Pobre Campanilla!, es la que más siento...; ¡tan guapa mi perra!...

Acarició luego a los otros tres, que con tamaña lengua afuera jadeaban acostados y desentendidos como si solamente se hubiera tratado de acorralar un becerro arisco.

José, tendiéndome su ruana en lo limpio, me dijo:

—Siéntese, niño; vamos a sacar bien el cuero, porque es de usted* —y en seguida gritó:

—¡Lucas!

si es mecha. Equivale a "si es broma", dicho con intención irónica que le da significación contraria: "si es cosa seria".

es de usted. Es suyo. Expresión incorrecta, aunque común en el lenguaje popular.

Braulio soltó una carcajada, concluyéndola por decir:

—Ya ése estará metido en el gallinero de casa.

—¡Lucas! —volvió a gritar José, sin atender a lo que su sobrino decía; mas viéndonos a todos reír, preguntó:

—¡Eh! ¡Eh! Pues, ¿qué es?

—Tío, si el valluno zafó desde que erré la lanzada.

José nos miraba como si le fuese imposible entendernos.

—¡Timanejo pícaro*!

Y acercándose al río, gritó de forma que las montañas repitieran su voz:

—¡Lucas del demonio!

—Aquí tengo yo buen cuchillo para desollar —le advirtió Tiburcio.

—No, hombre; si es que ese caratoso traía el jotico* del fiambre, y este blanco querrá comer algo y... yo también, porque aquí no hay esperanza de mazamorra.

Pero la mochila deseada estaba señalando precisamente el punto abandonado por el neivano; José, lleno de regocijo, la trajo al sitio donde nos hallábamos y procedió a abrirla después de mandar a Tiburcio a llenar nuestros cocos* de agua del río.

Las provisiones eran blancas y moradas masas de choclo*, queso fresco y carne asada con primor: todo ello fue puesto sobre hojas de platanillo.

Sacó en seguida de entre una servilleta una botella de vino tinto, pan, ciruelas e higos pasas, diciendo:

—Esa es cuenta aparte.

Las navajas machetonas salieron de los bolsillos. José nos dividió la carne que acompañada con las masas de choclo era un bocado regio. Agotamos el tinto, despreciamos el pan, y los higos y ciruelas les gustaron más a mis compañeros que a mí. No faltó la panela

Timanejo. Natural de Timaná, villa y municipio de Colombia, en el departamento de Huila, provincia de Garzón.

jotico. Véase nota de página 134.

nuestros cocos. Vasijas hechas con el endocarpio huesoso de la fruta de esta planta; sirven como taza o pozuelo entre la gente campesina.

masas de choclo. Maíz todavía tierno.

(chancaca)*, dulce compañera del viajero, del cazador y del pobre. El agua estaba helada. Mis cigarros de olor* humearon después de aquel rústico banquete.

José estaba de excelente humor, y Braulio se había atrevido a llamarme padrino.

Con imponderable destreza Tiburcio desolló el tigre, sacándole sebos que diz que servían para qué sé yo qué.

Acomodadas en las mochilas la piel, cabeza y patas del tigre, nos pusimos en camino para la posesión de José, el cual tomando mi escopeta, la colocó en un mismo hombro con la suya, precediéndonos en la marcha y llamando a los perros. Deteníase de vez en cuando para recalcar sobre algunos de los lances de la partida o para echarle alguna nueva maldición a Lucas.

Conocíase que las mujeres nos contaban y recontaban desde que nos alcanzaron a ver, y cuando nos acercamos a la casa estaban aún indecisas entre el susto y la alegría, pues por nuestra demora y los disparos que habían oído suponían que habíamos corrido peligros.

Fue Tránsito quien se adelantó a recibirnos, notablemente pálida.

—¿Lo mataron? —nos gritó.

—Sí, hija —le respondió su padre.

Todas nos rodearon, entrando en la cuenta hasta la vieja Marta, que llevaba en las manos un capón a medio pelar.

Lucía se acercó a preguntarme por mi escopeta; y como yo se la mostrase añadió en voz baja:

—Nada le ha sucedido, ¿no?

—Nada —le respondí cariñosamente, pasándole por los labios una ramita...

—Ya yo pensaba...

—¿No ha bajado ese fantasioso de Lucas por aquí? —preguntó José.

—Él no —respondió Marta.

José masculló una maldición.

---

chancaca. Golosina popular en América, preparada con azúcar o miel, de diversos modos. En la Argentina, es común en provincias mediterráneas.

cigarros de olor. Llámanse así los hechos de una clase de tabaco que se produce en las inmediaciones de Palmira, casi tan aromático como el habano.

—Pero ¿dónde está lo que mataron? —dijo al fin, haciéndose oír, la señora Luisa.

—Aquí, tía —contestó Braulio.

Y ayudado por su novia se puso a desfruncir la mochila, diciéndole a la muchacha algo que no alcancé a oír. Ella me miró de una manera particular, y sacó de la sala un banquito para que me sentase en el empedrado, desde el cual dominaba yo la escena.

Extendida en el patio la grande y aterciopelada piel, las mujeres intentaron exhalar un grito; mas al rodar la cabeza sobre la grama no pudieron contenerse.

—Pero ¿cómo lo mataron?, cuenten —decía la señora Luisa—; todos están como tristes.

—Cuéntennos —añadió Lucía.

Entonces José, tomando la cabeza del tigre entre las dos manos, dijo:

—El tigre iba a matar a Braulio, cuando el señor (señalándome) le dio este balazo.

Mostró el foramen que en la frente tenía la cabeza.

Todos se volvieron a mirarme, y en cada una de esas miradas había recompensa de sobra para una acción que la mereciera.

José siguió refiriendo con pormenores la historia de la expedición, mientras hacía remedios a los perros heridos, lamentando la pérdida de los otros tres.

Braulio estacaba la piel ayudado por Tiburcio.

Las mujeres habían vuelto a sus faenas, y yo dormitaba sobre uno de los poyos de la salita en que Tránsito y Lucía me habían improvisado un colchón de ruanas. Servíame arrullo el rumor del río, los graznidos de los gansos, el balido del rebaño que pacía en las colinas cercanas, y los cantos de las dos muchachas que lavaban ropa en el arroyo. La naturaleza es la más amorosa de las madres cuando el dolor se ha adueñado de nuestra alma y si la felicidad nos acaricia, ella nos sonríe.

XXII

Las instancias de los montañeses me hicieron permanecer con ellos hasta las cuatro de la tarde, hora en que, después de larguísimas despedidas, me puse en camino con Braulio que se empeñó en acompañarme. Habíame aliviado del peso de la escopeta y colgado de uno de sus hombros una guambía.

Durante la marcha le hablé de su próximo matrimonio y de la felicidad que le esperaba, amándolo Tránsito como lo dejaba ver. Me escuchaba en silencio, pero sonriendo, de manera que estaba por demás hacerlo hablar.

Habíamos pasado el río y salido de la última ceja de monte para empezar a descender por las quiebras de la falda limpia cuando Juan Ángel apareciéndose por entre unas moreras, se nos interpuso en el sendero, diciéndome con las manos unidas en ademán de súplica:

—Yo vine, mi amo...; yo iba...; pero no me haga nada su mercé, yo no vuelvo a tener miedo.

—¿Qué has hecho?, ¿qué es? —lo interrumpí— ¿Te han enviado de casa?

—Sí, mi amo; sí, la niña; y como me dijo su mercé que volviera...

—No me acordaba yo de la orden que le había dado.

—¿Conque no volviste de miedo? —le preguntó Braulio riendo.

—Eso fue, sí, eso fue... Pero como Mayo pasó por aquí asustado, y luego ñor* Lucas, me encontró pasando el río, me dijo que el tigre había matado a ñor Braulio.

Éste dio rienda suelta a una estrepitosa risotada, diciéndole al fin al negrito aterrado:

—¡Y te has estado todo el día metido entre estos matorrales como un conejo!

—Como ñor José me gritó que volviera pronto, porque no debía andar solo por allá arriba —respondió Juan Ángel mirándose las uñas de las manos.

—¡Vaya!, yo te "mezquino"* —repuso Braulio—; pero es con la condición de que en otra cacería has de ir pie con pie* conmigo.

El negrito lo miró con ojos desconfiados, antes de resolverse a aceptar así el perdón.

ñor. Aféresis de "señor", usada de modo similar a "ño".

mezquino. En Colombia, mezquinar significa defender a alguien, librarlo de un castigo.

ir pie con pie. Modo proverbial que significa "muy de cerca y como tocándose una persona a otra con los pies".

—¿Convienes? —le pregunté distraído.

—Sí, mi amo.

—Pues vamos andando. Tú Braulio, no te incomodes en acompañarme más; vuélvete.

—Si es que yo quería...

—No; ya ves que Tránsito está toda asustada hoy. Di allá mil cosas en mi nombre.

—Y esta guambía que llevaba... ¡Ah! —continuó—, tómala tú, Juan Ángel. ¿No irás a romper la escopeta del patrón por allí? Mira que le debo la vida a ésa —dijo. Será lo mejor —observó al recibírsela yo.

Di un apretón de manos al valiente cazador y nos separamos. Distante ya de nosotros, gritó:

—Lo que va en la guambía es la muestra de mineral que le encargó su papá a mi tío.

Y convencido de que se le había oído, se internó en el bosque.

Detúveme a dos tiros de fusil* de la casa, a orillas del torrente que descendía ruidoso hasta esconderse en el huerto.

Al continuar bajando busqué a Juan Ángel: había desaparecido, y supuse que, temeroso de mi enojo por su cobardía, habría resuelto solicitar amparo mejor que el ofrecido por Braulio con tan inaceptables condiciones.

Tenía yo un cariño especial al negrito; él contaba a la sazón doce años; era simpático y casi podría decirse que bello. Aunque inteligente, su índole tenía algo de huraña. La vida que hasta entonces había llevado no era la adecuada para dar suelta a su carácter, pues mediaban motivos para mimarlo. Feliciana, su madre, criada que había desempeñado en la familia funciones de aya y disfrutado de todas las consideraciones de tal, procuró siempre hacer de su hijo un buen paje para mí. Mas fuera del servicio de mesa y de cámara y de su habilidad para preparar el café, en lo demás era desmañado y bisoño.

Muy cerca ya de la casa, noté que la familia estaba aún en el comedor, e inferí que Carlos y su padre habían venido. Desvíeme a la derecha, salté el vallado del huerto y atravesé éste para llegar a mi cuarto sin ser visto.

---

a dos tiros de fusil. A un kilómetro y medio, aproximadamente.

Colgaba el saco de caza y la escopeta, cuando percibí un ruido desacostumbrado. Mi madre entró a mi cuarto en ese momento, y le averigüé la causa de lo que oía.

—Es —me dijo— que los señores de M... están aquí, y ya sabes que don Jerónimo habla siempre como si estuviese a la orilla de un río.

¡Carlos en casa! —pensé—: éste es el momento de prueba de que habló mi padre. Carlos habrá pasado un día de enamorado, en ocasión propicia para admirar a su pretendida. ¡Qué no pueda yo hacerle ver a él cuánto la amo! ¡No poder decirle a ella que seré su esposo!... Éste es un tormento peor de lo que yo me había imaginado.

Mi madre, notándome tal vez preocupado, me dijo:

—¿Cómo que has vuelto triste?

—No, señora; cansado.

—La cacería, ¿ha sido buena?

—Muy feliz.

—¿Podré decir a tu padre que le tienes ya la piel de oso que te encargó?

—No ésa, sino una hermosísima de tigre.

—¿De tigre?

—Sí, señora; del que hacía daños por aquí.

—Pero eso habrá sido horrible.

—Los compañeros eran muy valientes y diestros.

Ella había puesto ya a mi alcance todo lo que yo podía necesitar para el baño y cambio de vestidos, y a tiempo que ajustaba la puerta, después de haber salido, le advertí que no dijera todavía que yo había regresado.

Volvió a entrar y, usando de aquella voz dulce cuanto afectuosa que la hacía irresistible siempre que me aconsejaba, me dijo:

—¿Tienes presente lo que hablamos los otros días sobre la visita de esos señores, no?

Satisfecha de la respuesta, añadió:

—Bueno. Yo confío en que saldrás muy bien.

Y cerciorada de nuevo de que nada podía faltarme, salió.

Lo que Braulio había dicho que era mineral no era otra cosa que la cabeza del tigre, y con tal astucia había conseguido hacer llegar a casa ese trofeo de nuestra hazaña.

Por los comentarios de la escena hechos en casa después, supe que en el comedor había sucedido esto:

Iba a servirse el café en el momento que llegó Juan Ángel diciendo que yo venía ya, e impuso a mi padre del contenido de la mochila. Éste, deseoso de que don Jerónimo le diese su opinión sobre los cuarzos, mandó al negrito que los sacase; y trataba de hacerlo así, cuando dio un grito de terror y un salto de venado sorprendido.

Cada uno de los circunstantes quiso averiguar lo que había pasado. Juan Ángel, de espaldas contra la pared, los ojos tamaños, y señalando con los brazos extendidos hacia el saco exclamó:

—¡El tigre!

—¿En dónde? —preguntó don Jerónimo, derramando parte del café que tomaba, y poniéndose en pie con más presteza que era de esperar le permitiera su esférico abdomen.

—En la guambía —repuso el interpelado.

Carlos y mi padre dejaron también sus asientos. Emma y María se acercaron una a otra. A todos les volvió el alma al cuerpo. Mi padre sacudió con precaución el saco, y viendo rodar la cabeza sobre las baldosas dio un paso atrás; don Jerónimo otro, y apoyando las manos en las rodillas prorrumpió:

—¡Monstruoso!

Carlos, adelantándose a examinar de cerca la cabeza:

—¡Horrible!

Felipe, que llegaba llamado por el ruido, se puso en pie sobre un taburete.

Eloísa se asió de un brazo de mi padre. Juan, medio llorando, trató de subírsele sobre las rodillas a María, y ésta tan pálida como Emma, miró con angustia hacia las colinas esperando verme bajar.

—¿Quién lo mató? —preguntó Carlos a Juan Ángel, el cual se había serenado ya.

—La escopeta del amito.

—¿Conque la escopeta del amito sola? —recalcó don Jerónimo riendo, y ocupando de nuevo su asiento.

—No, mi amo, sino que ñor Braulio dijo ha poco en la loma que le debía la vida a ella...

—¿Dónde está, pues, Efraín? —preguntó intranquilo mi padre, mirando a María.

—Se quedó en la quebrada.

En ese momento regresaba mi madre al comedor. Olvidando que acababa de verme, exclamó:

—¡Ay, mi hijo!

—Viene ya —le observó mi padre.

—Sí, sí; ya sé —respondió ella—; pero ¿cómo habrán muerto a este animal?

—Aquí fue el balazo —dijo Carlos, inclinándose a señalar el foramen de la frente.

—Pero ¿es posible? —preguntó don Jerónimo a mi padre, acercando el braserillo para encender un cigarro—; ¿es de creerse que usted permita esto a Efraín?

Sonrió mi padre al contestarle con algo de propia satisfacción:

—Le encargué hace dos días una piel de oso para los pies de mi catre, y seguramente habrá preferido traerme una de tigre.

María había visto ya en los ojos de mi madre lo que podía tranquilizarla. Se dirigió al salón llevando a Juan de la mano; éste, asido de la falda de ella y asustado aún, le impedía andar. Hubo de alzarlo, y le decía al salir:

—¿Llorando?... ¡Ah, feo!... ¿Un hombre con miedo?

Don Jerónimo, que alcanzó a oírla, observó meciéndose en su silla y arrojando una bocanada de humo:

—Ese otro también matará tigres.

—Vea usted a Efraín hecho un cazador de fieras —dijo Carlos a Emma, sentándose a su lado—, y en el colegio no se dignaba disparar un bodoquerazo a un paparote*. Y no, señor..., recuerdo ahora que en unos asuetos le vi hacer buenos tiros en la laguna de Fontibón*. ¿Y estas cacerías, son frecuentes?

—Otras veces —respondióle mi hermana— ha muerto con José y Braulio osos pequeños y lobos muy bonitos.

—¡Yo que pensaba instalarle para que hiciésemos mañana una cacería de venados, y preparándome para eso vine con mi escopeta inglesa!

---

disparar un bodoquerazo a un paparote. Es decir, disparar con cerbatana a un gorrión.

Fontibón. Municipio de Colombia, departamento de Cundinamarca, provincia de Bogotá.

—El tendrá mucho placer en divertir a usted; si ayer hubiese venido, hoy habrían ido ambos a la cacería.

—¡Ah, sí!..., y si yo hubiera sabido...

Mayo, que había estado despachando algunos bocados sabrosos en la cocina, pasó entonces por comedor. Paróse al ver la cabeza, erizado el cogote y espinazo, dio un cauto rodeo para acercarse al fin a olfatearla. Recorrió la casa a galope, y volviendo al comedor se puso a aullar: no me encontraba, y acaso le avisaba su instinto que yo había corrido peligro.

A mi padre le impresionaron los aullidos; era hombre que creía en cierta clase de pronósticos y agüeros, preocupaciones de su raza, de las cuales no había podido prescindir por completo.

—¡Mayo! ¡Mayo!, ¿qué hay? —dijo acariciando al perro y con mal disimulada impaciencia—: Este niño que no llega...

A este tiempo entraba ya al salón en un traje en que a la verdad no me hubieran reconocido sino muy de cerca Tránsito y Lucía.

María estaba allí. Apenas hubo tiempo para que se cambiase entre ella y yo un saludo y una sonrisa. Juan, que estaba sentado en el regazo de María, me dijo en su media lengua, al pasar, señalándome la puerta del corredor:

—Ahí está el coco.

Y yo entré al comedor sonriendo porque me figuraba que el niño hacía alusión a don Jerónimo.

Di un estrecho abrazo a Carlos, que se adelantó a recibirme, y por aquel momento olvidé casi del todo lo que en los últimos días había sufrido por culpa suya.

El señor de M... estrechó cordialmente en sus manos las mías, diciendo:

—¡Vaya, vaya! ¿Cómo no hemos de estar viejos si todos estos muchachos se han vuelto hombres?

Seguimos al salón; María no estaba ya en él.

La conversación giró sobre la cacería última, y fui casi desmentido por don Jerónimo, al asegurarle que el éxito de ella se debía a Braulio, pues me puso de frente lo referido por Juan Ángel.

Emma me hizo saber que Carlos había venido preparado para que hiciésemos una cacería de venados; él se entusiasmó con la promesa que le hice de proporcionarle una linda partida a inmediaciones de la casa.

Luego que salió mi hermana quiso Carlos hacerme ver su escopeta inglesa, y con tal fin pasamos a mi cuarto. Era el arma exactamente igual a la que mi padre me había regalado a mi regreso de Bogotá, aunque antes de verla yo, me aseguraba Carlos que nunca había venido al país cosa semejante.

—Bueno —me dijo luego que la examiné. ¿Con ésta también matarías animales de esa clase?

—Seguramente que sí: a sesenta varas de distancia no bajará una línea.

—¿A sesenta varas se hacen esos tiros?

—Es peligroso contar con todo el alcance del arma en esos casos; a cuarenta varas es ya un tiro largo.

—¿Qué tan lejos estabas cuando disparaste sobre el tigre?

—A treinta pasos.

—Hombre, yo necesito hacer algo bueno en la cacería que tendremos, porque de otro modo dejaré enmohecer esta escopeta y juraré no haber cazado ni tominejas en toda mi vida.

—¡Oh!, ya verás: te haré lucir, porque haré entrar el venado al huerto.

Carlos me hizo mil preguntas sobre sus condiscípulos, vecinas y amigas de Bogotá; entraron por mucho los recuerdos de nuestra vida estudiantil; hablóme de Emigdio y de sus nuevas relaciones con él, y rió de buena gana acordándose del cómico desenlace de los amores de nuestro amigo con Micaelina.

Carlos había regresado al Cauca ocho meses antes que yo.

Durante ese tiempo sus patillas habían mejorado y la negrura de ellas hacía contraste con sus mejillas sonrosadas; su boca conservaba la frescura que siempre la había hecho admirable; la cabellera, abundante y medio crespa, sombreaba su tersa frente, de ordinario serena como la de un rostro de porcelana. Decididamente era un buen mozo.

Hablóme también de sus trabajos de campo, de las novilladas que cebaba en la actualidad, de los nuevos pastales que estaba haciendo, y por fin de la esperanza fundada que tenía de ser muy pronto un propietario acomodado. Yo le veía hacer la puntería seguro del mal suceso, pero procuraba no interrumpirle para evitarme así la incomodidad de hablarle de mis asuntos.

—Pero, hombre —dijo, poniéndose en pie delante de mi mesa y después de una larga disertación acerca de las ventajas de los cebaderos de guinea sobre los de pasto natural—, aquí hay muchos libros. Tú has venido cargado con todo el estante. Yo también estudio, es decir, leo..., no hay tiempo para más y tengo una prima bachiller que se ha empeñado en que me engulla un diluvio de novelas. Ya sabes que los estudios serios no han sido mi flaco; por eso no quise graduarme, aunque pude haberlo hecho. No puedo prescindir del fastidio que me causa la política y de lo que me encocora todo eso de litis, a pesar de que mi padre se lamenta día y noche de que no me ponga al frente de sus pleitos; tiene manía de litigar, y las cuestiones más graves versan sobre veinte varas cuadradas de pantano o la variación de cauce de un zanjón que ha tenido el buen gusto de echar al lado del vecino una fajilla de nuestras tierras.

—Veamos —empezó leyendo los rótulos de los libros. Frayssinous*, *Cristo ante el siglo*, *La Biblia*... Aquí hay mucha cosa mística. *Don Quijote*... Por supuesto; jamás he podido leer dos capítulos.

—No, ¿eh?

—Blair* —continuó, Chateaubriand. Mi prima Hortensia tiene furor por esto. *Gramática inglesa*. ¡Qué lengua tan rebelde! No pude entrarle*.

—Pero ya hablabas algo.

—El "how do you do"* como el "comment ça va-t'il"* del frances.

—Pero tienes una brillante pronunciación.

—Eso me decían por estimularme.

Y siguiendo el examen de los libros:

Frayssinous. Denis de Frayssinous. Predicador francés (1765-1841).

Blair. Hugh Blair. Escritor escocés (1718-1800), autor de *Sermones* y un *Curso de retórica*.

No pude entrarle. No pude aprenderla o comprenderla.

"how do you do". Expresión inglesa que significa "¿cómo está usted?".

"comment ça va-t'il". Locución francesa que significa "¿cómo está?"

—*Shakespeare**, Calderón*..., versos, ¿no? *Teatro Español*, ¿más versos? Confiésamelo: ¿todavía haces versos? Recuerdo que había algunos que me entristecían haciéndome pensar en el Cauca. ¿Conque haces?

—No.

—Me alegro de ello, porque acabarías por morirte de hambre. Cortés* —continuó—, ¿*Conquista de Méjico*?

—No; es otra cosa.

—Tocqueville*: *Democracia de América*... ¡Peste! Ségur*... ¡Qué runfla!

Al llegar ahí sonó la campanilla del comedor, avisando que el refresco estaba servido. Carlos, suspendiendo la fiscalización de mis libros, se acercó al espejo, peinó sus patillas y cabellos con una peinetilla de bolsillo, plegó, como una modista un lazo, el de su corbata azul y salimos.

XXIII

Carlos y yo nos presentamos en el comedor. Los asientos estaban distribuidos así: presidía mi padre la mesa; a su izquierda acababa de sentarse mi madre; a su derecha don Jerónimo, que

---

Shakespeare. William Shakespeare. Dramaturgo inglés (1564-1616). Entre sus poesías se destacan los *Sonetos*, pero sobresalió, sobre todo, por sus obras dramáticas (dramas de la historia inglesa y catorce comedias): *El rey Juan, Enrique VIII, Hamlet, Romeo y Julieta, El mercader de Venecia, Otelo, El rey Lear*, etc.

Calderón. Pedro Calderón de la Barca. Autor dramático español; nació en Madrid (1600-1681). Sus mejores dramas son: *La vida es sueño* y *El alcalde de Zalamea*. A su lado deben mencionarse: *El príncipe constante, El mágico prodigioso, La devoción de la cruz, Amar después de la muerte, El médico de su honra, A secreto agravio, secreta venganza* y *La dama duende*.

Cortés. Hernán Cortés. Conquistador español (1485-1547). Sometió a México y emprendió la obra de colonización de los aztecas, tarea en la que acreditó ser excelente gobernante y caudillo.

Tocqueville. Carlos Alejo Enrique Mauricio Clerel de Tocqueville. Escritor y político francés (1805-1859). Obras: *La democracia en América* y *El antiguo régimen y la Revolución*.

Ségur. Aunque es el apellido de varios historiadores franceses, debe referirse a Felipe Pablo, Conde de Ségur. General e historiador francés (1780-1873).

desdoblaba la servilleta sin interrumpir la pesada historia de aquel pleito que por linderos sostenía con don Ignacio; a continuación del de mi madre había un asiento vacío y otro al lado del señor M...; en seguida de éstos, y dándose frente, se hallaban María y Emma, y después los niños.

Cumplíame señalarle a Carlos cuál de los dos asientos vacantes debía ocupar. A tiempo de enseñárselo, María, sin mirarme, apoyó una mano en la silla que tenía inmediata, como solía hacerlo, para indicarme, sin que lo comprendiesen los demás, que podía estar cerca de ella. Dudando quizá de ser entendida, buscó instantáneamente mis ojos con los suyos, cuyo lenguaje en tales ocasiones me era tan familiar. No obstante, ofrecí a Carlos la silla que ella me brindaba y me senté al lado de Emma.

Puso milagrosamente don Jerónimo punto final a su alegato de conclusión que había presentado al juzgado el día anterior y volviéndose a mí, dijo:

—¡Vaya que les ha costado trabajo a ustedes interrumpir sus conferencias! De todo habrá habido: buenos recuerdos del pasado, de ciertas vecindades que teníamos en Bogotá..., proyectos para el porvenir... Corriente. No hay como volver a ver un condiscípulo querido. Yo tuve que olvidarme de que ustedes deseaban verse. No acuse usted a Carlos por tanta demora, porque él fue capaz hasta de proponerme venir solo.

Manifesté a don Jerónimo que no podía perdonarle el que me hubiese privado por tanto tiempo del placer de verlos a él y a Carlos, y que, sin embargo, sería menos rencoroso si la permanencia de ellos en casa era larga. A lo cual me respondió con la boca no tan desocupada como fuera de desearse y mirándome al soslayo mientras tomaba un sorbo de chocolate:

—Eso es difícil, porque mañana empiezan las datas de sal.

Después de un momento de pausa, durante el cual sonrió mi padre imperceptiblemente, continuó:

—Y no hay remedio; si no estoy allá, debe estar éste.

—Tenemos mucho que hacer —apuntó Carlos con cierta suficiencia de hombre de negocios, la cual debió parecerle oportuna sabiendo que cazar y estudiar eran mis ocupaciones ordinarias.

María, resentida tal vez conmigo, esquivaba mirarme. Estaba bella más que nunca, así ligeramente pálida. Llevaba un traje de gasa negra profusamente salpicado de uvillas azules, cuya falda, cayendo desde la cintura en numerosísimos pliegues, susurraba, cuando ella andaba, tan quedo como las brisas de la noche en los rosales de mi ventana. Tenía el pecho cubierto con una pañoleta transparente del mismo color del traje, la que parecía no atreverse a tocar ni la base de su garganta de tez de azucena; pendiente de ésta, en un cordón de pelo negro, brillaba una crucecita de diamantes; la cabellera, dividida en dos trenzas de abundantes guedejas le ocultaba a medias las sienes y ondeaba en sus espaldas.

La conversación se había hecho general y mi hermana me preguntó casi en secreto por qué había preferido aquel asiento. Yo le respondí con un "así debe ser" que no la satisfizo; miróme con extrañeza y buscó luego en vano los ojos de María; estaban tenazmente velados por sus párpados de raso perla.

Levantados los manteles se hizo la oración de costumbre. Nos invitó mi madre a pasar al salón; don Jerónimo y mi padre quedaron en la mesa hablando de sus empresas de campo.

Presentéle a Carlos la guitarra de mi hermana, pues sabía yo que él ejecutaba bastante bien ese instrumento. Después de algunas instancias convino en tocar algo. Preguntó a Emma y a María, mientras templaba, si no eran aficionadas al baile; y como se dirigiese en particular a la última, ella le respondió que nunca había bailado.

El se volvió hacia mí, que regresaba en ese momento de mi cuarto, diciéndome:

—¡Hombre! ¿Es posible?

—¿Qué?

—Qué no hayas dado algunas lecciones de baile a tu hermana y a tu prima. No te creía tan egoísta ¿O será que Matilde te impuso por condición que no generalizaras sus conocimientos?

—Ella confió en los tuyos para hacer del Cauca un paraíso de bailarines —le contesté.

—¿En los míos? Me obligas a confesar a las señoritas que habría aprovechado más si tú no hubieses asistido a tomar lecciones al mismo tiempo que yo.

—Pero eso consistió en que ella tenía esperanza de satisfacerte en el diciembre pasado, pues esperaba verte en el primer baile que se diese en Chapinero*.

La guitarra estaba templada y Carlos tocó una contradanza que él y yo teníamos motivos para no olvidar.

—¿Qué te recuerda esta pieza? —preguntóme, poniéndose la guitarra perpendicularmente sobre las rodillas.

—Muchas cosas, aunque ninguna en particular.

—¿Ninguna? ¿Y aquel lance joco-serio que tuvo lugar entre los dos en casa de la señora?...

—¡Ah, sí!... Ya caigo.

—Se trataba —dijo— de evitar un mal rato a nuestra puntillosa maestra: tú ibas a bailar con ella y yo...

—Se trataba de saber cuál de nuestras parejas debía poner la contradanza.

—Y debes confesarme que triunfé, pues te cedí mi puesto —replicó Carlos riendo.

—Yo tuve la fortuna de no verme obligado a insistir. Haznos el favor de cantar.

Mientras duró ese diálogo, María, que ocupaba con mi hermana el sofá a cuyo frente estábamos Carlos y yo, fijó por un instante la mirada en mi interlocutor, para notar al punto lo que sólo para ella era evidente: que yo estaba contrariado, y fingió luego distraerse en anudar sobre el regazo los rizos de las extremidades de sus trenzas.

Insistió mi madre en que Carlos cantara. Él entonó con voz llena y sonora una canción que andaba en boga en aquellos días, la cual empezaba así:

> *El ronco son de la guerrera trompa*
> *llamó tal vez a la sangrienta lid,*
> *y entre el rumor de belicosa pompa*
> *marcha contento al campo el adalid.*

Una vez que Carlos dio fin a su trova, suplicó a mi hermana y a María que cantasen también. Ésta parecía no haber caído en la cuenta de lo que se trataba.

Chapinero. Caserío del distrito capital de Colombia y uno de los ocho barrios en que se halla dividida la ciudad de Bogotá. Se encuentra en la llanura, al pie de la Cordillera Oriental y al norte de la ciudad.

¿Habrá Carlos descubierto mi amor —me decía yo— y complaciéndose por eso en hablar así? Me convencí después de que lo había juzgado mal y de que si era capaz de una ligereza, nunca lo sería de una malignidad. Emma estaba pronta y acercándose a María le dijo:

—¿Cantamos?

—Pero ¿qué puedo yo cantar? —le respondió.

Me aproximé a María para decirle a media voz.

—¿No hay nada que te guste cantar, nada?

Miróme entonces como lo hacía siempre al decirle yo algo en el tono con que pronuncié aquellas palabras; y jugó un instante en sus labios una sonrisa semejante a la de una linda niña que se despierta acariciada por los besos de su madre.

—Sí, las Hadas —contestó.

Los versos de esta canción habían sido compuestos por mí. Emma, que los había encontrado en mi escritorio, les adaptó la música de otros que estaban de moda.

En una de aquellas noches de verano en que los vientos parecían convidarse al silencio para escuchar vagos rumores y lejanos ecos; en que la luna o no aparece, temiendo que su luz importune; en que el alma, como una amante adorada que por unos momentos nos deja, se deshace de nosotros poco a poco y sonriendo para tornar más que nunca amorosa; en una noche así, María, Emma y yo estábamos en el corredor del lado del valle y después de haber arrancado la última a la guitarra algunos acordes melancólicos, concertaron ellas sus voces incultas, pero vírgenes como la naturaleza que cantaban. Terminada la última estrofa, María apoyó la frente en el hombro de Emma; y cuando la levantó, entusiasmado yo, murmuré a su oído el último verso. ¡Ah! Ellos parecen conservar aún de María no sé si un aroma; algo como la humedad de sus lágrimas. Helos aquí:

> *Soñé vagar por bosques de palmeras*
> *cuyos blondos plumajes, al hundir*
> *su disco el sol en las lejanas sierras,*
> *cruzaban resplandores de rubí.*
> *Del terso lago se tiñó de rosa*
> *la superficie límpida y azul,*

> *y a sus orillas garzas y palomas*
> *posábanse en los sauces y bambús**
> *Muda la tarde ante la noche muda,*
> *las gasas de su manto recogió:*
> *del indo mar* dormido en las espumas*
> *la luna hallóla y a sus pies el sol.*
> *Ven conmigo a vagar bajo las selvas*
> *donde las Hadas templan mi laúd;*
> *ellas me han dicho que conmigo sueñas,*
> *que me harán inmortal si me amas tú.*

Mi padre y el señor M... entraron al salón a tiempo que la canción terminaba. El primero sólo tarareaba entre dientes algún aire de su país en los momentos en que la apacibilidad de su ánimo era completa, tenía afición a la música y la había tenido al baile en su juventud.

Don Jerónimo, después de sentarse tan cómodamente como pudo en un mullido sofá, bostezó de seguido dos veces.

—No había oído esa música con esos versos —observó Carlos a mi hermana.

—Ella lo leyó en un periódico —le contesté—, y les puso la música con que se cantan otros. Los creo malos —agregué—; ¡publican tantas insulseces de esa laya en los periódicos!... Son de un poeta habanero y se conoce que Cuba tiene una naturaleza semejante a la del Cauca.

María, mi madre y mi hermana se miraron unas a otras con extrañeza, sorprendidas de la frescura con que engañaba yo a Carlos; mas era porque no estaban al corriente del examen que él había hecho por la tarde de los libros de mi estante, examen en que tan malparados dejó a mis autores predilectos; y acordándome con cierto rencor de lo que sobre *El Quijote* había dicho, añadí:

—Tú debes haber visto esos versos en "El Día", y es que no te acuerdas; creo que están firmados por un tal Almendárez.

—Como que no —dijo—; ¡tengo para eso tan mala memoria!... Si

---

bambús. Bambúes. Los sustantivos terminados en u acentuada agregan -es para formar su plural.

indo mar. Mar que baña las costas de las Indias. Océano Pacífico.

son los que he oído recitar a mi prima..., francamente, me parecen mejor cantados por estas señoritas. Tenga usted la bondad de decirlos —agregó, dirigiéndose a María.

Ésta, sonriendo, preguntó a Emma:

—¿Cómo empieza el primero?... Si a mí se me olvidan. Dilos tú, que los sabes bien.

—Pero usted acaba de cantarlos —observó Carlos—, y recitarlos es más fácil; por malos que fueran, dichos por usted serían buenos.

María los repitió mas al llegar a la última estrofa su voz era casi trémula.

Carlos le dio las gracias, agregando:

—Ahora sí que estoy casi seguro de haberlos oído antes.

—¡Toma! —me decía yo—; de lo que Carlos está cierto es de haber visto todos los días lo que estos versos pintan; pero sin darse cuenta de ello, como ve su reloj.

XXIV

Llegó la hora de retirarnos y temiendo yo que se me hubiese preparado cama en el mismo cuarto que a Carlos, me dirigí al mío. De él salían mi madre y María.

—Yo podré dormir solo aquí, ¿no es verdad? —pregunté a la primera, quien, comprendiendo el motivo de la pregunta, respondió:

—No; tu amigo.

—¡Ah sí!, las flores —dije, viendo las de mi florero puestas en él por la mañana y que llevaba en un pañuelo María—. ¿A dónde las llevas?

—Al oratorio, porque como no ha habido tiempo hoy para poner otras allá...

Le agradecí sobremanera la fineza de no permitir que las flores destinadas por ella para mí, adornasen esa noche mi cuarto y estuviesen al alcance de otro.

Pero ella había dejado el ramo de azucenas que yo había traído aquella tarde de la montaña, a pesar de estar muy visible, sobre mi mesa. Cayendo en cuenta de eso, se las presenté, diciéndole:

—Lleva también estas azucenas para el altar. Tránsito me las dio para ti al recomendarme te avisara que te había elegido para madrina de su matrimonio. Y como todos debemos rogar por su felicidad...

—Sí, sí —me respondió—; ¿conque quiere que yo sea su madrina? —añadió como consultando a mi madre.

—Eso es muy natural —le dijo ésta.

—¡Y yo que tengo un traje tan lindo para que le sirva ese día! Es necesario que le digas que yo me he puesto muy contenta al saber que nos..., que me ha preferido para su madrina.

Mis hermanos, Felipe y el que le seguía, recibieron con sorpresa y placer la noticia que pasaría la noche en el mismo cuarto que ellos. Habíanse acomodado los dos en una de sus camas para que me sirviera la de Felipe; en las cortinas de ésta había prendido María el medallón de la Dolorosa que estaba en las de mi cuarto.

Luego que los niños rezaron arrodilladitos en su cama, me dieron las buenas noches y se durmieron después de haberse reído de los miedos que mutuamente se metían con la cabeza del tigre.

Esta noche no solamente estaba conmigo la imagen de María: los ángeles de la casa dormían cerca de mí; y al despuntar el día vendría ella a llamarlos para peinarlos y besar sus mejillas, después de haberles bañado el rostro en la fuente con sus manos blancas y perfumadas como las rosas de Castilla que ellos recogían para el altar y para ella.

XXV

Despertóme al amanecer el cuchicheo de los niños, que en vano se estimulaban a respetar mi sueño. Las palomas cogidas en esos días y que, alicortadas, obligaban ellos a permanecer en baúles vacíos, gemían espiando los primeros rayos de luz que penetraban en el aposento por las rendijas.

—No abras —decía Felipe—; no abras, que mi hermano está dormido y se salen las cuncunas.

—Pero si María nos llamó ya —replicó el chiquito.

—No hay tal: yo estoy despierto hace rato y no ha llamado.

—Sí, ya sé lo que quieres: irte corriendo primero que yo a la quebrada para decir luego que sólo en tus anzuelos han caído *negros*.

—Como a mí me cuesta mi trabajo ponerlos bien... —le interrumpió Felipe.

—¡Vea qué gracia! Si es Juan Ángel el que te los pone en los charcos buenos.

E insistía en abrir.

—No abras —replicó Felipe enfadado ya—; aguárdate, veo si Efraín está dormido.

Y diciendo esto se acercó de puntillas a mi cama.

Tomélo entonces por el brazo, diciéndole:

—¡Ah, bribón! ¡Conque le quitas los pescados al chiquito!...

Riéronse ambos y se acercaron a entablar la demanda respetuosamente. Quedó todo arreglado con la promesa que les hice de que por la tarde iría yo a presenciar la postura de los anzuelos. Levantéme, y dejándolos atareados en encarcelar las palomas, que aleteaban buscando salida al pie de la puerta, atravesé el jardín.

Los azahares, albahacas y rosas daban al viento sus más delicados aromas al sentirse acariciados por los primeros rayos del sol, que se asomaban ya sobre las cumbres de Morrillos, esparciendo hasta el cenit azul pequeñas nubes de rosa y oro.

Al pasar por frente a la ventana de Emma oí que hablaban ella y María, interrumpiéndose para reír; producían sus voces, con especialidad la de María, por el susurro inimitable de sus eses, algo parecido al ruido que forman las palomas y azulejos al despertarse en los follajes de los naranjos y madroños del huerto.

Conversaban bajo don Jerónimo y Carlos, paseándose por el corredor de sus cuartos, cuando salté el vallado del huerto para caer al patio exterior.

—¡Opa! —dijo el señor de M...—, madruga usted como un buen hacendado. Yo creía que era tan dormiloncito como su amigo cuando vino de Bogotá; pero los que viven conmigo tienen que acostumbrarse a madrugar.

Siguió haciendo una larga enumeración de las ventajas que proporciona el dormir poco, a todo lo cual podría habérsele contestado que lo que él llamaba dormir poco no era otra cosa que dormir mucho empezando temprano, pues confesaba que tenía por hábito acostarse a las siete u ocho de la noche para evitar la jaqueca.

La llegada de Braulio, a quien Juan Ángel había ido a llamar en la madrugada, cumpliendo la orden que le di por la noche, nos privó de la satisfacción de disfrutar el final del discurso del señor de M...

Traía Braulio un par de perros, en los cuales no habría sido fácil a otro menos conocedor de ellos que yo, reconocer los héroes de nuestra cacería del día anterior. Mayo gruñó al verles y vino a esconderse tras de mí con muestras de antipatía invencible; él, con su blanca piel, todavía hermosa, las orejas caídas y el ceño y mirar severos, dábase ante los lajeros del montañés un aire de imponderable aristocracia.

Braulio saludó humildemente y se acercó a preguntarme por la familia, a tiempo que yo le tendía la mano con afecto. Sus perros me hicieron agasajos en prueba de que les era más simpático que Mayo.

—Tendremos ocasión de ensayar tu escopeta —dije a Carlos—. He mandado pedir dos perros muy buenos a Santa Elena, y aquí tienes un compañero con el cual no gastan burlas los venados*, y dos cachorros muy diestros.

—¿Esos? —preguntó desdeñosamente Carlos.

—¿Con tales *chandosos*? —agregó don Jerónimo.

—Sí, señor; con los mismos.

—Lo veré y no lo creeré —contestó el señor de M..., emprendiendo de nuevo sus paseos por el corredor.

Acababan de traernos el café y obligué a Braulio a que aceptase la taza destinada para mí. Carlos y su padre no disimularon bien la extrañeza que les causó mi cortesía para con el montañés.

Poco después el señor M... y mi padre montaron para ir a visitar los trabajos de la hacienda. Braulio, Carlos y yo nos dedicamos a preparar las escopetas y a graduar carga a la que mi amigo quería ensayar.

Estábamos en ello cuando mi madre me hizo saber disimuladamente que quería hablarme. Me esperaba en su costurero. María y mi hermana estaban en el baño. Mi madre, haciéndome sentar cerca de ella, me dijo:

—Tu padre insiste en que se dé cuenta a María de la pretensión de Carlos. ¿Crees tú también que debe hacerse así?

—Creo que debe hacerse lo que mi padre disponga.

no gastan burlas los venados. No se escapan.

157

—Se me figura que opinas así por obedecerlo, no porque deje de impresionarte el que se tome esa resolución.

—He ofrecido observar esa conducta. Por otra parte, María no es aún mi prometida y se halla en libertad para decidir lo que le parezca. Ofrecí no decirle nada de lo convenido con ustedes y he cumplido.

—Yo temo que la emoción que va a causarle a María el imaginarse que tu padre y yo estamos lejos de aprobar lo que pasa entre vosotros le haga mucho mal. No ha querido tu padre hablar al señor de M... de la enfermedad de María, temeroso de que se estime eso como un pretexto de repulsa; y como él y su hijo saben que ella posee una dote..., lo demás no quiero decirlo, pero tú lo comprendes. ¿Qué debemos hacer, pues? dilo tú, para que María no piense ni remotamente que nosotros nos oponemos a que sea tu esposa, sin dejar yo de cumplir al mismo tiempo con lo prevenido últimamente por tu padre.

—Tan sólo hay un medio.

—¿Cuál?

—Voy a decírselo a usted y me prometo que lo aprobará; le suplico desde ahora que lo apruebe. Revelémosle a María el secreto que mi padre ha impuesto sobre el consentimiento que me tiene dado de ver en ella a la que debe ser mi esposa. Yo le ofrezco a usted que seré prudente y que nada dejaremos notar a mi padre que pueda hacerle comprender esta infidencia necesaria. ¿Podré yo seguir guardando esa conducta que él exhibe sin ocasionar a María penas que le harían mayor daño que confesárselo todo? Confíe usted en mí; ¿no es verdad que hay imposibilidad para hacer lo que mi padre desea? ¿Usted no lo ve? ¿No lo cree así?

Mi madre guardó silencio unos instantes y luego, sonriendo de la manera más cariñosa, dijo:

—Bueno, pero con tal que no olvides que no debes prometerle sino aquello que puedas cumplir. ¿Y cómo le hablaré de la propuesta de Carlos?

—Como hablaría a Emma en idéntico caso; y diciéndole después lo que me ha prometido manifestarle. Si no estoy engañado, las primeras palabras de usted le harán experimentar una impresión dolorosa, pues ellas le darán motivo para temer que usted y mi padre se opongan decididamente a nuestro enlace. Ella oyó lo que hablaron alguna vez sobre su enfermedad y sólo el trato afable que usted ha seguido dándole y la conversación habida ayer entre ella y yo la han tranquilizado. Olvídese de mí al hacerle las reflexiones indispensables sobre la propuesta de Carlos. Yo estaré escuchando lo que hablen tras de los bastidores de esa puerta.

Era ésta la del oratorio de mi madre.

—¿Tú? —me preguntó admirada.

—Sí, señora, yo.

—¿Y para qué valerte de ese engaño?

—María se complacerá en que así lo haya hecho en vista de los resultados.

—¿Cuál resultado te prometes, pues?

—Saber todo lo que ella es capaz de hacer por mí.

—¿Pero no será mejor, si es que quieres oír lo que va a decirme, que ignore siempre ella que tú lo oíste y yo lo consentí?

—Sí, será, si usted lo desea.

—Mala cara tienes tú de cumplir eso.

—Yo le ruego a usted que no se oponga.

—¿Pero no estás viendo que hacer lo que pretendes, si ella llega a saberlo, es nada menos que prometerle yo una cosa que, por desgracia, no sé si se podrá cumplir, puesto que, en caso de aparecer nuevamente la enfermedad tu padre se opondría a tu matrimonio con ella y tendría yo que hacerlo también?

—Ella lo sabe; ella no consentirá nunca en ser mi esposa si ese mal reaparece. Mas ¿ha olvidado usted lo que dijo el médico?

—Haz, pues, lo que quieras.

—Oiga usted su voz; ya están aquí. Cuide de que a Emma no vaya a ocurrírsele entrar al oratorio.

María entró sonrosada y riéndose aún de lo que había venido conversando con Emma.

Atravesó con paso leve y casi infantil el aposento de mi madre, a quien no descubrió sino cuando iba a entrar al suyo.

—¡Ah! —exclamó—; ¿aquí estaba usted? —y acercándose a ella—: ¡Pero qué pálida está!... ¿Se siente mal de la cabeza? ¿No? Si usted hubiese tomado un baño...; la mejora eso tanto...

—No, no; estoy buena. Pero es que te esperaba para hablarte a solas, y como se trata de algo muy grave temo que todo ello pueda producirte una mala impresión.

María fijó en mi madre una mirada brillante, y palideciendo le respondió:

—¿Qué será? ¿Qué es?

—Siéntate aquí —le dijo mi madre señalándole un taburetico que tenía a los pies.

Sentóse, y esforzándose inútilmente por sonreír, su rostro adquirió una expresión de gravedad encantadora.

—Diga usted ya —dijo como tratando de dominar la emoción, pasando entrambas manos por la frente y asegurando en seguida con ellas el peine de carey dorado que sostenía sus cabellos en forma de un grueso y luciente cordón que ceñía las sienes.

—Voy a hablarte de la manera misma que hablaría a Emma en igual circunstancia.

—Sí, señora; ya oigo.

—Tu papá me ha encargado te diga que el señor de M... ha pedido tu mano para su hijo Carlos...

—¡Yo! —exclamó asombrada y haciendo un movimiento involuntario para ponerse en pie; pero volviendo a caer en su asiento se cubrió el rostro con las manos y oí que sollozaba.

—¿Qué debo decirle, María?

—¿Él le ha mandado a usted que me lo diga? —le preguntó con voz ahogada.

—Sí, hija, y ha cumplido con su deber haciéndotelo saber.

—Pero usted ¿por qué me lo dice?

—Y ¿qué querías que yo hiciera?

—¡Ah!. Decirle que yo no... que yo no puedo..., que no..

Después de un instante, mirando fijamente a mi madre, que sin poderlo evitar lloraba con ella, le dijo:

—Todos lo saben, ¿no es verdad? Todos han querido que usted me lo diga.

—Sí, todos lo saben menos Emma.

—Solamente ella... ¡Dios mío! ¡Dios mío! —añadió, ocultando la cabeza en los brazos, que apoyaba sobre las rodillas de mi madre, y permaneció así unos momentos.

Levantando luego pálido el rostro y rociado por una lluvia de lágrimas:

—Bueno —dijo—; ya usted cumplió; todo lo sé ya.

—Pero María —le interrumpió dulcemente mi madre—, ¿es,

pues, tanta desgracia que Carlos quiera ser tu esposo? ¿No es?...

—Yo le ruego... yo no quiero, yo no necesito saber más. ¿Conque han dejado que usted me lo proponga?... ¡Todos, todos lo han consentido! Pues yo digo —agregó con voz enérgica a pesar de sus sollozos— que antes de consentir en eso me moriré. ¡Ah! ¿Ese señor no sabe que yo tengo la misma enfermedad que mató a mi madre, siendo todavía ella muy joven?... ¡Ah!... ¿Qué haré yo ahora sin ella?

—Y ¿no estoy yo aquí? ¿No te quiero con toda mi alma?

Mi buena madre era menos fuerte de lo que ella pensaba.

Por mis mejillas rodaban lágrimas que sentía gotear ardientes sobre mis manos, que apoyaba en uno de los botones de la puerta tras la cual me ocultaba.

María respondió a mi madre:

—Pero, entonces, ¿por qué me propone usted eso?

—Porque era necesario que ese *no* saliera de tus labios, aunque me supusiera yo que lo darías.

—Y solamente usted se supuso que lo daría yo, ¿no es así?

—Tal vez algún otro lo supuso también. ¡Si supieras cuánto dolor, cuántos desvelos le ha causado este asunto al que tú juzgas más culpable!...

—¿A papá? —dijo menos pálida ya.

—No, a Efraín.

María exhaló un débil grito, y dejando caer la cabeza sobre el regazo de mi madre, se quedó inmóvil. Ésta abrió los labios para llamarme, cuando María volvió a enderezarse lentamente; púsose en pie y dijo casi sonriente y volviendo a asegurarse los cabellos con las manos temblorosas:

—He hecho mal en llorar así, ¿no es cierto?... Yo creí...

—Cálmate y enjúgate esas lágrimas; yo quiero volver a verte tan contenta como entraste. Debes estimar la caballerosidad de su conducta...

—Sí, señora. Que no note él que he llorado, ¿no? —decía, enjugándose con el pañuelo de mi madre.

—¿No ha hecho bien Efraín en consentir que te lo dijera todo?

—Tal vez... ¡Cómo no!

—Pero lo dices de un modo... Tu papá le puso por condición

aunque no era necesario, que te dejara decidir libremente en este caso.

—¿Condición? ¿Condición para qué?

—Le exigió que no te dijese nunca que sabíamos y consentíamos lo que entre vosotros pasa.

Las mejillas de María se tiñeron, al oír esto, del más suave encarnado; así, salpicadas de lágrimas, eran idénticas a aquellas rosas frescas, humedecidas de rocío, que ella recogía para mí por las mañanas. Sus ojos estaban clavados en el suelo.

—¿Por qué le exigía eso? —dijo al fin con una voz que apenas alcanzaba a oír yo—. ¿Acaso tengo yo la culpa?... ¿Hago mal, pues?

—No, hija; pero tu papá creyó que tu enfermedad necesitaba precauciones...

—¿Precauciones?... ¿No estoy buena ya? ¿No creen que no volveré a sufrir nada? ¿Cómo puede Efraín ser causa de mi mal?

—Sería imposible..., queriéndote tanto, y quizá más que tú a él.

María volvió la cabeza de un lado a otro, como respondiéndose algo a sí misma y sacudiéndola en seguida con la ligereza con que solía hacerlo de niña, para alejar un recuerdo miedoso.

—¿Qué debo hacer? —preguntó—. Yo haré todo cuanto quieran.

—Carlos tendrá hoy ocasión de hablarte de sus pretensiones.

—¿A mí?

—Sí; oye: le dirás, conservando, por supuesto, toda la serenidad que te sea posible que no puedes aceptar sus proposiciones aunque mucho te honran, porque eres muy niña, dejándole conocer que te causa verdadera pena dar esa negativa.

—Pero eso será cuando estemos reunidos todos.

—Sí —le respondió mi madre, complacida del candor que revelaban su voz y sus miradas—; creo que sí merezco que seas muy condescendiente para conmigo.

A lo cual nada repuso. Acercando con el brazo derecho la cabeza de mi madre a la suya, permaneció así unos instantes mostrando en la expresión de su rostro la más acendrada ternura. Cruzó apresuradamente el aposento y desapareció tras las cortinas de la puerta que conducía a su habitación.

XXVI

Impuesta mi madre de nuestro proyecto de caza, hizo que se nos sirviera temprano el almuerzo a Carlos, a Braulio y a mí.

No sin dificultad logré que el montañés se resolviera a sentarse a la mesa, de la cual ocupó la extremidad opuesta en que estábamos Carlos y yo.

Como era natural, hablamos de la partida que teníamos entre manos, Carlos decía:

—Braulio responde de que la carga de mi escopeta está perfectamente graduada, pero continúa *ranchando* en que no es tan buena como la tuya, a pesar de que son de una misma fábrica y de haber disparado él mismo* con la mía sobre una cidra, logrando introducirle cuatro postas. ¿No es así, mi amigo? —terminó dirigiéndose al montañés.

—Yo respondo —contestó éste— de que el patrón matará a setenta pasos un pellar* con esa escopeta.

—Pues veremos si yo mato un venado. ¿Cómo dispones la cacería? —agregó dirigiéndose a mí.

—Eso es sabido; como se dispone siempre que se quiere hacer terminar la faena cerca de la casa; Braulio sube hasta el pie del derrumbo con sus perros de levante*; Juan Ángel queda en puesto dentro de la quebrada de la Honda con dos de los cuatro perros que he mandado traer de Santa Elena; tu paje, con los otros dos, esperará en la orilla del río, para evitar que se nos escape el venado a la novillera; tú y yo estaremos listos para acudir al punto que convenga.

El plan pareció bueno a Braulio, quien después de ensillarnos los caballos, ayudado por Juan Ángel, se puso en marcha con éste para desempeñar la parte que le tocaba en la batida.

El caballo retinto, que yo montaba, golpeaba el empedrado

él mismo. Uso pleonástico en que "mismo" se reduce a un mero refuerzo significativo.

pellar. Uno de los nombres que en Colombia se da al chorlito, pájaro migratorio de la América del Norte, que llega hasta el estrecho de Magallanes; poblador de bañados, se lo caza despiadadamente por su carne apetitosa.

perros de levante. Los que descubren y levantan la presa.

cuando íbamos a salir ya; impaciente por lucir sus habilidades, arqueado el cuello fino y lustroso como el raso negro, sacudía sus crespas crines estornudando. Carlos iba caballero en un quiteño castaño coral que el general Flores* había enviado de regalo en esos meses a mi padre.

Recomendando al señor de M... la mayor atención, por si el venado venía al huerto, como nos lo prometíamos, salimos del patio para emprender el ascenso de la falda cuyo plano inclinado terminaba a treinta cuadras* hacia el oriente, al pie de las montañas.

Al pasar dando la vuelta a la casa, por frente a los balcones del departamento de Emma, María estaba apoyada en el barandaje de uno de ellos: parecía hallarse en uno de aquellos momentos de completa distracción a que con frecuencia se abandonaba. Eloísa, que se hallaba a su lado, jugaba con los bucles destrenzados y espesos de la cabellera de su prima.

El ruido de nuestros caballos y los ladridos de los perros sacaron a María de su enajenamiento, a tiempo que yo la saludaba por señas y que Carlos me imitaba.

Noté que ella permaneció en la misma posición y sitio hasta que nos internamos en la cañada de la Honda.*

Las montañas los repetían; y si se acallaban por ratos, empezaban de nuevo con mayor fuerza y a menor distancia.

Mayo nos acompañó hasta el primer torrente de la falda, que vadeamos; allí, deteniéndose como a reflexionar, regresó a galope corto hacia la casa.

—Oye —le dije a Carlos, luego que se pasó una media hora, durante la cual le referí sin descansar los más importantes episodios de las cacerías de venados que los montañeses y yo habíamos hecho—, oye: los gritos de Braulio y los alaridos de los perros prueban que han levantado.

el general Flores. Se refiere al general Juan José Flores (1801-1864), oriundo de Venezuela y residente en Quito por lazos de familia, quien asumió por primera vez la presidencia del Ecuador en 1830.

a treinta cuadras. Significa a treinta calles, es decir, a tres kilómetros.

la Honda. Ciudad y municipio de Colombia, en el departamento de Tolima, provincia de su nombre. Es uno de los primeros puertos fluviales de la república.

Poco después descendió Braulio por la orilla limpia del bosque de la cañada. No bien estuvo al lado de Juan Ángel soltó los dos perros que éste llevaba del cabestro y los detuvo por unos momentos asiéndolos del pestorejo, hasta que se persuadió que la presa debía estar cerca del paso en que nos hallábamos; animólos entonces con repetidos gritos, y desaparecieron veloces.

Carlos, Juan Ángel y yo nos desplegamos en la falda. A poco vimos que empezaba a atravesarla, seguido de cerca por uno de los perros de José, el venado, que bajó por la cañada en menos de lo que nos habíamos supuesto.

A Juan Ángel le blanqueaban los ojos, y al reír dejaba ver hasta las muelas de su fina dentadura. Sin embargo de haberle ordenado que permaneciera en la cañada por si el venado volvía a ella, atravesó con Braulio, y casi apareado con nuestros caballos, los pajonales y ramblas que nos separaban del río. Al caer a la vega de éste el venado, los perros perdieron el rastro, y él ascendió en vez de bajar.

Carlos y yo echamos pie a tierra para poder ayudar a Braulio en el fondo de la vega.

Perdida más de una hora en idas y venidas, oímos al fin los ladridos de un perro, los cuales nos dieron esperanza de que se hubiera hallado de nuevo la pista. Pero Carlos juraba, al salir de un bejucal en que se había metido sin saber cómo ni cuándo, que el bruto de su negro había dejado ir la pieza río abajo.

Braulio, a quien habíamos perdido de vista hacía rato, gritó con voz tal que a pesar de la distancia, pudimos oírla:

—Allá va, allá va; dejen uno con escopeta allí; sálganse a lo limpio, porque el venado se vuelve a la Honda.

Quedó el paje de Carlos en su puesto, y éste y yo fuimos a tomar nuestros caballos.

La pieza salía a ese tiempo de la vega, a gran distancia de los perros, y descendía hacia la casa.

—Apéate —grité a Carlos— y espéralo sobre el cerco.

Hízolo así; y cuando el venado se esforzaba, fatigado ya, por brincar el vallado del huerto, disparó sobre él: el venado siguió; Carlos se quedó atónito.

Braulio llegó en este momento, y yo salté del caballo botándole las bridas a Juan Ángel.

De la casa veían todo lo que estaba pasando. Don Jerónimo salvó, escopeta en mano, la baranda del corredor, y al ir a disparar sobre el animal se enredó los pies dichosamente en las plantas de una era, lo cual iba haciéndole caer a tiempo que mi padre le decía:

—¡Cuidado, cuidado! Mire usted que por ahí vienen todos.

Braulio siguió de cerca al venadito, evitando así que los perros lo despedazasen.

El animal entró al corredor desatentado y tembloroso, y se acostó casi ahogado debajo de uno de los sofás, de donde lo sacaba Braulio cuando Carlos y yo llegábamos ya a buen paso. La partida había sido divertida para mí, pero él procuraba en balde ocultar el disgusto de haber errado tan bello tiro.

Emma y María se aproximaron tímidamente a tocar el venadito, suplicando que no lo matásemos; él parecía entender que lo defendían, pues las miró con ojos húmedos y asombrados, bramando quedo, como acaso lo solía hacer para llamar a su madre. Quedó absuelto, y Braulio se encargó de atramojarlo y ponerlo en sitio conveniente.

Pasado todo, Mayo se acercó al prisionero, lo olió a la distancia que la prudencia exigía, y volviendo a tenderse en el salón apoyó la cabeza sobre las manos con la mayor tranquilidad, sin que bastase tan exótica conducta a privarle de un cariño mío.

Poco después, al despedirse Braulio de mí para volver a la montaña, me dijo:

—Su amigo está furioso, y yo lo he puesto así para vengarme de la chacota que me hizo de mis perros esta mañana.

Yo le pedí que me explicase lo que decía.

—Me supuse —continuó Braulio— que usted le cedería el mejor tiro, y por eso dejé la escopeta de don Carlos sin municiones cuando me la dió a cargar.

—Has hecho muy mal —le observé.

—No lo volveré a hacer, y menos con él, porque se me pone que no cazará más con nosotros... ¡Ah! La señorita María me ha dado mil recados para Tránsito; le agradezco tanto que esté gustosa de ser nuestra madrina... y yo no sé qué hacer para manifestárselo; usted es quien debe decírselo.

—Lo haré así; pierde cuidado.

—Adiós —dijo, tendiéndome francamente la mano, sin dejar por eso de tocarse el ala del sombrero con la otra—; hasta el domingo.

Salió del patio llamando a sus perros con el silbido agudo que producía en tales casos, oprimiendo con el índice y el pulgar el labio inferior.

XXVII

Hasta entonces había conseguido que Carlos no me hiciera confidencia alguna sobre las pretensiones que en mala hora para él le habían llevado a casa.

Mas así que nos encontramos solos en mi cuarto, donde me llevó pretextando deseos de descansar y de que leyésemos algo, le conocí que iba a ponerme en la difícil situación que tanto había temido, y de la cual había logrado escapar hasta ahí a fuerza de maña. Se acostó en mi cama quejándose de calor; y como le dije que iba a mandar que nos trajeran algunas frutas, me observó que le hacían daño desde que había sufrido fiebres intermitentes. Acerquéme al estante, preguntándole qué deseaba que leyésemos.

—Hazme el favor de no leer nada —me contestó.

—¿Quieres que tomemos un baño en el río?

—El sol me ha producido dolor de cabeza.

Le ofrecí álcali para que absorbiera.

—No, no; esto pasa —respondió rehusándolo.

Golpeándose luego las botas con el látigo que tenía en la mano:

—Juro no volver a cacería de ninguna especie. ¡Caramba! Mire usted que errar ese tiro...

—Eso les sucede a todos —observé, acordándome de la venganza de Braulio.

—¿Cómo a todos? Errarle a un venado a esa distancia solamente a mí me sucede.

Tras un momento de silencio, dijo buscando algo con las miradas en el cuarto:

—¿Qué se han hecho las flores que había aquí ayer? Hoy no las han repuesto.

—Si hubiera sabido que te complacía verlas ahí, las habría hecho poner. En Bogotá no eras aficionado a las flores.

Y me puse a hojear un libro que estaba abierto sobre la mesa.

—Jamás lo he sido —contestó Carlos—; pero... no leas hombre. **Mira:** hazme el favor de sentarte aquí cerca, porque tengo que referirte cosas muy interesantes. Cierra la puerta.

Me vi sin salida; hice un esfuerzo para preparar mi fisonomía lo mejor que me fuera posible en tal lance, resuelto en todo caso a ocultar a Carlos lo enorme que era la necedad que cometía haciéndome sus confianzas.

Su padre, que llegó en aquel momento al umbral de la puerta, me libró del tormento a que iba a sujetarme.

—Carlos —dijo don Jerónimo desde afuera—, te necesitamos **acá.**

Había en el tono de su voz algo que me pareció significar: "Eso está ya muy adelantado".

Carlos se figuró que sus asuntos marchaban gloriosamente. De un salto se puso en pie, contestando:

—Voy en este momento —y salió.

A no haber yo fingido leer con la mayor calma en aquellos instantes, probablemente se habría acercado a mí para decirme sonriendo: "En vista de la sorpresa que te preparo, vas a perdonarme el que no te haya dicho nada hasta ahora sobre este asunto". Mas yo debía de parecerle tan indiferente a lo que pasaba, como traté de fingirlo, lo cual fue conseguir mucho.

Por el ruido de las pisadas de la pareja conocí que entraban al cuarto de mi padre.

No queriendo verme de nuevo en peligro de que Carlos me hablase de sus asuntos, me dirigí a los aposentos de mi madre. María se hallaba en el costurero; estaba sentada en una silla de cenchas, de la cual caía espumosa, arregazada a trechos con lazos de cinta celeste, la falda de muselina blanca; la cabellera, sin trenzar aún, rodábale en bucles sobre los hombros. En la alfombra que tenía a los pies se había quedado dormido Juan rodeado de sus juguetes. Ella, con la cabeza ligeramente echada hacia atrás, parecía estar viendo al niño: habiéndosele caído de las manos el linón que cosía, descansaba sobre la alfombra.

Apenas sintió pasos levantó los ojos hacia mí; pasóse por las sienes las manos, para despejarlas de cabellos que no las cubrían, y vergonzosa se inclinó con presteza a recoger la costura.

—¿Dónde está mi madre? —le pregunté dejando de mirarla para contemplar la hermosura del niño dormido.

—En el cuarto de papá.

Y hallando en mi rostro lo que buscó tímidamente al decir esto, sus labios intentaron sonreír.

Medio arrodillado yo, enjugaba con mi pañuelo la frente al chiquito.

—¡Ay! —exclamó María—; ¿acaso caí en cuenta de que se había dormido? Voy a acostarlo.

Y se acercó a tomar a Juan. Yo lo estaba alzando ya en mis brazos, y María lo esperaba en los suyos; besé los labios de Juan, entreabiertos y purpurinos, y aproximando su rostro al de María posó ella los suyos sobre esa boca que sonreía al recibir nuestras caricias, y lo estrechó tiernamente contra su pecho.

Salió para volver momentos después a ocupar su asiento, junto al cual había colocado yo el mío.

—¿Has hablado con mi madre hoy tocante a cierta propuesta de Carlos?

—Sí —respondió prolongando, sin mirarme, el arreglo de la cajita.

—¿Qué te había dicho? Deja eso ahora y hablemos formalmente.

Buscó aún algo en el suelo, y tomando por último un aire de afectada seriedad, que no excluía el vivo rubor de sus mejillas ni el mal velado brillo de sus ojos, contestó:

—Muchas cosas.

—¿Cuáles?

—Esas que usted aprobó que ella me dijera.

—¿Yo? ¿Y por qué me tratas de usted hoy?

—¿No ve que es porque algunas veces me olvido?...

—Di las cosas de que te habló mi madre.

—Si ella no me ha mandado que las diga... Pero lo que yo le respondí sí se puede contar.

—Bueno, a ver.

—Le dije que... Tampoco se pueden decir ésas.

—Ya me las dirás en otra ocasión, ¿no es verdad?

—Sí; hoy no.

—Mi madre me ha manifestado que estás animada a contestarle

a él lo que debes, a fin de que comprenda que estimas en lo que vale el honor que te hace.

Miróme entonces fijamente sin responderme.

—Así debe ser —continué.

Bajó los ojos y continuó guardando silencio, distraída, al parecer, en clavar en orden las agujas en su almohadilla.

—María, ¿no me has oído? —agregué.

—Sí.

Y volvió a buscar mis miradas que me era imposible separar de su rostro. Vi entonces que en sus pestañas brillaban lágrimas.

—Pero ¿por qué lloras? —le pregunté.

—No, si no lloro... ¿Acaso he llorado?

Y tomando mi pañuelo se enjugó precipitadamente los ojos.

—Te han hecho sufrir con eso, ¿no? Si te has de poner triste, no hablemos más de ello.

—No, no; hablemos.

—¿Es mucho sacrificio resolverte a oír lo que te dirá hoy Carlos?

—Yo tengo que darle a mamá gusto; pero ella me prometió que me acompañarían. Estarás allí, ¿no es cierto?

—¿Y para qué así? ¿Cómo tendrá ocasión de hablarte él?

—Pero estarás tan cerca cuanto sea posible.

Y poniéndose a escuchar:

—Es mamá la que viene —continuó, poniendo una mano suya en las mías, para dejarla tocar de mis labios, como solía hacerlo cuando quería hacer completa, al separarnos, mi felicidad de algunos minutos.

Entró mi madre y María, ya en pie, me dijo:

—¿El baño?

—Sí —le repuse.

—¿Y las naranjas cuando estés allá?

—Sí.

Mis ojos debieron de completar tan tiernamente como mi corazón lo deseaba estas respuestas, pues ella, satisfecha de mi disimulo, sonreía al oírlas.

Estaba acabando de vestirme a la sombra de los naranjos del baño a tiempo en que don Jerónimo y mi padre, que deseaba enseñarle el mejor adorno de su jardín, llegaron a él. El agua estaba a nivel con el chorro, y se veían en ella, sobrenadando o errantes por el fondo diáfano las rosas que Estéfana había derramado en el estanque.

Era Estéfana una negra de doce años, hija de esclavos nuestros: su índole y belleza la hacía simpática para todos. Tenía un afecto fanático por su señorita María, la cual se esmeraba por hacerla vestir graciosamente.

Llegó Estéfana poco después que mi padre y el señor de M...,y convencida de que podía acercarse ya, me presentó una copa que contenía naranja preparada con vino y azúcar.

—Hombre, su hijo de usted* vive aquí como un rey —dijo don Jerónimo a mi padre. Este le repuso, a tiempo que daban vuelta al grupo de naranjos para tomar el camino de la casa:

—Seis años ha vivido como estudiante, y le faltan por vivir así otros cinco cuando menos.

XXVIII

Aquella tarde, antes de que se levantasen las señoras a preparar el café, como lo hacían siempre que había extraños en casa, traje a conversación la pesca de los niños y referí la causa por la cual les había ofrecido presenciar ese día la armadura de los anzuelos en la quebrada. Se aceptó mi propuesta de elegir tal sitio para paseo. Solamente María me miró como diciendo: "¿Conque no hay remedio?".

Atravesamos ya el huerto. Había sido necesario esperar a María y que mi hermana fuese a averiguar la causa de su demora. Daba yo el brazo a mi madre. Emma rehusó cortésmente apoyarse en el de Carlos, so pretexto de llevar de la mano a uno de los niños; María lo aceptó casi temblando, y al poner la mano en él se detuvo a esperarme; apenas fue posible significarle que era necesario no vacilar. Habíamos llegado al punto de la ribera donde en la hoya de

---

su hijo de usted. El pronombre personal de segunda persona, que funciona siempre gramaticalmente como de tercera, no sólo es índice de respeto, sino también intensifica la idea de posesión o pertenencia ya señalada por el pronombre posesivo "su". En España suele usarse aún esta construcción con el objeto de determinar claramente a quién pertenece la persona o el objeto, pero en América ya no tiene vigencia.

la vega, alfombrada de fina grana, sobresalen de trecho en trecho piedras negras manchadas de musgos blancos.

La voz de Carlos tomaba un tono confidencial: hasta entonces había estado sin duda cobrando ánimo, y empezaba a dar un rodeo para tomar buen viento. María intentó detenerse otra vez: en sus miradas a mi madre y a mí había casi una súplica, y no me quedó otro recurso que procurar no encontrarlas. Vio en mi semblante algo que le mostraba el tormento a que estaba yo sujeto, pues en su rostro ya pálido noté un ceño de resolución extraño en ella. Por el continente de Carlos me persuadí de que era llegado el momento en que deseaba yo escuchar. Ella empezaba a hablar; y como su voz, aunque trémula, era más clara de lo que él parecía desear, llegaron de María a mis oídos estas frases interrumpidas:

—Habría sido mejor que usted hablase solamente con ellos... Sé estimar el honor que usted... Esta negativa...

Carlos estaba desconcertado; María se había soltado de su brazo, y acababa de hablar mientras jugaba con los cabellos de Juan, quien asiéndola de la falda le mostraba un racimo de adorotes colgante del árbol vecino...

Dudo que la escena que acabo de describir con la exactitud que me es posible fuera estimada en lo que valía por don Jerónimo, el cual, con las manos dentro de las faltriqueras de su jardinera azul, se acercaba en aquel momento con mi padre; para éste todo pasó como si lo hubiera oído.

María se agregó mañosamente a nuestro grupo con pretexto de ayudarle a Juan a coger unas moras que él no alcanzaba. Como yo había tomado ya las frutas para dárselas al niño, ella me dijo al recibírmelas:

—¿Qué hago para no volver con ese señor?

—Eso no es posible —le respondí.

Y me acerqué a Carlos convidándole a bajar un poco más por la vega para que viésemos un bello remanso, y le instaba con la mayor naturalidad que me era posible fingir, que viniésemos a bañarnos a la mañana siguiente. Era pintoresco el sitio; pero, decididamente, Carlos veía en él, menos que en cualquier otro, la hermosura de los árboles y los bejucos floridos que se bañaban en las espumas como guirnaldas desatadas por el viento.

El sol al acabar de ocultarse, teñía las colinas, los bosques y las corrientes con resplandores color de topacio, con esa luz apacible y misteriosa que llaman los campesinos "el sol de los venados", sin duda porque a tal hora salen estos habitantes de las espesuras a buscar pastos en los pajones de las altas cuchillas o al pie de los magüeyes* que crecen entre las grietas de los peñascos.

Al unirnos Carlos y yo al grupo que formaban los demás, ya iban a tomar el camino de la casa, y mi padre, con una oportunidad perfectamente explicable, dijo a don Jerónimo:

—Nosotros no debemos pasar desde ahora por valetudinarios; regresemos acompañados.

Dicho esto tomó la mano de María para ponerla en su brazo, dejando al señor de M... llevar a mi madre y a Emma.

—Han estado más galantes que nosotros —dije a Carlos, señalándole a mi padre y al suyo.

Y los seguimos, llevando yo en los brazos a Juan, quien abriendo los suyos se me había presentado diciéndome:

—Que me cargues, porque hay espinas y estoy cansado.

Refirióme después María que mi padre le había preguntado, cuando empezaban a vencer la cuestecilla de la vega, qué le había dicho a Carlos; y como insistiese afablemente en que le contara, porque ella guardaba silencio, se resolvió al fin, animada así, a decirle lo que le había respondido a Carlos.

—¿Es decir —le preguntó mi padre casi riendo, oída la trabajosa relación que ella acababa de hacerle—, es decir que no quieres casarte nunca?

Respondióle meneando la cabeza en señal negativa, sin atreverse a mirarlo.

—Hija, ¡si tendrás ya visto algún novio! —continuó mi padre—, ¿no dices que no?

—Sí, digo —contestó María muy asustada.

—¿Será mejor que ese buen mozo que has desdeñado? —Y al decirle esto, mi padre le pasó la mano derecha por la frente para conseguir que le mirase—. ¿Crees que eres muy linda?

—¿Yo?, no, señor.

—Sí; y te lo habrá dicho alguno muchas veces. Cuéntame cómo es ese afortunado.

magüeyes. Barbarismo por magueyes.

María temblaba sin atreverse a responder una palabra más, cuando mi padre continuó diciéndole:

—Él te acabará de merecer; tú querrás que sea un hombre de provecho... Vamos, confiésamelo; ¿no te ha dicho que me lo ha contado todo?

—Pero si no hay que contar...

—¿Con que tienes secretos para tu papá? —le dijo mirándola cariñosamente y en tono de queja; lo cual animó a María a responderle:

—¿Pues no dice usted que se lo han contado todo?

Mi padre guardó silencio por un rato. Parecía que le entristecía algún recuerdo. Subían las gradas del corredor del huerto, cuando ella le oyó decir:

—¡Pobre Salomón!

Y pasaba al mismo tiempo una de sus manos por la cabellera de la hija de su amigo.

Aquella noche, en la cena, las miradas de María al encontrarlas yo, empezaron a revelarme lo que entre mi padre y ella había pasado. Se quedaba a veces pensativa y creí notar que sus labios pronunciaban en silencio algunas palabras, como distraída solía hacerlo con los versos que le agradaban.

Mi padre trató, en cuanto le fue posible, de hacer menos difícil la situación del señor M... y de su hijo, quien, por lo que se notaba, había hablado con don Jerónimo sobre lo sucedido en la tarde; todo esfuerzo fue inútil. Habiendo dicho desde por la mañana el señor de M... que madrugaría al día siguiente, insistió en que le era preciso estar muy temprano en su hacienda y se retiró con Carlos a las nueve de la noche, después de haberse despedido de la familia en el salón.

Acompañé a mi amigo a su cuarto. Todo mi afecto hacia él había revivido en esas últimas horas de su permanencia en casa; la hidalguía de su carácter, esa hidalguía de que tantas pruebas me dio durante nuestra vida de estudiantes, lo magnificaba de nuevo ante mí. Casi me parecía vituperable la reserva que me había visto forzado a usar para con él. Si cuando tuve noticia de sus pretensiones, me decía yo, le hubiese confiado mi amor con María y lo que en aquellos tres meses había llegado a ser ella para mí, él, incapaz de arrostrar las fatales predicciones hechas por el médico, hubiera desistido de su intento; y yo, menos inconsecuente y más leal, nada tendría que echarme en cara. Muy pronto, si no las comprendía ya, tendrá que conocer las causas de mi reserva, en ocasión en que esa reserva tanto mal pudo haberle hecho. Esas reflexiones me acriminaban y entristecían. Las indicaciones recibidas de mi padre para manejar ese asunto eran tales, que bien podía sincerarme con ellas. Pero no: lo que en realidad había pasado, lo que tenía que suceder, y sucedió, fue que ese amor, adueñado de mi alma para siempre, la había hecho insensible a todo otro sentimiento, ciega a cuanto no viniese de María.

Tan luego como estuvimos solo en mi cuarto, me dijo, tomando todo el aire de franqueza estudiantil, sin que en su fisonomía desapareciera por completo la contrariedad que denunciaba:

—Tengo que disculparme para contigo de una falta de confianza en tu lealtad.

Yo deseaba oír ya esa confidencia tan temible para mí un día antes.

—¿De qué falta? —le respondí—; no la he notado.

—¿Qué no la has notado?

—No.

—¿No sabes el objeto con que mi padre y yo vinimos?

—Sí.

—¿Estás al corriente del resultado de mi propuesta?

—No bien, pero...

—Pero lo adivinas.

—Es verdad.

—Bueno. Entonces, ¿por qué no hablé contigo sobre lo que pretendía antes de hacerlo con cualquier otro, antes de consultárselo a mi padre?

—Una delicadeza exagerada de tu parte...

—No hay tal delicadeza; lo que hubo fue torpeza, imprevisión, olvido de... lo que quieras: pero eso no se llama como lo has llamado.

Se paseó por el cuarto; y deteniéndose luego delante del sillón que yo ocupaba:

—Oye —dijo—, y admírate de mi candidez. ¡Cáspita! Yo no sé para qué diablos le sirve a uno haber vivido veinticuatro años. Hace poco más de un año que me separé de ti para venirme al

Cauca, y ojalá te hubiera esperado tanto como lo deseaste. Desde mi llegada a casa fui objeto de las más obsequiosas atenciones de tu padre y de tu familia toda: ellos veían en mí a un amigo tuyo, porque acaso les habías hecho saber la clase de amistad que nos unía. Antes de que vinieras vi dos o tres veces a la señorita María y a tu hermana, ya de visita en casa, ya aquí. Hace un mes que me habló mi padre del placer que le daría yo tomando por esposa a una de las dos. Tu prima había extinguido en mí, sin saberlo ella, todos aquellos recuerdos de Bogotá que tanto me atormentaban como te lo decían mis primeras cartas. Convine con mi padre en que pidiera él para mí la mano de la señorita María. ¿Por qué no procuré verte antes? Bien es verdad que la prolongada enfermedad de mi madre me retuvo en la ciudad; pero ¿por qué no te escribí? ¿Sabes por qué? Creía que el hacerte la confidencia de mis pretensiones era como exigirte algo a mi favor, y el orgullo me impidió hacerlo. Olvidé que eras mi amigo; tú tendrías derecho, lo tienes, para olvidarlo también. Pero ¿y si tu prima me hubiese amado? Si lo que no era otra cosa que las consideraciones a que tu amistad me daba derecho hubiera sido amor, ¿tú hubieras consentido en que ella fuera mi mujer sin…? ¡Vaya!, yo soy un tonto en preguntártelo, y tú muy cuerdo en no contestarme.

—Mira —agregó después de un instante que estuvo acodado en las ventanas—; tú sabes que yo no soy hombre de esos que se echan a morir por estas cosas: recordarás que siempre me reí de la fe con que creías en las grandes pasiones de aquellos dramas franceses* que me hacían dormir cuando tú me los leías en las noches de invierno. Lo que hay es otra cosa: yo tengo que casarme, y me halagaba la idea de entrar en tu casa, de ser casi tu hermano. No ha sucedido así; pero en cambio buscaré una mujer que me ame sin hacerme merecedor de tu odio y…

—¿De mi odio? —exclamé, interrumpiéndolo.

—Sí; dispensa mi franqueza, ¡Qué niñería!…, no…; ¡qué imprudencia habría sido ponerme en semejante situación! Bello resultado; pesadumbre para tu familia, remordimiento para mí y la pérdida de tu amistad.

—Mucho debes amarla —continuó después de una pausa—; mu-

---

dramas franceses. Isaacs los leyó.

cho, puesto que pocas horas me han bastado para conocerlo, a pesar de lo que has procurado ocultármelo. ¿No es verdad que la amas así como creíste llegar a amar cuando tenías dieciocho años?

—Sí —le respondí, seducido por su noble franqueza.

—¿Y tu padre lo ignora?

—No.

—¿No? —preguntó admirado.

Entonces le referí la conferencia que había tenido días antes con mi padre.

—¿Conque todo, todo lo arrostras? —interrogóme maravillado apenas hube concluido mi relación—. ¿Y esa enfermedad, que probablemente es la de su madre?... ¿Y vas a pasar quizá la mitad de tu vida sentado sobre una tumba?...

Estas últimas palabras me hicieron estremecer de dolor; ellas, pronunciadas por boca de un hombre a quien no otra cosa que su afecto por mí podía dictárselas; por Carlos, a quien ninguna alucinación engañaba, tenían una solemnidad terrible, más terrible aún que el *sí* con el cual acababa yo de contestarlas.

Púseme en pie, y al ofrecerle mis brazos a Carlos, me estrechó casi con ternura entre los suyos. Me separé de él abrumado de tristeza, pero libre ya del remordimiento que me humillaba cuando nuestra conferencia empezó.

Volví al salón. Mientras mi hermana ensayaba en la guitarra un vals nuevo, María me refirió la conversación que al regreso del paseo había tenido con mi padre. Nunca se había mostrado tan expansiva conmigo: recordando ese diálogo, el pudor le velaba frecuentemente los ojos y el placer le jugaba en los labios.

XXIX

La llegada de los correos y la visita de los señores de M... habían aglomerado quehaceres en el escritorio de mi padre. Trabajamos todo el día siguiente casi sin interrupción, pero en los momentos en que nos reuníamos con la familia en el comedor, las sonrisas de María me hacían dulces promesas para la hora de descanso; a ellas les era dable hacerme leve hasta el más penoso trabajo.

A las ocho de la noche acompañé a mi padre hasta su alcoba, y respondiendo a mi despedida de costumbre, añadió:

—Hemos hecho algo, pero nos falta mucho. Conque hasta mañana temprano.

En días como aquél, María me esperaba siempre por la noche en el salón, conversando con Emma y mi madre, leyéndoles a ésta algún capítulo de la *Imitación de la Virgen* o enseñando oraciones a los niños.

Tenía ella tal certeza de que me era necesario pasar a su lado algunos momentos en esa hora que me los concedía como algo que no tenía derecho a negarme, sin ocultar el placer que yo le proporcionaba y sin ignorar el que ella me concedía. En el salón o en el comedor había siempre a su lado un asiento esperándome, y un tablero de damas o los naipes nos servían de pretexto para hablar a solas, menos con palabras que con miradas y sonrisas. Entonces sus ojos, soñolientos con el sueño del alma, no huían de los míos.

—¿Viste a tu amigo esta mañana? —me preguntó, procurando hallar respuesta en mi ceño.

—Sí; ¿por qué me preguntas eso ahora?

—Porque no he podido hacerlo antes.

—¿Y qué interés tienes en saberlo?

—¿Te instó él a que le pagaras la visita?

—Sí.

—¿Irás a pagársela, no?

—Seguramente.

—El te quiere mucho, ¿no es así?

—Así lo he creído siempre.

—¿Y lo crees todavía?

—¿Por qué no?

—¿Lo quieres como cuando estabais ambos en el colegio?

—Sí; pero ¿por qué hablas hoy de todo esto?

—Es porque yo quisiera que tú fueses siempre su amigo, y que él siguiese siéndolo tuyo... Pero tú no le habrás contado nada.

—¿Nada de qué?

—Pues de eso.

—Pero ¿de qué cosa?

—Si sabes qué es lo que digo... No le has dicho, ¿no?

Yo me complacía en la dificultad que ella encontraba para preguntarme si había hablado de nuestro amor a Carlos, y le respondí:

—Es la primera vez que no te entiendo.

—¡Ave María!, ¿cómo no has de entender? Que si le has hablado de lo que...

Y como me quedase mirándola al propio tiempo que me sonreía de su infantil afán, prosiguió:

—Bueno; ya no me digas —y se puso a hacer torrecillas con las fichas del tablero en que jugábamos.

—Si no me miras —le dije—, no te confieso lo que le he dicho a Carlos.

—Ya, pues..., a ver, di —respondióme tratando de hacer lo que le exigía.

—Se lo he contado todo.

—¡Ay!, no; ¿todo?

—¿Hice mal?

—Si así debía ser... Pero, entonces, ¿por qué no se lo contaste antes de que viniera?

—Mi padre se opuso a ello.

—Sí, pero él no habría venido: ¿y eso no hubiera sido mejor?

—Sin duda; pero yo no debía hacerlo, y hoy él está satisfecho de mí.

—¿Seguirá, pues, siendo tu amigo?

—No hay motivo para que deje de serlo.

—Sí, porque yo no quiero que por esto...

—Carlos te agradecerá tanto como yo ese deseo.

—¿Conque te separaste de él como de costumbre? Y él, ¿se ha ido contento?

—Tan contento como era posible conseguirlo.

—Pero yo no tengo la culpa, ¿no?

—No, María; ni él te estima menos que antes por lo que has hecho.

—Si te quiere de veras, así debe ser. ¿Y sabes por qué ha pasado todo así con ese señor?

—¿Por qué?

—Pero cuidado con reírte.

—No me reiré.

—¡Pero si ya estás riéndote!

179

—No es de lo que vas a decirme, sino de lo que ya has dicho; di, María.

—Ha sido porque yo le he rezado mucho a la Virgen para que hiciera suceder todo así, desde ayer que mamá me habló.

—¿Y si la Virgen no te hubiera concedido lo que le pedías?

—Eso era imposible: siempre me concede lo que le pido; y como esta vez yo le rogaba tanto, estaba segura que* me oiría. Mamá se va —agregó— y Emma se está durmiendo. ¿Ya, no?

—¿Quieres irte?

—¿Y qué voy a hacer?... ¿Mucho escribirán mañana también?

—Parece que sí.

—¿Y cuando Tránsito venga?

—¿A qué hora viene?

—Mandó decir que a las doce.

—A esa hora habremos concluido.

—Hasta mañana.

Respondió a mi despedida con las mismas palabras, pero admirándose de que me quedase con el pañuelo que ella tenía en la mano, que me dio a estrechar. María no comprendió que ese pañuelo perfumado era un tesoro para una de mis noches. Después se negó casi siempre a concederme ese bien, hasta que vinieron los días en que se mezclaron tantas veces nuestras lágrimas.

XXX

En la mañana siguiente mi padre dictaba y yo escribía, mientras él se afeitaba, operación que nunca interrumpía los trabajos empezados, no obstante el esmero que en ella gastaba siempre. Su cabellera riza, abundante aún en la parte posterior de la cabeza y que dejaba inferir cuán hermosos serían los cabellos que llevó en su juventud, le pareció un poco larga. Entreabriendo la puerta que caía al corredor, llamó a mi hermana.

—Está en la huerta —le respondió María desde el costurero de mi madre—. ¿Necesita usted algo?

---

estaba segura que. Obsérvese el uso incorrecto del adjetivo "segura" sin la preposición "de" (estaba segura de que), muy común en la lengua oral.

—Ven tú, María —le respondió a tiempo que yo le presentaba algunas cartas concluidas para que las firmase—. ¿Quieres que bajemos mañana? —me preguntó firmando la primera.

—¿Cómo no?...

—Será bueno, porque hay mucho que hacer; yendo ambos, nos desocuparemos más pronto. Puede ser que el señor A... escriba algo sobre su viaje en este correo; ya se demora en avisar para cuándo debes estar listo. Entra, hija —agregó, volviéndose a María, la cual esperaba afuera por haber encontrado la puerta entornada.

Ella entró dándonos los buenos días. Sea que hubiese oído las últimas palabras de mi padre sobre mi viaje, sea que no pudiese prescindir de su timidez genial delante de éste, con mayor razón desde que le había hablado de nuestro amor, se puso algo pálida. Mientras él acababa de firmar, la mirada de María se paseaba por las láminas del cuarto, después de haberse encontrado furtivamente con la mía.

—Mira —le dijo mi padre, sonriendo al mostrarle los cabellos—; ¿no te parece que tengo mucho pelo?

Ella sonrió también al responderle:

—Sí, señor.

—Pues recórtalo un poco —y tomó, para entregárselas, las tijeras de un estuche que estaba abierto sobre una de las mesas—. Voy a sentarme para que puedas hacerlo mejor.

Dicho esto, acomodóse en la mitad del cuarto, dando la espalda a la ventana y a nosotros.

—Cuidado, mi hija, con trasquilarme —dijo cuando ella iba a empezar—. ¿Está principiada la otra carta? —añadió dirigiéndose a mí.

—Sí, señor.

Comenzó a dictar, hablando con María mientras yo escribía.

—¿Conque te hace gracia que te pregunte si tengo muchos cabellos?

—No, señor —respondióle, consultándome si iba bien la operación.

—Pues así como los ves —continuó mi padre—, fueron tan negros y abundantes como otros que yo conozco.

María soltó los que tenía en ese momento en la mano.

—¿Qué es? —le preguntó él, volviendo la cabeza para verla.

—Que voy a peinarlos para recortar mejor.

—¿Sabes por qué se cayeron y encanecieron tan pronto? —le preguntó después de dictarme una frase.

—Cuidado, niño, con equivocarse.

María se sonrojó mirándome con todo el disimulo que era necesario para que mi padre no lo notase, en el espejo de la mesa de baño que tenía al frente.

—Pues cuando yo tenía veinte años —prosiguió—, es decir, cuando me casé, acostumbraba bañarme la cabeza todos los días con agua de Colonia. ¡Qué disparate!, ¿no?

—Y todavía —observó ella.

Mi padre se rió con aquella risa armoniosa y sonora que acostumbraba.

Yo leí el final de la frase escrita y él, dictada otra, continuó su diálogo con María.

—¿Está ya?

—Creo que sí; ¿no? —añadió, consultándome.

Cuando María se inclinó a sacudir los recortes de cabellos que habían caído sobre el cuello de mi padre, la rosa que ella llevaba en una de las trenzas se le cayó a los pies. Iba ella a alzarla, pero mi padre la había tomado ya. María volvió a ocupar su puesto tras de la silla y él le dijo, después de verse en el espejo detenidamente:

—Yo te la pondré ahora donde estaba, para recompensarte lo bien que lo has hecho. —Y acercándose a ella, agregó, colocando la flor con tanta gracia como lo hubiera podido hacer Emma:

—Todavía se me puede tener envidia.

Detuvo a María, que se mostraba deseosa de retirarse por temor de lo que él pudiera añadir; besóle la frente y le dijo en voz baja:

—Hoy no será como ayer; acabaremos temprano.

XXXI

Serían las once. Terminando el trabajo, estaba yo acodado en la ventana de mi cuarto.

Aquellos momentos de olvido de mí mismo, en que mi pensamiento se cernía sobre regiones que casi me eran desconocidas, momentos en que las palomas que estaban a la sombra de los naranjos agobiados de sus racimos de oro se arrullaban amorosas; en que la voz de María, arrullo más dulce aún, llegaba a mis oídos, tenían un encanto inefable. La infancia, que en su insaciable curiosidad se asombra de cuanto la naturaleza ofrece de raro a sus miradas; la adolescencia que adivinándolo todo se deleita involuntariamente con castas visiones de amor, presentimiento de una felicidad tantas veces esperada en vano; sólo ellas saben traer aquellas horas no medidas en que el alma parece esforzarse por volver al cielo que aún no ha podido olvidar.

No eran las ramas de los rosales, a los que las olas fugitivas del arroyo quitaban leves pétalos para engalanarse fugitivas; no el vuelo majestuoso de las águilas negras sobre las cimas cercanas; no era eso lo que veían mis ojos: era lo que ya no veré más; lo que mi espíritu quebrantado por tristes realidades no busca o admira únicamente en sus sueños: el mundo, como Adán pudo verlo en la primera mañana de su vida.

Divisé en el negro y tortuoso camino de las lomas a Tránsito y a su padre, quienes venían en cumplimiento de lo que a María tenían prometido. Crucé el huerto y subí la primera colina para aguardarlos en el puente de la cascada, visible desde el salón de la casa.

Como estábamos al raso*, todavía no eran cortos los montañeses para conmigo; me dijeron todas aquellas cosas que solían en pasándose algunos días sin vernos.

Pregunté por Braulio a Tránsito.

—Se quedó aprovechando el buen sol para la revuelta. ¿Y la Virgen de la Silla?

Tránsito acostumbraba preguntarme así por María desde que cayó en la cuenta de la notable semejanza entre el rostro de su futura madrina y el de una bella madona* del oratorio de mi madre.

—La viva está buena y esperándote —le respondí—; la pintada, llena de rosas y alumbrada para que te haga muy feliz.

al raso. Modo adverbial que significa "en el campo" o "a cielo descubierto". El Diccionario de la Real Academia Española registra "a la rasa".

una bella madona. Palabra con la que se nombran en Italia las imágenes de Nuestra Señora.

Así que nos acercamos a la casa, María y Emma salieron a recibir a Tránsito, a·la cual dijeron entre otros agasajos, que estaba muy buena moza; y era cierto, pues la felicidad la embellecía.

José recibió, sombrero en mano, los cariñosos saludos de sus señoritas; y, zafándose la guambía que traía a la espalda llena de legumbres para regalo entró con nosotros, instado por mí, al aposento de mi madre. A su paso por el salón, Mayo, que dormía bajo una de las mesas, le gruñó, y el montañés le dijo riendo:

—¡Hola, abuelo! ¿Todavía no me quieres? Sera porque estoy tan viejo como tú.

—¿Y Lucía? —preguntó María a Tránsito—, ¿por qué no quiso acompañarte?

—¡Si es tan floja *que no...* y tan *montuna!*

—Pero Efraín dice que con él no es así —le observó Emma.

Tránsito se rió antes de responder.

—Con el señor es menos vergonzosa, porque como va tantas veces allá, le ha ido perdiendo el miedo.

Tratamos de saber el día en que hubiera de efectuarse el matrimonio. José, para sacar de apuros a su hija, contestó:

—Queremos que sea de hoy en ocho días. Si está bien pensado, lo haremos así; en casa madrugaremos mucho, y no parando, llegaremos al pueblo cuando asome el sol; saliendo ustedes de aquí a las cinco, nos alcanzarán llegando; y como el señor cura tendrá todo listo, nos despacharemos temprano. Luisa es enemiga de fiestas y las muchachas no bailan; pasaremos, pues, el domingo como todos, con la diferencia de que ustedes nos harán una visita, y el lunes cada cual a su oficio. ¿No le parece? —concluyó dirigiéndose a mí.

—Sí, pero ¿irá a pie Tránsito al pueblo?

—¡Eh! —exclamó José.

—Pues, ¿cómo? —preguntó ella admirada.

—A caballo. ¿No están ahí los míos?

—Si a mí me gusta más andar a pie; y a Lucía no es sólo eso, sino que les tiene miedo a las bestias.

—Pero ¿por qué? —preguntó Emma.

—Si en la provincia solamente los blancos andan a caballo: ¿no es así, padre?

—Sí; y los que no son blancos, cuando ya están viejos.

—¿Quién te ha dicho que no eres blanca? —pregunté a Tránsito—; y blanca como pocas.

La muchacha se puso colorada como una guinda al responderme:

—Las que yo digo son las gentes ricas, las señoras.

José, luego que fue a saludar a mi padre, se despidió prometiéndonos volver por la tarde, a pesar de nuestras instancias para que se quedase a comer con nosotros.

A las cinco, como saliese la familia a acompañar a Tránsito hasta el pie de la montaña, María, que iba a mi lado, me decía:

—Si hubieras visto a mi ahijada con el traje de novia que le he hecho y los zarcillos y gargantilla que le han regalado Emma y mamá, estoy segura que te habría parecido muy linda.

—¿Y por qué no me llamaste?

—Porque Tránsito se opuso. Tenemos que preguntarle a mamá qué dicen y qué hacen los padrinos en la ceremonia.

—De veras, y los ahijados nos enseñarán qué responden los que se casan por si se nos llegara a ofrecer.

Ni las miradas ni los labios de María respondieron a esta alusión a nuestra futura felicidad y permaneció pensativa mientras andábamos el corto trecho que nos faltaba para llegar a la orilla de la montaña.

Allí estaba esperando Braulio a su novia y se adelantó risueño y respetuoso a saludarnos.

—Se les va hacer de noche para bajar —nos dijo Tránsito.

Se despidieron cariñosamente de nosotros los montañeses. Se habían internado algún espacio en la selva, cuando oímos la buena voz de Braulio que cantaba vueltas antioqueñas*.

Después de nuestro diálogo, María no había vuelto a estar risueña. Inútilmente trataba yo de ocultarme la causa; bien la sabía por mi mal; ella pensaba, al ver la felicidad de Tránsito y Braulio, en que pronto íbamos a separarnos, en que tal vez no volveríamos a vernos..., quizás en la enfermedad de que había muerto su madre. Y no me atrevía a turbar su silencio.

---

vueltas antioqueñas. Las vueltas de bambuco son trozos completos del aire nacional del mismo nombre. Éste es una inmensa aria que tiene cincuenta aires diferentes, todos entrelazados y armónicos. Cada trozo se llama vuelta de Antioquia, porque en los bailes del pueblo las parejas, dando "vueltas", bailan durante un trozo; al acabarse éste, siguen otras.

Bajando las últimas colinas, Juan, a quien llevaba de la mano, me dijo:

—María quiere que yo sea guapo* para caminar, y ella está cansada.

Ofrecíle entonces mi brazo para que se apoyara lo que no había podido hacer antes por atención a Emma y a mi madre.

Estábamos ya a poca distancia de la casa. Se iban apagando los arreboles que al ocultarse el sol había dejado sobre las sierras de occidente; la luna, levantándose a nuestra espalda sobre las montañas de que nos alejábamos, proyectaba las inquietas sombras de los sauces y enredaderas del jardín en los muros pálidamente iluminados.

Yo espiaba el rostro de María sin que ella lo notase, buscando los síntomas de su mal, a los cuales precedía siempre aquella melancolía que de súbito se había apoderado de ella.

—¿Por qué te has entristecido? —le pregunté al fin.

¿No he estado, pues, como siempre? —me respondió cual si despertase de un ligero sueño— ¿Y tú?

—Es porque has estado así.

—Pero ¿no podría yo contentarte?

—Vuelve, pues, a estar alegre.

—¿Alegre? —preguntó como admirada—, ¿Y lo estarás también?

—Sí, sí.

—Mira: ya estoy como quieres —me dijo sonriente—. ¿Nada más exiges?

—Nada más... ¡ah, sí! Aquello que me has prometido y que no me has dado.

—¿Qué será? ¿Creerás que no me acuerdo?

—¿No? ¿Y los cabellos?

—¿Y si lo notan al peinarme?

—Dirás que fue cortando una cinta.

—¿Esto es? —dijo, después de haber buscado bajo el pañolón, mostrándome algo que le negreaba en la mano y que ésta me ocultó al cerrarse.

—Sí, ésos; dámelos ahora.

---

guapo. Isaacs emplea este adjetivo en la acepción americana de animoso, bizarro y resuelto, que el léxico oficial registra como desusado.

—¡Si es una cinta! —contestó volviendo a guardar lo que me había mostrado.

—Bueno; no te lo exigiré más.

—¡Conque bueno! Y, entonces, ¿para qué me los he cortado? Es que falta componerlos bien; y mañana, precisamente...

—Esta noche.

—También; esta noche.

Mi brazo oprimió suavemente el suyo, desnudo de la muselina y encajes de la manga; su mano rodó poco a poco hasta encontrarse con la mía; la dejó levantar del mismo modo hasta mis labios, y apoyándose con más fuerza en mí para subir la escalera del corredor, me decía con voz lenta y vibraciones acalladas:

—¿Ahora sí estás contento? No volvamos a estar tristes.

Quiso mi padre que aquella noche le leyese de sobremesa algo del último número de "El Día". Terminada la lectura se retiró él y pasé yo a la sala.

Se me acercó Juan y puso la cabeza en una de mis rodillas.

—¿No duermes esta noche? —le pregunté, acariciándolo.

—Quiero que tú me hagas dormir —me contestó en aquella lengua que pocos podían entenderle.

—¿Y por qué no María?

—Yo estoy muy bravo con ella —repuso, acomodándose mejor.

—¿Con ella? ¿Qué le has hecho?

—Si es ella la que no me quiere esta noche.

—Cuéntame por qué.

—Yo le dije que me contara el cuento de la Caperuza, y no ha querido; le he pedido besos, y no me ha hecho caso.

Las quejas de Juan me hicieron temer que la tristeza de María hubiese continuado.

—Y si esta noche tienes sueños medrosos —dije al niño, ella no se levantará a acompañarte, como me has referido que lo hace.

—Entonces mañana no la ayudaré a recoger flores para tu cuarto ni le llevaré los peines al baño.

—No digas eso; ella te quiere mucho. Ve y dile que te dé los besos que le pediste y que te haga dormir oyendo el cuento.

—No —dijo, poniéndose en pie y como entusiasmado por una buena idea—; voy a traértela para que la regañes.

—¿Yo?

—Voy a traértela.

Y diciéndolo se entró en su busca. A poco se presentó haciendo el papel de que la conducía de la mano por fuerza. Ella, sonriendo, le preguntaba:

—¿Adónde me llevas?

—Aquí —respondió Juan obligándola a sentarse a mi lado.

Referí a María todo lo que había charlado su consentido. Ella, tomando la cabeza de Juan entre las manos y tocándole la frente con la suya, díjole:

—¡Ah, ingrato! Duérmete, pues, con él.

Juan se puso a llorar tendiéndome los bracitos para que lo tomase.

—No, mi amo; no, mi señor —le decía ella—; son chanzas de tu Mimiya.

Y lo acariciaba; mas el niño insistió en que yo lo recibiera.

—¿Conque eso haces conmigo, Juan? —continuó María, quejándosele—. Bueno, ya el señor está hombre: esta noche haré que le lleven la cama al cuarto de su hermano; ya él no me necesita; yo me quedaré sola y llorando porque no me quiere más.

Se cubrió los ojos con una mano para hacerle creer que lloraba; Juan esperó un instante, mas como ella persistió en fingirle llanto, se escurrió poco a poco de mis rodillas y se le acercó, tratando de descubrir el rostro. Encontrando los labios de María sonrientes y amorosos los ojos, rió también, y abrazándosele a la cintura recostó la cabeza en su regazo, diciéndole:

—Te quiero como a los ojitos; te quiero como al corazón. Ya no estoy bravo ni tonto. Esta noche voy a rezar el Bendito muy formal para que me hagas otros calzones.

—Muéstrame los calzones que te hacen —le dije.

Juan se puso en pie sobre el sofá, entre María y yo, para hacerme admirar sus primeros calzones.

—¡Qué lindos! —exclamé, abrazándolo—. Si me quieres bastante y eres formal, conseguiré que te hagan muchos, y te compraré silla, zamarros, espuelas...

—Y un caballito negro —me interrumpió.

—Sí.

Abrazóme dándome un prolongado beso, y asido al cuello de María, quien volvía el rostro para esquivarle los labios, la obligó a recibir idéntico agasajo. Se arrodilló donde había estado en pie; con las manos juntas rezó devotamente el Bendito y se reclinó soñoliento sobre la falda que ella le brindaba.

Noté que la mano izquierda de María jugaba con algo sobre la cabellera del niño, al paso que una sonrisa maliciosa le asomaba a los labios. Con una rápida mirada me mostró entre los cabellos de Juan el bucle de los que me tenía prometidos; y ya me disponía yo a tomarlos, cuando ella, reteniéndolos, me dijo:

—¿Y para mí?..., tal vez sea malo exigírtelo.

—¿Los míos? —le pregunté.

Significóme que sí, agregando:

—¿No quedarán bien en el mismo guardapelo en que tengo los de mi madre?

XXXII

En la mañana siguiente tuve que hacer un esfuerzo para que mi padre no comprendiese lo penoso que me era acompañarle en su visita a las haciendas de abajo. Él como hacía siempre que iba a emprender viaje, por corto que fuese, intervenía en el arreglo de todo, aunque no era necesario, y repetía *sus* órdenes más que de costumbre. Como era preciso llevar algunas provisiones delicadas para la semana que íbamos a permanecer fuera de la casa, provisiones a las cuales era mi padre muy aficionado, riéndose él al ver las que acomodaban Emma y María en el comedor y dentro de los cuchugos que Juan Ángel debía llevar colgados a la cabeza de la silla, dijo:

—¡Válgame Dios, hijas! ¿Todo eso cabrá ahí?

—Sí, señor —respondió María.

—¡Pero si con esto bastaría para un obispo! ¡Ajá!, eres tú la más empeñada en que no lo pasemos mal.

María, que estaba de rodillas acomodando las provisiones y le daba la espalda a mi padre, se volvió para decirle tímidamente, a tiempo que yo llegaba:

—Pues como van a estarse tantos días...

—No mucho, niña —le replicó riendo—. Por mí no lo digo: todo te

lo agradezco; pero este muchacho se pone tan desganado allá...
Mira —agregó, dirigiéndose a mí.

—¿Qué cosa?

—Pues todo lo que ponen. Con tal avío hasta puede suceder que
me resuelva a estarme quince días.

—¡Pero si es mamá quien lo ha mandado! —observó María.

—No hagas caso, judía (así solía llamarla algunas veces cuando
se chanceaba con ella); todo está bueno, pero no veo aquí tinto del
último que vino; y allá no hay, es necesario llevar.

—¡Si ya no cabe! —le respondió María, sonriendo.

—Ya veremos.

Y fue personalmente a la bodega por el vino que indicaba; y al
regresar con Juan Ángel, recargado además con unas latas de
salmón, repitió:

—Ahora veremos.

—¿Eso también? —exclamó ella viendo las latas.

Como mi padre tratara de sacar del cuchugo una caja ya acomo-
dada, María, alarmándose, le observó:

—Es que esto no puede quedarse.

—¿Por qué, mi hija?

—Porque son las pastas que más les gustan, y... porque las he
hecho yo.

—¿Y también son para mí? —le preguntó mi padre por lo bajo.

—Pues ¿no están ya acomodadas?

—Digo que...

—Ahora vuelvo —interrumpió ella, poniéndose en pie—. Aquí
faltan unos pañuelos.

Y desapareció para regresar un momento después.

Mi padre, que era tenaz cuando bromeaba, le dijo nuevamente
en el mismo tono que antes, inclinándose a colocar algo cerca de
ella:

—Allá cambiaremos pastas por vino.

Ella apenas se atrevía a mirarlo; y notando que el almuerzo
estaba servido, dijo levantándose:

—Ya está la mesa puesta, señor. —Y dirigiéndose a Emma—:
Dejemos a Estéfana lo que falta; ella lo hará bien.

Cuando yo me dirigía al comedor, María salía de los aposentos de
mi madre y la detuve allí.

—Corta ahora —le dije— el pelo que quieres.

—¡Ay! no; yo no.

—Di de dónde, pues.

—De dónde no se note —y me entregó unas tijeras.

Había abierto el guardapelo que llevaba suspendido al cuello. Presentándome la cajita vacía me dijo:

—Ponlo aquí.

—¿Y el de tu madre?

—Voy a colocarlo encima para que no se vea el tuyo.

Hízolo así, diciéndome:

—Me parece hoy que te vas contento.

—No, no; es por no disgustar a mi padre: es tan justo que yo le manifieste deseo de ayudarle en sus trabajos y que le ayude...

—Cierto, así debe ser, y yo procuraré también manifestar que no estoy triste, para que mamá y Emma no se resientan conmigo.

—Piensa mucho en mí —le dije, besando el pelo de su madre y la mano con que lo acomodaba.

—¡Ah! ¡mucho, mucho! —respondió mirándome con aquella ternura e inocencia que tan bien sabían hermanarse en sus ojos.

Y nos separamos para llegar al comedor por diferentes entradas.

XXXIII

Los soles de siete días se habían apagado sobre nosotros y altas horas de sus noches nos habían sorprendido trabajando. En la última, recostado mi padre en un catre, dictaba y yo escribía. Dio las diez el reloj del salón; le repetí la palabra final de la frase que acababa de escribir; él no dictó más; volvíme entonces creyendo que no me había oído y estaba dormido profundamente. Era él un hombre infatigable; mas aquella vez el trabajo había sido excesivo. Disminuí la luz del cuarto, entorné ventanas y puertas, y esperé a que despertase, paseándome en el espacioso corredor a la extremidad del cual se hallaba el escritorio.

Estaba la noche serena y silenciosa: la bóveda del cielo, azul y transparente, lucía toda la brillantez de su ropaje nocturno de verano; en los follajes negros de las hileras de seibas que partiendo de los lados del edificio cerraban el patio, en los ramos de los naranjos que demoraban en el fondo, revoloteaban candelillas* sin número y sólo percibía de vez en cuando el crujido de los ramajes entrelazados, el aleteo de algún ave asustada o los suspiros del viento.

El blanco pórtico que a setenta varas de la casa daba entrada al patio, se destacaba en la oscuridad de la llanura proyectando sus almenas sobre la masa informe de las cordilleras lejanas, cuyas crestas aparecían iluminadas a ratos por fulgores de las tormentas del Pacífico.

María —me decía yo, atento a los quedos susurros, suspiros de aquella naturaleza en su sueño—, María se habrá dormido sonriendo al pensar que mañana estaré de nuevo a su lado... ¡Pero después! Ese después era terrible; era mi viaje.

Parecióme oír el galope de un caballo que atravesase la llanura: supuse que sería un criado que habíamos enviado a la ciudad hacía cuatro días, y al cual esperábamos con impaciencia, porque debía traer una correspondencia importante. A poco se acercó a la casa.

—¿Camilo? —pregunté.

—Sí, mi amo —respondió, entregándome un paquete de cartas, después de alabar a Dios.

El ruido de las espuelas del paje despertó a mi padre.

—¿Qué es esto, hombre? —interrogó al recién llegado.

—Me despacharon a las doce, mi amo, y como el derrame del Cauca llega al Guayabo, tuve que demorarme mucho en el paso.

—Bien; di a Feliciana que te haga poner de comer y cuida mucho ese caballo.

Había revisado mi padre las firmas de algunas cartas de las que contenía el paquete, y encontrando por fin lo que deseaba, me dijo:

—Empieza por ésta.

Leí en voz alta algunas líneas, y al llegar a cierto punto me detuve involuntariamente.

Tomó él la carta y, con los labios contraídos mientras devoraba el contenido con los ojos, concluyó la lectura y arrojó el papel sobre la mesa diciendo:

—¡Ese hombre me ha muerto! Lee esa carta: al cabo sucedió lo que tu madre temía.

---

candelillas. Luciérnagas.

Recogí la carta para convencerme de que era cierto lo que ya me imaginaba.

—Léela alto —añadió mi padre, paseándose por la habitación y enjugándose el sudor que le humedecía la frente contraída.

—Eso no tiene ya remedio —dijo apenas concluí—. ¡Qué suma y en qué circunstancias!... Yo soy el único culpable.

Lo interrumpí para manifestarle el medio de que creía podíamos valernos para hacer menos grave la pérdida.

—Es verdad —observó, oyéndome ya con alguna calma—; se hará así. ¡Pero quién lo hubiera temido! Yo moriré sin haber aprendido a desconfiar de los hombres.

Y decía la verdad: ya muchas veces en su vida comercial había recibido iguales lecciones. Una noche, estando él en la ciudad sin la familia, se presentó en su cuarto un dependiente suyo a quien había mandado a los Chocoes* a cambiar una considerable cantidad de efectos por oro, que urgía enviar a los acreedores extranjeros. El agente le dijo:

—Vengo a que me dé usted con qué pagar el flete de una mula, y un balazo: he jugado y perdido todo cuanto usted me entregó.

—¿Todo, todo se ha perdido? —preguntóle mi padre.

—Sí, señor.

—Tome usted de esa gaveta el dinero que necesita.

Y llamando a uno de sus pajes, añadió:

—El señor acaba de llegar; avisa dentro para que se le sirva.

Pero aquéllos eran otros tiempos. Golpes de fortuna hay que se sufren en la juventud sin pronunciar una queja; entonces se confía en el porvenir. Los que se reciben en la vejez parecen asestados por un enemigo cobarde; ya es poco el trecho que falta para llegar al sepulcro... ¡Y cuán raros son los amigos del que muere que sepan serlo de su viuda y de sus hijos! ¡Cuántos los que espían el aliento postrero de aquel cuya mano, helada ya, están estrechando, para convertirse luego en verdugos de huérfanos!

Tres horas se habían pasado desde que terminara la escena que acabo de describir conforme me lo ha permitido el recuerdo de

---

Chocoes. Indios de una tribu, conocida también por chocosambú en Panamá; chocoas, en Colombia.

aquella noche fatal, a la que tantas otras habían de parecerse años después.

Mi padre, al tiempo de acostarnos, me dijo desde su lecho, distante pocos pasos del mío:

—Es preciso ocultar a tu madre cuanto sea posible lo que ha sucedido y será necesario también demorar un día más nuestro regreso.

Aunque siempre le había oído decir a él que su sueño tranquilo le servía de alivio en todos los infortunios de la vida, cuando a poco de haberme hablado me convencí ya de que él dormía, vi en su reposo tan denodada resignación, había tal valor en su calma, que no pude menos que permanecer por mucho espacio contemplándolo.

No había amanecido aún, y tuve que salir en busca de aire mejor para calmar la especie de fiebre que me había atormentado durante el insomnio de la noche. Solamente el canto del titiribí y los de las guacharacas de los bosques vecinos anunciaban la aurora; la naturaleza parecía desperezarse al despertar de su sueño. A la primera luz del día empezaron a revolotear en los plátanos y sotos los azulejos y asomas; parejas de palomas emprendían viaje a los campos vecinos; la greguería de las bandadas de loros remedaba el ruido de una quebrada bulliciosa, y de las copas florecientes de los písamos del cacaotal se levantaban las garzas con leve y lento vuelo.

Ya no volveré a admirar aquellos cantos, a respirar aquellos aromas, a contemplar aquellos paisajes llenos de luz, como en los días alegres de mi infancia y en los hermosos de mi adolescencia: ¡extraños habitan hoy la casa de mis padres!

Apagábase la tarde al día siguiente, cuando mi padre y yo subíamos la verde y tendida falda para llegar a la casa de la sierra. Las yeguadas que pastaban en la vereda y sus orillas nos abrían paso resoplando asustadas, y los pellares se levantaban de las márgenes de los torrentes para amenazarnos con su canto y revuelos.

Divisábamos ya de cerca el corredor occidental donde estaba la familia esperándonos; y allí volvió mi padre a encargarme ocultara la causa de nuestra demora y procurase aparecer sereno.

XXXIV

No todas las personas que nos aguardaban estaban en el corredor; no descubrí entre ellas a María. Algunas cuadras antes de llegar a la puerta del patio, a nuestra izquierda y sobre una de las grandes piedras desde donde se domina mejor el valle, estaba en pie María. Emma la animaba para que bajase. Nos les acercamos*. La cabellera de María, suelta en largos y lucientes rizos, negreaba sobre la muselina de su traje color verde-mortiño; sentóse para evitar que el viento le agitase la falda diciendo a mi hermana, que se reía de su afán:

—¿No ves que no puedo?

—Niña —le dijo mi padre entre sorprendido y risueño—, ¿cómo has logrado subirte ahí?

Ella, avergonzada de la travesura, acababa de corresponder a nuestro saludo y contestó:

—Como estábamos solas...

—Es decir —le interrumpió mi padre— que debemos irnos para que puedas bajar. ¿Y cómo bajó Emma?

—¡Qué gracia!, si yo la ayudé.

—Era que yo no tenía susto.

—Vámonos, pues —concluyó mi padre dirigiéndose a mí—, pero cuidado.

Bien sabía él que yo me quedaría. María acababa de decirme con los ojos: "no te vayas". Mi padre volvió a montar y se dirigió a la casa; mi caballo siguió poco a poco el mismo camino.

—Por aquí fue por donde subimos —me dijo María mostrándome ciertas grietas y hoyuelos en la roca.

Al acabar yo mi maniobra de ascenso me tendió la mano, demasiado trémula para ayudarme, pero muy deseada para que no me apresurase a estrecharla entre las mías. Sentéme a sus pies y ella díjome:

—¿No ves qué trabajo? ¿Qué habría dicho papá? Creerá que estamos locas.

Yo la miraba sin contestarle: la luz de sus ojos, cobardes ante los míos, y la suave palidez de sus mejillas me decían, como en otros momentos, que en aquél era ella tan feliz como yo.

Nos les acercamos. La expresión correcta es "nos acercamos a ellos".

—Me voy sola —repitió Emma, a quien habíamos oído mal su primera amenaza, y se alejó algunos pasos para hacernos creer que iba a cumplirla.

—No, no; espéranos un instante no más —le suplicó María, poniéndose de pie.

Viendo que yo no me movía, me dijo:

—¿Qué es?

—Es que aquí estamos muy bien.

—Sí, pero Emma quiere irse y mamá estará esperándote; ayúdame a bajar que ahora no tengo miedo. A ver tu pañuelo.

Lo retorció, agregando:

—Lo tienes de esta punta, y cuando ya no alcances a darme la mano me cojo yo de él.

Persuadida de que podía arriesgarse a bajar sin ser vista, lo hizo como lo había proyectado diciéndome ya al pie del peñasco:

—¿Y tú ahora?

Buscando la parte menos alta de la piedra salté al gramal, y le ofrecí el brazo para que nos dirigiéramos a la casa.

—Si no hubiera llegado, ¿qué habrías hecho para bajar, loquita?

—Pues habría bajado sola; iba a bajar cuando llegaste, pero temí caerme porque hacía mucho viento. Ayer también subimos allí, y yo bajé bien. ¿Por qué se han demorado tanto?

—Por dejar concluidos algunos negocios que no podían arreglarse desde aquí. ¿Qué has hecho en estos días?

—Desear que pasaran.

—¿Nada más?

—Coser y pensar mucho.

—¿En qué?

—En muchas cosas que se piensan y no se dicen.

—¿Ni a mí?

—A ti menos.

—Está bien.

—Porque tú las sabes.

—¿No has leído?

—No, porque me da tristeza leer sola, y ya no me gustan los

cuentos de las *Veladas de la Quinta** ni las *Tardes de la Granja** Iba a volver a leer *Atala*, pero como me has dicho que tiene un pasaje no sé cómo...

Y dirigiéndose a mi hermana, que nos precedía algunos pasos:

—Oye, Emma... ¿Qué afán de ir tan aprisa?

Emma se detuvo, sonrió y siguió andando.

—¿Qué estabas haciendo anteanoche a las diez?

—¿Anteanoche? ¡Ah! —repuso, deteniéndose—; ¿por qué me preguntas eso?

—A esa hora estaba yo muy triste pensando en esas cosas que se piensan y no se dicen.

—No, no; tú sí.

—¿Sí qué?

—Sí puedes decirlas.

—Cuéntame lo que tú hacías y te las diré.

—Me da miedo.

—¿Miedo?

—Tal vez es una bobería. Estaba sentada con mamá en el corredor de este lado haciéndole compañía, porque me dijo que no tenía sueño; oímos cómo sonaban las hojas de la ventana de tu cuarto, y temerosa yo de que la hubiesen dejado abierta tomé una luz del salón para ir a ver qué había... ¡Qué tontería! Vuelve a darme miedo cuando me acuerdo de lo que sucedió.

—Acaba, pues.

—Abrimos la puerta y vimos posada sobre una de las hojas de la ventana, que agitaba el viento, un ave negra y de tamaño como el de una paloma muy grande; dio un chillido que yo no había oído nunca, pareció encandilarse un momento con la luz que yo tenía en la mano, y la apagó pasando sobre nuestras cabezas a tiempo que íbamos a huir espantadas. Esa noche soñé... Pero ¿por qué te has quedado así?

—¿Cómo? —le respondí, disimulando la impresión que aquel relato me causaba.

Lo que ella me contaba había pasado a la hora misma en que mi padre y yo leíamos aquella carta malhadada, y el ave negra era la

---

Veladas de la Quinta. Tardes de la Granja. A mediados del siglo XIX, los niños de Puerto Rico leían estos libros.

misma que me había azotado las sienes durante la tempestad de la noche en que a María le repitió el acceso; la misma que, sobrecogido, había oído zumbar ya algunas veces sobre mi cabeza al ocultarse el sol.

—¿Cómo? —me replicó María—, ¿no ves que he hecho mal en referirte esto?

—¿Y te figuras tal?

—Si no es que me lo figuro.

—¿Qué soñaste?

—No debo decírtelo.

—¿Ni más tarde?

—¡Ay!, tal vez nunca.

Emma abría ya la puerta del patio.

—Espéranos —le dijo María; oye, que ahora sí es de veras.

Nos reunimos a ella, y las dos anduvieron asidas de las manos lo que nos faltaba para llegar al corredor. Sentíame dominado por un pavor indefinible; tenía miedo de algo, aunque no me era posible adivinar de qué, pero cumpliendo la advertencia de mi padre traté de dominarme y estuve lo más tranquilo que me fue dable, hasta que me retiré a mi cuarto con el pretexto de cambiar mi traje de camino.

XXXV

Al día siguiente, 12 de diciembre, debía verificarse el matrimonio de Tránsito. Después de nuestra llegada se mandó decir a José que estaríamos entre siete y ocho en la parroquia. Habíase resuelto que mi madre, María, Felipe y yo seríamos los del paseo, porque mi hermana debía quedarse arreglando no sé qué regalos, que debían enviarse muy de mañana a la montaña para que los encontrasen allí los novios a su regreso.

Aquella noche, pasada la cena, mi hermana tocaba la guitarra sentada en uno de los sofás del corredor de mi cuarto, y María y yo conversábamos reclinados en el barandaje.

—Tienes —me decía— algo que te molesta y que no puedo adivinar.

—Pero ¿qué puede ser? ¿No me has visto contento? ¿No he estado como esperabas que estaría al volver a tu lado?

—No; has hecho esfuerzos para mostrarte así y, sin embargo, yo he descubierto lo que nunca en ti: que fingías.

—¿Pero contigo?

—Sí.

—Tienes razón; me veo precisado a vivir fingiendo.

—No, señor; yo no digo que siempre, sino esta noche.

—Siempre.

—No; ha sido hoy.

—Va para cuatro meses que vivo engañando...

—¿A mí también?... ¿A mí? ¿Engañarme tú a mí?

Y trataba de verme los ojos para confirmar por ellos lo que temía; mas como yo me riese de su afán, dijo como avergonzada de él.

—Explícame eso.

—Si no tiene explicación.

—Por Dios, por... por lo que más quieras; explícamelo.

—Todo es cierto.

—No es.

—Pero déjame concluir; para vengarme de lo que acabas de pensar, no te lo diré si no me lo ruegas por lo que sabes tú que yo más quiero.

—Yo no sé qué será.

—Pues, entonces, convéncete de que te he engañado.

—No, no; ya voy a decirte: pero ¿cómo te lo puedo decir?

—Piensa.

—Ya pensé —dijo María después de un momento de pausa.

—Di, pues.

—Por lo que quieras más, después de Dios y de tú..., que yo deseo que sea a mí.

—No; así no es.

—¿Y cómo entonces? ¡Ah!, es que lo que dices es cierto.

—Di de otro modo.

—Voy a ver; mas si no quieres esta vez...

—¿Qué?

—Nada; oye: no me mires.

—No te miro.

Entonces se resolvió a decir en voz muy baja:

—Por María que te...

—Ama tanto —concluí yo, tomando entre mis manos las suyas, que con su ademán confirmaban su súplica inocente.

—Dime ya —insistió.

—He estado engañándote, porque no me he atrevido a confesarte cuánto te amo en realidad.

—¡Más todavía! ¿Y por qué no lo has dicho?

—Porque he tenido miedo.

—¿Miedo de qué?

—De que tú me ames menos, menos que yo.

—¿Por eso? Entonces el engañado eres tú.

—Si yo te hubiera dicho...

—¿Y los ojos no dicen esas cosas sin que una quiera?

—¿Lo crees así?

—Porque los tuyos me lo han enseñado.

—Dime ahora la causa por qué has estado de esa manera esta noche.

—¿Has visto al doctor en estos días?

—Sí.

—¿Qué te ha dicho de mí?

—Lo mismo que antes: que no volverás a tener novedad; no hables de eso.

—Una palabra y no más; ¿qué otra cosa ha dicho? El cree que mi enfermedad es la misma de mi madre y acaso tenga razón.

—¡Oh, no; nunca lo ha dicho! ¿Y no estás, pues, buena ya?

—Sí, y a pesar de ello muchas veces..., muchas veces he pensado con horror en ese mal. Pero tengo fe en que Dios me ha oído; ¡le he pedido con tanto fervor que no me vuelva a dar eso!...

—Quizá no tanto como yo.

—Pídele siempre.

—Siempre, María. Mira: sí es cierto que hay una causa para que te haya parecido que me esforzaba esta noche por estar sereno; pero ya ves que me la has hecho olvidar hace largo rato.

Le referí la noticia que habíamos recibido hacía dos días.

—¡Y esa ave negra! —dijo luego que concluí; y volvía con terror la vista hacia mi cuarto.

—¿Cómo puedes preocuparte tanto con una casualidad?

—Lo que soñé esa noche es lo que me preocupa.

—¿Persistes en no contármelo?

—Hoy no; algún día. Conversemos un rato con Emma antes de irte. ¡Es tan buena con nosotros!

A la media hora nos separamos, prometiéndonos madrugar mucho para emprender nuestro viaje a la parroquia.

Antes de las cinco llamó Juan Ángel a mi puerta. Felipe y él hicieron tal ruido en el corredor arreglando monturas y asegurando caballos, que antes de que lo esperaran acudí en su ayuda.

Preparado todo, abrió María la puerta del salón y, presentándome una taza de café de dos que llevaba Estéfana, me dio los buenos días, llamando en seguida a Felipe para que recibiera la otra.

—Hoy sí —dijo éste sonriendo maliciosamente—. ¡Lo que es el miedo!, y el retinto está furioso.

Ella estaba tan hechicera como mis ojos debieron de decírselo: un gracioso sombrero de terciopelo negro, adornado con cintas escocesas, abrochado bajo la barba con otras iguales, que en el ala dejaba ver, medio oculta por el velillo azul, una rosa salpicada aún de rocío que descansaba sobre las gruesas y lucientes trenzas cuyas extremidades ocultaba: arrezagaba con una de las manos la falda negra, que ceñía bajo un corpiño del mismo color un cinturón azul con broche de brillantes, y una ancha capa se le desprendía de los hombros en numerosos pliegues.

—¿En cuál caballo quieres ir? —le pregunté.

—En el retinto.

—Pero eso no puede ser —respondí sorprendido.

—¿Por qué?, ¿temes que me bote?

—Por supuesto.

—Si ya he montado otra vez en él. ¿Acaso soy yo como antes? Pregúntale a Emma si no es verdad que soy más guapa que ella. Verás qué mansito es el retinto conmigo.

—Pero si no permite que se le toque; y haciendo tanto tiempo que no lo montas, puede espantarse con la falda.

—Prometo no mostrarle ni siquiera el fuete.

Felipe, caballero ya en el Chivo, que tal era el nombre de su caballo castaño, lo atosigaba con sus espolines nuevos recorriendo el patio.

Mi madre estaba también apercibida para partir: la coloqué en su rosillo predilecto, único que, según ella, no era una fiera. No estaba yo muy tranquilo cuando hice montar en el retinto a María; ella, antes de saltar de la gradilla al galápago, le acarició el cuello al caballo, inquieto hasta entonces; éste se quedó inmóvil esperando su carga; mordía el freno, atento al más leve ruido del ropaje.

—¿Ves? —me dijo María después de haber montado—; él me conoce; cuando papá lo compró para ti, tenía enferma esta mano y yo hacía que Juan Ángel lo curara bien todas las tardes.

El caballo estornudaba desasosegado otra vez, porque seguramente conocía aquella voz acariciadora.

Partimos, y Juan Ángel nos siguió, conduciendo sobre la cabeza de la silla el lío que contenía los vestidos que necesitaban en el pueblo las señoras.

La cabalgadura de María, ufana con su peso, parecía querer lucir el paso más blando y airoso; sus crines de azabache temblaban sobre el cuello arqueado; y cayendo por medio de las orejas, breves e inquietas, le velaban importunas los brillantes ojos. María iba en él con el mismo aire de natural abandono que cuando descansaba sobre una mullida poltrona.

Después de haber andado algunas cuadras, pareció haberle perdido completamente el miedo al caballo; y notando que yo iba tranquilo por el brío del animal, me decía, de modo que mi madre no alcanzase a oírla:

—Voy a darle un fuetazo, uno sólo.

—Cuidado con hacerlo.

—Es uno solamente, para que veas que nada hace. Tú eres ingrato con el retinto, pues quieres más a ese rucio en que vas.

—Ahora que ése te conoce no será así.

—En éste ibas la noche que fuiste a llamar al doctor.

—¡Ah!, sí; es un excelente animal.

—Y después de todo, no lo estimas en lo que merece.

—Tú menos, pues quieres mortificarlo inútilmente.

—Vas a ver cómo no hace nada.

—Cuidado, cuidado, María. Hazme el favor de darme el fuete.

—Lo dejaremos para después, cuando lleguemos a los llanos.

Y se reía de la zozobra en que tal amenaza me ponía.

—¿Qué es? —preguntó mi madre que iba ya a nuestro lado, pues yo había acortado el paso con tal fin.

—Nada, señora respondió María—: que Efraín va persuadido de que el caballo me va a botar.

—Pero si tú... —empecé a contestarle; y ella, poniéndose disimuladamente el mango del fuetecito sobre los labios en ademán de que callase, me lo entregó en seguida.

—¿Y por qué vas tan valiente hoy? —le preguntó mi madre— La otra vez que montaste en ese caballo le tuviste miedo.

—Y hubo que cambiárselo —agregó Felipe.

—Ustedes me están haciendo quedar malísimamente —contestó María mirándome sonrojada—; el señor estaba convencido ya de que yo era buena equitadora*.

—¿Conque no tienes miedo hoy? —insistió mi madre.

—Sí, tengo —respondióle—, pero no tanto; porque el caballo se ha amansado y como hay quien lo regañe si se alborota...

Cuando llegamos a las pampas, el sol, rasgadas ya las nieblas que entoldaban las montañas a nuestra espalda, envolvía en resplandores metálicos los bosques, que en fajas tortuosas o en grupos aislados interrumpían a distancias la llanura; las linfas de los riachuelos que vadeamos, abrillantadas por aquella luz, corrían a perderse en las sombras y las lejanas revueltas del Zabaletas parecían de plata líquida y orladas por florestas azules.

María dejó entonces caer el velillo sobre su rostro, y al través de la inquieta gasa de color de cielo buscaba algunas veces mis ojos con los suyos, ante los cuales todo el esplendor de la naturaleza que nos rodeaba me era casi indiferente.

Al internarnos en los grandes bosques, atravesada la llanura, hacía largo rato que María y yo guardábamos silencio; solamente Felipe no había interrumpido su charla, haciendo mil preguntas a mi madre sobre cuanto veía.

En un momento en que María estuvo cerca de mí, me dijo:

—¿En qué piensas tanto? Vuelves a estar como anoche, y hace un rato que no era así. ¿Es, pues, tan grande esa desgracia que ha sucedido?

—No pensaba en ella; tú me haces olvidarla.

—¿Es tan irremediable esa pérdida?

---

equitadora. Neologismo poco convincente, de Isaacs; la palabra usual para designar a la mujer que monta a caballo es amazona.

—Tal vez no. En lo que he estado pensando es en la felicidad de Braulio.

—¿En la de él solamente?

—Me es más fácil imaginarme la de Braulio. Él va a ser desde hoy completamente dichoso, y yo voy a ausentarme; yo voy a dejarte por muchos años...

Ella me había escuchado sin mirarme; y levantando al fin los ojos, en los cuales no se había apagado el brillo de felicidad que en aquella mañana los iluminaba respondió alzando el velillo:

—¿Esa pérdida no es, pues, muy grande?

—¿Y por qué insistes en hablar de ella?

—¿No lo adivinas? Solamente yo he pensado así y esto me convence de que no debo confiarte mi pensamiento. Prefiero que no estés contento por haberme visto alegre hoy después de lo que me contaste anoche.

—¿Y esa noticia te causó alegría?

—Tristeza cuando me la diste; pero más tarde ..

—¿Más tarde, qué?

—Pensé de otro modo.

—Lo cual te hizo pasar de la tristeza a la alegría.

—No tanto; pero...

—Estar como estás hoy.

—¿No digo? Yo sabía que no te podía gustar verme así, y no quiero que me creas capaz de una tontería.

—¿A ti? ¿Y te imaginas que eso puede llegar a suceder?

—¿Por qué no? Yo soy una muchacha capaz, como cualquier otra, de no ver las cosas serias como deben verse.

—No, tú no eres así.

—Sí, señor, sí; por lo menos hasta que me disculpe. Pero hablemos un rato con mamá, no sea que extrañe que conversas mucho conmigo, y mientras tanto yo me resolveré a contártelo todo.

Así lo hicimos; mas después de un cuarto de hora, mi caballo y el de María volvieron a apartarse. Salimos de nuevo a la campaña, y ya veíamos blanquear las torrecillas de la parroquia y colorear los techos de las casas en medio de los follajes de los huertos.

—Di, María —le dije entonces.

—Ya ves que estás deseoso tú mismo de disculparme. ¿Y si el motivo que te voy a decir no es suficiente? Mejor hubiera sido no estar contenta; pero como no has querido enseñarme a fingir...

—¿Cómo enseñarte lo que no sé?

—¡Qué buena memoria! ¿Has olvidado lo que me decías anoche? Voy a aprovecharme de esa lección.

—¿Desde hoy?

—Desde ahora no —respondió sonriendo de la misma gravedad que trataba de aparentar—. Oye, pues: yo no he podido prescindir de estar contenta hoy, porque luego que nos separamos anoche pensé que esa pérdida sufrida por papá puede resultar... ¿qué pensaría él de mí si supiera esto?

—Explícate y yo, te diré lo que pensaría.

—Si esa suma que se ha perdido es tanto —se resolvió a decirme entonces, peinando al mismo tiempo con el mango del fuete las crines del caballo—, papá necesitará más de ti...; él consentirá en que lo ayudes desde ahora...

—Sí, sí —le respondí, dominado por su mirada tímida y anhelosa al confesarme lo que tanto recelaba la pudiera mostrar culpable.

—¿Conque es verdad que sí?

—Relevaré a mi padre de la promesa que me tiene hecha de enviarme a Europa a terminar mis estudios: le prometeré luchar a su lado hasta el fin por salvar su crédito y él consentirá; debe consentir... Así no nos separaremos tú y yo nunca..., no nos separarán. Y entonces pronto...

Sin levantar los ojos me significó que sí, y al través de su velillo, con el cual jugaba la brisa, su pudor era el pudor de un ángel.

Cuando hubimos llegado al pueblo, vino Braulio a saludarnos y a decirnos que el cura nos estaba esperando. Mi madre y María se habían cambiado los vestidos, y salimos.

El anciano cura, al vernos acercar* a su casita, situada al lado de la iglesia, nos salió al encuentro, invitándonos a almorzar con él, de lo cual nos excusamos cuan finamente pudimos.

Al empezar la ceremonia, el rostro de Braulio, aunque un tanto pálido, denunciaba su felicidad; Tránsito miraba tenazmente al suelo, y contestó con voz alterada al llegarle el turno; José, colo-

---

al vernos acercar. La construcción correcta es "al ver que nos acercábamos".

cado al lado del cura, empuñaba con mano poco firme uno de los cirios; sus ojos, que pasaban constantemente del rostro del sacerdote al de su hija, si no se podía decir que estaban llorosos, sí que habían llorado.

Al tiempo que el ministro bendecía las manos enlazadas de los novios, Tránsito se atrevió a mirar a su marido; en aquella mirada había amor, humildad e inocencia; era la promesa única que podía hacer al hombre que amaba, después de la que acababa de pronunciar ante Dios.

Oímos todos la misa, y al salir de la iglesia nos dijo Braulio que mientras montábamos saldrían ellos del pueblo, pero no los alcanzaríamos muy lejos.

A la media hora dimos alcance a la linda pareja y a José, quien llevaba por delante la vieja mula rucia en que había conducido, con los regalos para el cura, legumbres para el mercado y la ropa de gala de los muchachos. Tránsito iba ya solamente con su vestido de domingo, y el de novia no le quedaba mejor: sombrerito de jipijapa por debajo del cual caían las trenzas sobre el pañolón negro de guardilla morada; la falda de zaraza rosada, con muchos boleros y ligeramente recogida para librarla del rocío de los gramales, dejaba ver a veces sus lindos pies, y el embozo, al descubrirse, la camisa blanca bordada de seda negra y roja.

Acortamos el paso para ir con ellos un rato y esperar a mi madre. Tránsito iba al lado de María, quitándole del faldón las pelusas que había recogido en los pajonales; hablaba poco y en su porte y rostro se descubría un conjunto tal de modestia, reconocimiento y placer, que es difícil imaginar.

Al despedirnos de ellos, prometiéndoles ir aquella tarde a la montaña, Tránsito sonrió a María con dulzura casi fraternal; ésta retuvo entre las suyas la mano que le ofrecía tímidamente su ahijada, diciéndole:

—Me da mucha pena el pensar que vas a hacer todo el camino a pie.

—¿Por qué señorita?

—¿Señorita?

—Madrina, ¿no?

—Sí, sí.

—Bueno. Nos iremos poco a poco, ¿verdad? —dijo dirigiéndose a los montañeses.

—Sí —respondió Braulio—; y si no te avergüenzas hoy también de apoyarte en mí para subir los repechos, no llegarás tan cansada.

Mi madre que con Felipe nos dio alcance en ese momento, instó a José para que al día siguiente llevase la familia a comer con nosotros, y él quedó comprometido a empeñarse para que así fuese.

La conversación se hizo general durante el regreso, lo que María y yo procuramos para que se distrajese mi madre, la cual se quejaba del cansancio, como siempre que andaba a caballo. Solamente al acercarnos a la casa, me dijo María en voz que sólo yo podía oír:

—¿Vas a decir eso hoy a papá?

—Sí.

—No se lo digas hoy.

—¿Por qué?

—Porque no.

—¿Cuándo quieres que se lo diga?

—Si pasados estos ocho días no te habla nada del viaje, busca ocasión para decírselo. ¿Y sabes cuál será la mejor? Un día después que hayáis trabajado mucho juntos; se le conoce entonces a él que está muy agradecido por lo que le ayudas.

—Pero mientras tanto no podré soportar la impaciencia en que me tendrá el no saber si acepta.

—¿Y si él no conviene?

—¿Lo temes?

—Sí.

—¿Y qué haremos entonces?

—Tú, obedecerle.

—¿Y tú?

—¡Ay!, ¡quién sabe!

—Debes creer que aceptará, María.

—No, no; porque si me engañara, sé que ese engaño me haría un mal muy grande. Pero hazlo todo como te digo así puede ser que nos salga bien.

XXXVI

Habíamos llegado. Extrañé ver cerradas las ventanas del aposento de mi madre. La había ayudado a ella a apearse, y estaba bajando a María, cuando Eloísa salió para recibirnos haciendo señas que no hiciésemos ruido.

—Papá —dijo— se ha vuelto a acostar, porque está enfermo.

Solamente María y yo podíamos suponer la causa, y nuestras miradas se encontraron para decírsela. Ella y mi madre entraron al instante a ver a mi padre; yo las seguí. Como él conoció que nos habíamos preocupado, nos dijo con voz balbuciente por el acceso del frío:

—No es nada: tal vez me levanté sin precaución y me he resfriado.

Tenía las manos y los pies yertos y calenturienta la frente.

A la media hora, María y mi madre se hallaban ya en traje de casa. Se sirvió el almuerzo, pero ellas no asistieron al comedor. Al levantarme de la mesa llegó Emma a decirme que mi padre me llamaba.

La fiebre había tomado incremento. María estaba en pie y recostada contra una de las columnas de la cama; Emma a su lado, y mi madre a la cabecera.

—Apaguen algunas de esas luces —decía mi padre a tiempo que yo entraba.

Sólo una había y estaba en la mesa, que le ocultaban las cortinas.

—Aquí está ya Efraín —le dijo mi madre.

Nos pareció que no había oído. Pasado un momento, dijo como para sí:

—Esto no tiene sino un remedio. ¿Por qué no viene Efraín para despachar de una vez todo?

Le hice notar que estaba presente.

—Bueno —continuó— Tráelas para firmarlas.

Mi madre apoyaba la frente sobre una de las manos. María y Emma trataban de saber, mirándome, si existían realmente tales cartas.

—Así que usted esté más reposado se despachará todo mejor.

—¡Qué hombre, qué hombre! —murmuró; y se quedó en seguida aletargado.

Llamóme mi madre al salón y me dijo:

—Me parece que debemos llamar al doctor. ¿Qué dices?

—Creo que debe llamársele porque aunque la fiebre pase, nada se pierde con hacer que venga; y si...

—No, no —interrumpió ella—; siempre que alguna enfermedad le empieza así, es grave.

Luego que despaché un paje en busca del médico, volví al lado de mi padre, quien me llamaba otra vez.

—¿A qué hora volvieron? —me preguntó.

—Hace más de una hora.

—¿Dónde está tu madre?

—¿Voy a llamarla?

—Que no sepa nada.

—Sí, señor; esté usted tranquilo.

—¿Pusiste esa postdata a la carta?

—Sí, señor.

—¿Sacaste del armario aquella correspondencia y los recibos?

Lo dominaba de seguro la idea de remediar la pérdida que había sufrido. Había oído mi madre este último diálogo y como él pareciese quedarse dormido, me preguntó:

—¿Ha tenido tu padre alguna molestia en estos días? ¿Ha recibido una mala noticia? ¿Qué es lo que no quiere que yo sepa?

—Nada ha sucedido que deba serle ocultado a usted —le respondí fingiendo la mayor naturalidad que me fue posible.

—Entonces, ¿qué significa este delirio? ¿Quién es el hombre de quien parece quejarse?... ¿De qué cartas habla tanto?

—No puedo adivinarlo, señora.

Ella no quedó satisfecha de mis contestaciones, pero yo no debía darle otras.

A las cuatro de la tarde llegó el médico. La fiebre no había cedido y el enfermo continuaba delirando en unos ratos, aletargado en otros. Todos los remedios domésticos que para el supuesto resfriado se le aplicaran habían sido hasta entonces ineficaces.

Habiendo el doctor dispuesto que se preparase un baño de tina y lo necesario para aplicarle a mi padre unas ventosas, fue conmigo a mi cuarto. Mientras confeccionaba una bebida, traté de saber su opinión sobre la enfermedad.

—Es probablemente una fiebre cerebral —me dijo.

—¿Y ese dolor de que se queja en la región del hígado?

—No tiene que hacer con lo otro, pero no es despreciable.

—¿Le parece a usted muy alarmante el mal?

—Así suelen empezar estas fiebres pero si se atacan a tiempo se logra muchas veces vencerlas. ¿Se ha fatigado mucho su padre en estos días?

—Sí, señor; estuvimos hasta ayer en las haciendas de abajo y tuvo mucho que hacer.

—¿Ha tenido alguna contrariedad, algún disgusto serio?

—Creo que debo hablar a usted con la franqueza que exigen las circunstancias. Hace tres días recibió la noticia de que un negocio con cuyo buen éxito necesitaba contar se había desgraciado.

—¿Y le hizo aquello mucha impresión? Discúlpeme usted si le hablo de esta manera; creo indispensable hacerlo. Ocasiones tendrá usted durante sus estudios, y más frecuentemente en la práctica, para convencerse de que existen enfermedades que, residiendo en el espíritu, se disfrazan con los síntomas de otras o se complican con las más conocidas por la ciencia.

—Puede estar usted casi seguro de que esa desgracia de que le he hablado ha sido la causa principal de la enfermedad. Es, sí, indispensable advertir a usted que mi madre ignora lo ocurrido, porque mi padre así lo ha querido para evitarle el pesar que era consiguiente.

—Está bien; ha hecho usted perfectamente en hablarme de ese modo. Esté cierto de que yo sabré utilizarme prudentemente el secreto. ¡Cuánto siento todo eso!... Ahora iremos por camino más conocido. Vamos —agregó, poniéndose en pie y tomando la copa en que había mezclado las drogas—; creo que esto hará muy buen efecto.

Eran ya las dos de la mañana. La fiebre no había cedido un punto. El doctor, después de velar hasta esa hora, se retiró suplicando lo llamásemos si se presentaba algún síntoma alarmante.

La estancia, alumbrada escasamente, estaba en profundo silencio.

Permanecía mi madre en una butaca cerca de la cabecera; por el movimiento de sus labios y por la dirección de sus miradas fijas en un Ecce-Homo* colgado sobre la puerta que daba entrada del salón al aposento, podía conocerse que oraba. Ya por las palabras que del delirio de mi padre había anudado, nada de lo ocurrido se le ocultaba. A los pies de la cama, arrodillada sobre un sofá y medio oculta por las cortinas, procuraba María volver el calor a los pies del enfermo, que se había quejado nuevamente de frío. Acerquéme a ella para decirle muy quedo:

—Retírate a descansar un rato...

—¿Por qué? —me respondió levantando la cabeza, cuya frente tenía apoyada en uno de los brazos; cabeza tan bella en el desaliño de la velada como cuando estaba adornada lindamente en el paseo de la mañana anterior.

—Porque te hará mal pasar toda la noche en vela.

—No lo creas. ¿Qué hora es?

—Van a dar las tres.

—Yo no estoy cansada; pronto amanecerá; duerme tú mientras tanto, y si fuere necesario te haré llamar.

—¿Cómo están los pies?

—¡Ay, muy fríos!...

—Deja que te reemplace ahí algún rato y después me retiraré.

—Está bien —respondió, levantándose con tiento para no hacer el menor ruido.

Me entregó el cepillo, sonriendo al enseñarme cómo debía tomarlo para frotar las plantas de los pies. Luego que estuve instalado me dijo:

—No es más que por un momento, mientras voy a ver qué tiene Juan y vuelvo.

El chiquito se había despertado y la llamaba, extrañando no verla cerca. Se oyó después la voz acallada de María que decía ternezas a Juan para lograr que no se levantase, y el ruido de los besos con que lo acariciaba. No tardó el reloj en dar las tres: María tornó a reclamarme su asiento.

Ecce-Homo. Imagen de Jesucristo como lo presentó Pilato al pueblo. El nombre de dicha imagen (del latín *ecce*, "he aquí", y *homo*, "hombre") proviene de las palabras con que Pilato presentó a Jesús al pueblo después de haber sido azotado en la columna: "Salió, pues, Jesús fuera con la corona de espinas y el manto de púrpura, y Pilato les dijo: Ahí tenéis al hombre". (San Juan, Cap. 19, vers. 5.)

—¿Es tiempo de la bebida? —le pregunté.

—Creo que sí.

—Pregúntale a mi madre.

Llevando ésta la poción y yo la luz, nos acercamos al lecho. A nuestro llamamiento abrió mi padre los ojos, notablemente inyectados, y procuró hacerles sombra con una mano, molestado por la luz. Se le instó para que tomase la bebida. Incorporóse, volviendo a quejarse de dolor en el costado derecho, y después de examinar con mirada incierta cuanto le rodeaba dijo algunas palabras, entre las cuales se oyó "sed".

—Esto la calmará —le observó mi madre presentándole el vaso.

Él se dejó caer sobre las almohadas, diciendo al llevar ambas manos al cerebro:

—¡Aquí!

Procuramos que de nuevo hiciera un esfuerzo para levantarse, pero inútilmente.

El semblante de mi madre dejaba conocer lo que aquella postración la acobardaba.

Sentándose María al borde de la cama y apoyada en las almohadas, dijo al enfermo con voz más cariñosa:

—Papá, procure levantarse para tomar esto; yo voy a ayudarle.

—Veamos, hija —contestó con voz débil.

Ella consiguió recostarlo en su pecho, mientras lo sostenía por la espalda con el brazo izquierdo. Las negras trenzas de María sombrearon aquella cabeza cana y venerable a que tan tiernamente ofrecía ella su seno por cojín.

Una vez tomada la poción, mi madre me entregó el vaso y María volvió a colocar suavemente a mi padre sobre las almohadas.

—¡Ay, Jesús! ¡Cómo se ha postrado! —me dijo ésta en voz muy baja, luego que estuvimos cerca de la mesa donde colocaba ella la luz.

—Esa bebida es narcótica —le indiqué por tranquilizarla.

—Pero el delirio no es constante ya. ¿Qué te ha dicho el doctor?

—Que es necesario esperar un poco para hacer remedios más enérgicos.

—Vete a acostarte, que con nosotras hay bastante ya; oye: son las tres y media. Yo despertaré a Emma para que me acompañe y tú conseguirás que mamá descanse también un rato.

—Te has puesto pálida; esto va a hacerte muchísimo daño.

Ella estaba frente al espejo del tocador de mi madre y se miró en él pasándose las manos por las sienes para medio arreglarse los cabellos al responderme:

—No tanto; verás como nada se me nota.

—Si descansas un rato ahora, puede ser; te haré llamar cuando sea de día.

Conseguí que las tres me dejaran solo y me senté a la cabecera. El sueño del enfermo continuó intranquilo y a veces se le percibían palabras mal articuladas del delirio.

Durante una hora desfilaron en mi imaginación todos los cuadros horrorosos que vendrían en pos de una desgracia, en la cual no podía detenerme a pensar sin que se contrajera mi corazón dolorosamente.

Empezaba a amanecer: algunas líneas luminosas entraban por las rendijas de las puertas y ventanas; la luz de la lámpara fue haciéndose más y más pálida; se oían ya los cantos de los colíes y los de las aves domésticas.

Entró el doctor.

—¿Lo han llamado a usted? —le pregunté.

—No; es que necesito estar aquí ahora. ¿Cómo ha continuado?

Le indiqué lo que había yo observado y le tomó el pulso mirando al mismo tiempo su cronómetro.

—Absolutamente nada —dijo como para sí—. ¿La bebida? —añadió.

—La ha tomado una vez más.

—Démosle otra toma; y para no incomodarlo de nuevo, le pondremos ahora los cáusticos.

Hicímoslo todo ayudados por Emma.

El médico estaba visiblemente preocupado.

XXXVII

Después de tres días la fiebre resistía aún a todos los esfuerzos del médico para combatirla; los síntomas eran tan alarmantes que ni a él mismo le era posible ocultar en ciertos momentos la angustia que lo dominaba.

Eran las doce de la noche. El doctor me llamó disimuladamente al salón para decirme:

—Usted no desconoce el peligro en que se halla su padre; no me queda ya otra esperanza que la que tengo en los efectos de una copiosa sangría que voy a darle, para lo cual está preparado convenientemente. Si ella y los medicamentos que ha tomado esta tarde no producen de aquí al amanecer una excitación y un delirio creciente, es difícil conseguir ya una crisis. Es tiempo de manifestar a usted —continuó después de alguna pausa— que si al venir el día no se hubiere presentado esa crisis, nada me resta por hacer. Por ahora haga usted que la señora se retire, porque, suceda o no lo que deseo, ella no debe estar en la habitación; es más de medianoche y ése es un pretexto para suplicarle que tome algún descanso. Si usted lo juzga conveniente, ruegue también a las señoritas que nos dejen solos.

Le observé que estaba seguro de que ellas se resistirían y que, dado el caso que se consiguiera, aquello podía desconsolar más a mi madre.

—Veo que usted se hace cargo de lo que está pasando sin perder el valor que el caso requiere —me dijo, examinando escrupulosamente a la luz de la bujía inmediata las lancetas de su estuche de bolsillo—. No hay que desesperar todavía.

Salimos del salón para ir a poner en obra lo que él estimaba como único recurso.

Mi padre estaba dominado por el mismo sopor; durante el día y lo que había corrido de la noche no había cesado el delirio. Su inmovilidad tenía algo de la que sucede al agotamiento de las últimas fuerzas. Casi sordo a todo llamamiento, solamente los ojos, que abría con dificultad algunas veces, dejaban conocer que oía, y su respiración era anhelosa.

Mi madre sollozaba sentada a la cabecera de la cama, apoyada la frente en los almohadones y teniendo entre las manos una de las de mi padre. Emma y María, ayudadas por Luisa, que aquella noche había venido a reemplazar a sus hijas, preparaban los útiles para el baño en que se iba a dar la sangría.

Mayn pidió la luz; María la acercó a la cama. Por el rostro le rodaban, como a su pesar, algunas lágrimas, mientras el médico estuvo haciendo el examen que deseaba.

A la hora, terminado ya todo lo que el doctor estimaba como extremo recurso, nos dijo:

—Cuando el reloj dé las dos y media debo estar aquí; pero si me vence el sueño, que me llamen.

Señalando en seguida al enfermo, añadió:

—Se le debe dejar en completa calma.

Y se retiró después de haber dicho casi risueño alguna chanza a las muchachas sobre la necesidad que tienen los viejos de dormir a tiempo, jovialidad digna de agradecérsele, puesto que no tenía más objeto que tranquilizarlas.

Mi madre volvió a ver si lo que durante una hora se había estado haciendo producía algún efecto consolador, pero logramos convencerla de que el doctor estaba lleno de esperanzas para el día siguiente, y abrumada por el cansancio se durmió en el departamento de Emma, donde quedó Luisa haciéndole compañía.

Dio las dos el reloj.

María y Emma sabían ya que el doctor deseaba la manifestación de ciertos síntomas y espiaron largo tiempo con anhelosa curiosidad el sueño de mi padre; pero el enfermo parecía más tranquilo; había pedido una vez agua, aunque con voz muy débil, bastante inteligible, lo cual les había hecho concebir esperanzas de que la sangría produjera buenos resultados.

Emma después de inútiles esfuerzos para evitarlo, se había dormido en la poltrona que estaba en la cabecera de la cama. María, reclinada al principio en uno de los brazos del pequeño sofá que ocupábamos, había dejado caer sobre éste, rendida al fin, la cabeza, cuyo perfil resaltaba en el damasco color de púrpura de los almohadones y, habiéndosele desembozado el pañolón de seda que llevaba, negreaba rodado sobre el nevado linón de la falda, que con los boleros ajados parecía, a favor de la sombra, formada de espumas. En medio del silencio que nos rodeaba se percibía su respiración, suave como la de un niño que se ha dormido en nuestros brazos.

Sonaron las tres. El ruido del reloj hizo hacer un ligero movimiento a María como para incorporarse; pero fue más poderoso otra vez el sueño que su voluntad. Hundida la cintura en el ropaje que de ella descendía a la alfombra, quedaba visible un pie casi infantil, calzado con una chinela roja, salpicada de lentejuelas.

La contemplaba yo poseído de una ternura inmensa, y mis ojos vueltos algunas veces hacia el lecho de mi padre, tornaban a buscarla, porque mi alma estaba allí, acariciando su frente, escuchando los latidos de su corazón, esperando oír a cada instante algunas palabras que me revelasen alguno de sus sueños, porque sus labios parecían como que intentaban balbucirlas.

Un quejido doloroso del enfermo interrumpió aquel enajenamiento aliviador de mi espíritu; y la realidad reapareció tan espantosa como era.

Acerquéme al lecho; mi padre, que se apoyaba en uno de sus brazos, me miró con tenaz fijeza, diciéndome:

—Acércame la ropa, que es muy tarde ya.

—Es de noche, señor —le respondí.

—¿Cómo de noche? Quiero levantarme.

—Es imposible —le observé suavemente—; ¿no ve usted que eso le causaría mucho daño?

Dejó caer otra vez la cabeza en los almohadones y pronunció en voz baja palabras que yo no entendí, mientras movía las manos pálidas y enflaquecidas cual si estuviese haciendo una cuenta. Viéndole que buscaba algo a su lado le presenté mi pañuelo.

—Gracias —me dijo, cual si hablase con un extraño; y después de enjugarse los labios con él, buscó sobre la colcha que lo cubría un bolsillo para guardarlo.

Volvió a quedarse dormido algunos momentos. Me había acercado a la mesa para saber la hora en que el delirio había empezado, cuando él, sentado en la cama y descorriendo las cortinas que le ocultaban la luz, dejó ver la cabeza lívida y de asombrada mirada, diciéndome:

—¿Quién está ahí? ¡Hola! ¡Hola!

Sobrecogido de cierto espanto invencible, a pesar de lo que prometía aquel delirio tan semejante a la locura, procuré reducirlo a que se recostara. Clavando en mí una mirada casi terrible, preguntó:

—¿No estuvo él aquí? En ese momento se ha levantado de esa silla.

—¿Quién?

Pronunció el nombre que yo me temía.

Pasado un cuarto de hora, incorporóse otra vez diciéndome con voz más vigorosa ya:

—No le permitan que entre; que me espere. A ver la ropa.

Le supliqué que no insistiera en levantarse, pero en tono imperativo replicó:

—¡Oh, qué necedad!... ¡La ropa!

Se me ocurrió que María, que había ejercido sobre él en momentos semejantes tan poderosa influencia, podría ayudarme; mas no me resolví a separarme del lecho, temeroso de que mi padre se levantase. El estado de debilidad real en que se hallaba le impedía permanecer mucho tiempo sentado y volvió a reclinarse aparentemente tranquilo. Entonces me acerqué a María y, tomándole la mano que le pendía sobre la falda, la llamé muy quedo. Ella, sin apartar su mano de la mía, se incorporó sin abrir los ojos; mas luego que me vio se apresuró a cubrirse los hombros con el pañolón, y poniéndose en pie me dijo:

—¿Qué se necesita? ¡Ah!

—Es —le respondí— que el delirio ha empezado y deseo que me acompañes por si el acceso es muy fuerte.

—¿Cuánto tiempo hace?

—Va para una hora.

Ella se acercó al lecho casi contenta por la buena noticia que yo le daba y alejándose en puntillas de él vino a decirme:

—Pero está dormido otra vez.

—Ya verás que eso dura poco.

—¿Y por qué no me has despertado antes?

—Dormías tan profundamente que me dio pena hacerlo.

—¿Y Emma también? Ella tiene la culpa de que me haya dormido yo. —Se acercó a Emma y me dijo—: Mira qué linda está. ¡Pobre! ¿La llamamos?

—Ya ves —le contesté— que da lástima despertar a quien duerme así.

Tomó el labio inferior de mi hermana, y cogiéndole después con ambas manos la cabeza, la llamó, inclinándose hasta que se tocaron sus frentes. Emma despertó casi asustada; pero sonriendo al punto, tomó en las suyas las manos con que María le acariciaba las sienes.

Mi padre acababa de sentarse con más facilidad de la que hasta entonces había tenido. Permaneció unos momentos silencioso y como espiando los ángulos oscuros del aposento.

Las muchachas lo miraban aterradas.

—Voy allá —prorrumpió él al fin—; voy al instante.

Buscó algo sobre la cama y, dirigiéndose de nuevo a quien creía lo esperaba, añadió:

—Perdone usted que lo haga esperar un instante.

Y dirigiéndose a mí:

—Mi ropa... ¿Qué es esto?... La ropa.

María y Emma permanecían inmóviles.

—Es que no está aquí —le respondí—; han ido a traerla.

—¿Para qué se la han llevado?

—La habrán ido a cambiar por otra.

—Pero ¿qué demora es ésta? —dijo, enjugándose el sudor de la frente—. ¿Los caballos están listos? —continuó.

—Sí, señor.

—Vaya y diga a Efraín que lo espero para que montemos antes de que se haga tarde. ¡Muévase, hombre!... Juan Ángel, café. No, no..., esto es intolerable.

Y se acercaba al borde de la cama para saltar al suelo; María aproximóse a él, diciéndole:

—No, papá; no haga eso.

—¿Que no qué? —le respondió con aspereza.

—Que si se levanta se impacientará el doctor, porque le hará a usted mal.

—¿Qué doctor?

—Pues el médico que ha venido a verlo, porque usted está enfermo.

—¡Yo estoy bueno!, ¿oyes?, bueno, y quiero levantarme. Ese niño, ¿dónde está que no aparece?

—Es necesario que yo llame a Mayn —dije al oído a María.

—No, no —me contestó, deteniéndome de una mano y ocultando con su cuerpo aquel ademán a mi padre.

—Pero si es indispensable...

—Es que no debes dejarnos solas. Dile a Emma que vaya a despertar a Luisa para que lo llame.

Lo hice así y Emma salió.

Mi padre insistía, irritado ya, en levantarse. Hube de alcanzarle la ropa que pedía y me resolví a ayudarle a vestirse, corriendo antes las cortinas. Saltó de la cama inmediatamente que se creyó vestido. Estaba lívido, contraído el ceño, agitábale los labios un temblor constante, cual si estuviese poseído de ira, y sus ojos tenían un brillo siniestro al girar en las órbitas buscando por todas partes algo. El pie sangrado le impedía andar bien, a pesar de que había aceptado mi brazo para apoyarse. María, en pie, las manos cruzadas sobre la falda y dejando conocer en su rostro el afán y el dolor que le angustiaban, no se atrevía a dar un paso hacia nosotros.

—Abre esa puerta —dijo mi padre, acercándose a la que conducía al oratorio.

Lo obedecí. El oratorio estaba sin luz. María se apresuró a precedernos con una y, colocándola cerca de aquella bella imagen de la Virgen que tanto se le parecía, pronunció palabras que no oí y sus ojos suplicantes se fijaron arrasados de lágrimas en el rostro de la imagen. Mi padre se detuvo en el umbral. Su mirada se hizo más tranquila y se apoyó con mayor fuerza en mi brazo.

—¿Desea usted sentarse? —le pregunté.

—Sí..., bueno..., vamos —respondió con voz casi suave.

Lo había vuelto yo a acomodar en la cama cuando entró el doctor; se le refirió lo que le había pasado y se mostró contento después de pulsarle.

A la media hora, acercándose Mayn otra vez a examinar al enfermo, que dormía profundamente, preparó una bebida y entregándosela a María le dijo:

—Usted va a darle esto, instándole para que lo tome con esa dulzurita que tenemos.

Ella tomó la copa con cierto temor y nos acercamos a la cama llevando yo la luz. El doctor se ocultó detrás de las cortinas para observar al enfermo sin ser visto.

María llamó a mi padre con su más suave acento. Él, luego que despertó, se llevó la mano al costado, quejándose al mismo tiempo; y fijándose en María que le instaba para que tomase la poción, le dijo:

—Por cucharadas; no puedo levantarme.

Ella empezó a darle así la bebida.

—¿Está dulce? —le preguntó.

—Sí, pero basta con eso ya.

—¿Tiene mucho sueño?

—Sí. ¿Qué hora es?

—Va a amanecer.

—¿Tu mamá?

—Descansando un rato. Tome unas cucharadas más de esto y dormirá muy bien después.

Él significó con la cabeza que no. María buscó los ojos del médico para consultarle y él le hizo seña para que le diera más de la bebida. El enfermo se resistía, y ella le dijo, haciendo ademán de que probaba el contenido de la copa:

—¡Si es muy agradable!... Otra cucharada; otra, y no más.

Los labios de mi padre se contrajeron intentando sonreír y recibieron el líquido. María se los enjugó con su pañuelo, diciéndole con la misma ternura con que solía despedirse de Juan después de dejarlo acostado:

—Bueno, pues ahora a dormir mucho.

Y corrió las cortinas.

—Con una enfermera como usted —le observó el doctor a tiempo que ella colocaba la luz sobre la mesa—, no se moriría ninguno de mis enfermos.

—¿Es decir que ya...? —le interrumpió ella.

—Respondo de todo.

XXXVIII

Pasados diez días mi padre estaba convaleciente y la alegría había vuelto a nuestra casa. Cuando una enfermedad nos ha hecho temer la pérdida de una persona amada, aquel temor aviva nuestros más dulces afectos hacia ella, y hay en los cuidados que le prodigamos, alejado ya el peligro, una ternura capaz de desarmar a la muerte misma.

Había recomendado el médico que se procurase al espíritu del enfermo la mayor tranquilidad posible. Se evitaba cuidadosamente hablarle de negocios. Luego que pudo levantarse, le instamos a que eligiera un libro para leerle en algunos ratos, y escogió el Diario de

Napoleón* en Santa Elena*, lectura que siempre lo conmovía hondamente.

Reunidos en el costurero de mi madre, nos turnábamos para leerle Emma, María y yo; y si lo notábamos alguna vez dominado por la tristeza, Emma tocaba la guitarra para distraerlo. Otras veces solía él hablarnos de los días de su niñez, de sus padres y hermanos, o nos refería con entusiasmo los viajes que había hecho en su primera juventud. En ocasiones se chanceaba con mi madre criticando las costumbres del Chocó*, por reír al oírla hacer la defensa de su tierra natal.

—¿Cuántos años tenía yo cuando nos casamos? —le preguntó una vez, después de haber hablado de los primeros días de su matrimonio y de un incendio que los dejó completamente arruinados a los dos meses de verificado aquél.

—Veintiuno —respondió ella.

—No, hija: tenía veinte. Yo engañé a la señora (así llamaba a su suegra), temeroso de que me creyera muy muchacho. Como las mujeres, cuando sus maridos empiezan a envejecer, nunca recuerdan bien los años que ellos tienen, fácil me ha sido luego rectificar la cuenta.

—¿Veinte años no más? —preguntó Emma admirada.

—Ya lo oyes —respondió la madre.

—¿Y usted cuántos, mamá? —preguntó María.

—Yo tenía dieciséis; un año más de los que tienes tú.

—Pero dile que te cuente —dijo mi padre— la importancia que se daba para conmigo desde que tuvo quince, que fue entonces cuando yo resolví casarme con ella y hacerme cristiano.

—A ver, mamá —dijo María.

—Pregúntale a él primero —respondió mi madre—, a qué se

Diario de Napoleón. Memorias que Bonaparte redactó durante su destierro en la isla de Santa Elena, desde 1815 hasta su muerte (1821).

Santa Elena. Isla del Atlántico Sur, de origen volcánico; se eleva, en el sudoeste, hasta 825 metros. Fue descubierta por el portugués João de Novoa, en 1502, y pasó a poder de Inglaterra en 1650.

Chocó. Departamento de Colombia. Se divide en dos provincias: Quibdó e Istmina. Lo atraviesa el río Atrato. Su capital es Quibdó.

resolvió por eso que él llama la importancia que para con él me daba.

Todos nos volvimos hacia mi padre, y él dijo:

—A casarme.

Interrumpió aquella conversación la llegada de Juan Ángel que venía del pueblo trayendo la correspondencia. Entregó algunos periódicos y dos cartas, ambas firmadas por el señor A..., y una de ellas de fecha bastante atrasada.

Luego que vi las firmas se las pasé a mi padre.

—¡Ah, sí! —dijo, devolviéndomelas—; esperaba cartas de él.

La primera se reducía a anunciar que no podría emprender su viaje a Europa sino pasados cuatro meses, lo cual avisaba para que no se precipitasen los preparativos del mío. No me atreví a dirigir una sola mirada a María, temeroso de provocar una emoción mayor que la que me dominaba; pero vino en mi ayuda la reflexión que hice instantáneamente de que si mi viaje no se frustraba, me quedaban aún más de tres meses de felicidad. María estaba pálida y pretextaba buscar algo en su cajita de costura, que tenía sobre las rodillas. Mi padre, completamente tranquilo, esperó a que yo concluyese la lectura de la primera carta para decir:

—¡Qué se va a hacer!... Veamos la otra.

Leí los primeros renglones, y comprendiendo que iba a serme imposible disimular mi turbación, me acerqué a la ventana como para ver mejor y poder dar así la espalda a los que me oían. La carta decía literalmente esto, en su parte sustancial:

"Hace quince días que escribí a usted avisándole que me veía precisado a retardar por cuatro meses más mi viaje; pero habiéndose allanado cuando y como yo no lo esperaba los inconvenientes que se me habían presentado, me apresuro a dirigirle esta carta con el objeto de anunciarle que el día 30 del próximo enero estaré en Cali*, donde espero encontrar a Efraín para que nos pongamos en marcha hacia el puerto el 2 de febrero.

"Aunque tuve el pesar de saber que una grave enfermedad lo había tenido a usted en cama, poco después recibí la agradable

---

Cali. Santiago de Cali. Fue fundada el 25 de julio de 1536 por el capitán Miguel López Muñoz, por orden del Adelantado Sebastián Moyano de Belalcázar. Ciudad y municipio de Colombia, capital del departamento del Valle del Cauca y de la provincia de su nombre.

noticia de que ya estaba fuera de peligro. Doy a usted y a su familia la enhorabuena por el pronto restablecimiento de su salud.

"Espero, pues, que no habrá inconveniente alguno para que usted me proporcione el placer de llevar la grata compañía de Efraín, por quien, como usted sabe, he tenido siempre tan particular cariño. Sírvase mostrarle esta parte de mi carta."

Cuando volví a buscar mi asiento, encontré las miradas de mi padre fijas en mí. María y mi hermana salían en aquel momento del salón y ocupé la butaca que la primera acababa de dejar, por estar este asiento más a la sombra.

—¿Cuántos tenemos hoy? —preguntó mi padre.

—Veintiséis —le respondí.

—Nos queda solamente un mes; es necesario no dormirse.

Había en el acento con que pronunció aquellas palabras y en su semblante, toda la tranquilidad que revela una resolución inmutable.

Un paje entró a avisarme que estaba listo el caballo que una hora antes le había mandado preparar.

—Cuando vuelvas de tu paseo —díjome mi padre— contestaremos a esa carta, la cual llevarás tú mismo al pueblo, puesto que mañana debías de todos modos dar una vuelta a las haciendas.

—No me demoraré —dije, saliendo.

Necesitaba disimular lo que sufría; llamar en la soledad aquella dulce esperanza que me había halagado para dejarme luego solo ante la realidad del temido viaje; necesitaba llorar a solas para que María no viera mis lágrimas... ¡Ah, si ella hubiese podido saber cuántas brotaban de mi corazón en aquel instante, tampoco habría esperado ya!

Descendí a las anchas vegas del río, donde acercándose a las llanuras es menos impetuoso: formando majestuosas curvas, pasa al principio por en medio de colinas pulcramente alfombradas, de las que ruedan a unírsele torrentes espumosos; y sigue luego acariciando los follajes de los carboneros y guayabales de la orilla, se oculta después bajo las últimas cintas montañosas, donde parece darle en murmullos sus últimos adioses a la soledad; y al fin piérdese a lo lejos, muy lejos, en la pampa azul, donde en aquel momento el sol, al esconderse, tornasolaba de púrpura y oro su raudal undoso.

Cuando regresé ascendiendo por los tortuosos senderos de la ribera, la noche estaba engalanada ya con todos los esplendores del estío. Las espumas del río tenían una blancura brillante, y las ondas mecían los cañaverales como diciendo secretos a las auras que venían a peinarles los plumajes. Los no sombreados remansos del río reflejaban en su fondo, temblorosas, las estrellas; y donde los ramajes de la selva de una y otra orilla se enlazaban formando pabellones misteriosos, el fondo sombrío reflejaba la luz fosfórica de las luciérnagas errantes. Sólo el zumbido de los insectos nocturnos turbaba aquel silencio de los bosques soñolientos; pero de tiempo en tiempo el bujío, guardián celoso de las espesuras, revoloteaba a mi alrededor, haciéndome oír su silbido siniestro.

La casa, aunque iluminada ya, estaba silenciosa cuando entregué en la escalera mi caballo a Juan Ángel.

Me esperaba mi padre paseándose en el salón; la familia se hallaba reunida en el oratorio.

—Has tardado —me dijo mi padre—; ¿quieres que escribamos esas cartas?

—Quisiera que antes habláramos algo sobre mi viaje.

—A ver —me contestó sentándose en un sofá.

Yo permanecí en pie cerca de una mesa y dando la espalda a la bujía que no alumbraba.

—Después de la desgracia ocurrida —le dije—; después de esa pérdida cuyo valor puedo avaluar, estimo indispensable manifestar a usted que no lo creo obligado a hacer el sacrificio que le exige complementar mi educación. Antes de que los intereses de la casa sufrieran ese desfalco, indiqué a usted que me sería muy satisfactorio en adelante ayudarle en sus trabajos, y a su negativa de entonces nada pude replicar. Hoy las circunstancias son muy distintas: todo me hace esperar que usted aceptará mi ofrecimiento, y yo renuncio gustoso al bien que usted quiere hacerme enviándome a concluir mi carrera, porque es un deber mío relevar a usted de esa especie de compromiso que para conmigo tiene contraído.

—Todo eso —me respondió— está hasta cierto punto juiciosamente pensado. Aunque haya motivos para que hoy más que antes te sea sea temible ese viaje, no puedo dejar de conocer, a pesar de todo, que te dominan al hablar así nobles sentimientos. Pero debo advertirte que mi resolución es irrevocable. Los gastos que el resto de tu educación me cause, en nada empeorarán mi situación, y una vez concluida tu carrera, la familia cosechará abundante fruto de la semilla que voy a sembrar. Por lo demás —añadió después de una corta pausa durante la cual volvió a pasearse por el salón—, creo que tienes el noble orgullo necesario para no pretender cortar lastimosamente lo que tan bien has empezado.

—Haré cuanto esté a mi alcance —le contesté completamente desesperanzado ya—; haré cuanto pueda para corresponder a lo que usted espera de mí.

—Así debe ser. Vete tranquilo. Estoy seguro de que a tu regreso ya habré conseguido llevar a cabo con fortuna los proyectos que tengo para pagar lo que debo. Tu posición será, pues, muy buena dentro de cuatro años, y María será entonces tu esposa.

Permaneció silencioso otra vez por algunos momentos y deteniéndose al fin delante de mí, dijo:

—Vamos, pues, a escribir; trae aquí lo necesario, no sea que me haga mal salir al escritorio.

Había acabado de dictarme una larga y afectuosa carta para el señor A..., y quiso que mi madre, que se presentó en ese momento en el salón, la oyera leer. Esto era en el fondo lo que leía yo, a tiempo que María entró trayendo el servicio de té para mi padre, ayudada por Estéfana:

"Efraín estará listo para marchar a Cali el 30 de enero; lo encontrará usted allí, y podrán seguir para Buenaventura* el 2 de febrero, como usted desea".

Seguían las fórmulas de estilo.

María, a quien daba yo la espalda, puso sobre la mesa y al alcance de mi padre el plato y la taza que llevaba. Quedó al hacerlo iluminada de lleno por la luz de la mesa: estaba casi lívida; al recibir la tetera que le presentaba Estéfana, se apoyó con la mano izquierda en el espaldar de la silla que yo ocupaba, y tuvo que sentarse en el sofá inmediato mientras mi padre se servía el azúcar. Él le presentó la taza, y ella se puso en pie para llenarla; pero le temblaba la mano de tal manera, que, viendo mi padre que el té se derramaba, miró a María, diciéndole:

Buenaventura. Ciudad de Colombia y principal puerto en el Pacífico. Capital de la provincia de su nombre. Está situada en una isla, en la desembocadura del río Dagua.

—Basta…, basta, hija.

No se le ocultaba a él la causa de aquella turbación.

Siguiendo a María con la mirada mientras ella se dirigía presurosamente al comedor y fijándola después en mi madre, le hizo esta pregunta, que sus labios no tenían necesidad de pronunciar:

—¿Ves esto?

Todos quedamos en silencio, y a poco salí yo con pretexto de llevar al escritorio los útiles que había traído.

XXXIX

A las ocho sonó la campanilla del comedor; pero no me consideré con la serenidad necesaria para estar cerca de María después de lo ocurrido.

Mi madre llamó a la puerta de mi cuarto.

—¿Es posible —me dijo cuando hubo entrado— que te dejes dominar así por este pesar? ¿No podrás, pues, hacerte tan fuerte como otras veces has podido? Así ha de ser; no sólo porque tu padre se disgustará, sino porque eres el llamado a darle ánimo a María.

En su voz había, al hablarme así, un dulce acento de reconvención, hermanado con el más musical de la ternura.

Continuó haciéndome la relación de todas las ventajas que iba a reportarme aquel viaje, sin ocultarme los dolores por los cuales tendría que pasar, y terminó diciéndome:

—Yo, en estos cuatro años que no estarás a mi lado, veré en María, no solamente una hija querida, sino a la mujer destinada a hacerte feliz y que tanto ha sabido merecer el amor que le tienes; le hablaré constantemente de ti y procuraré hacerle esperar tu regreso como premio de tu obediencia y de la suya.

Levanté entonces la cabeza que sostenía con mis manos sobre la mesa, y nuestros ojos, arrasados de lágrimas, se buscaron y se prometieron lo que los labios no saben decir.

—Ve, pues, al comedor —me dijo antes de salir—, y disimula cuanto te sea posible. Tu padre y yo hemos estado hablando mucho respecto de ti, y es muy posible que se resuelva a hacer lo que puede servirte ya de mayor consuelo.

Solamente Emma y María estaban en el comedor. Siempre que mi padre dejaba de ir a la mesa, yo ocupaba la cabecera. Sentadas a uno y otro lado de ella me esperaban las dos, y se pasó algún espacio sin que hablásemos. Sus fisonomías, ambas tan bellas, denunciaban mayor pena que hubieran podido expresar; pero estaba menos pálida la de mi hermana, y sus miradas no tenían aquella brillante languidez de ojos hermosos que han llorado. Ésta me dijo:

—¿Vas por fin mañana a la hacienda?

—Sí, pero no me estaré allí sino dos días.

—Llevarás a Juan Ángel para que vea a su madre, pues tal vez se haya ella empeorado.

—Lo llevaré. Higinio escribe que Feliciana está peor, y que el doctor Mayn, que le había estado recetando, ha dejado de hacerlo desde ayer, por haber seguido a Cali donde se le llamaba con urgencia.

—Dile a Feliciana muchas cosas afectuosas en nuestro nombre —me dijo María—; que si sigue enferma, le suplicaremos a mamá que nos lleve a verla.

Emma volvió a interrumpir el silencio que había seguido al diálogo anterior, para decirme:

—Tránsito, Lucía y Braulio estuvieron aquí esta tarde, y sintieron mucho no encontrarte; te dejaron muchos saludos. Nosotros habíamos pensado ir a verlos el domingo próximo; ¡se han portado tan finamente durante la enfermedad de papá!

—Iremos el lunes, que ya estaré yo aquí —le repuse.

—¡Si hubieras visto lo que se entristecieron cuando les hablé de tu viaje a Europa!

María me ocultó el rostro volviéndose como a buscar algo en la mesa inmediata, mas ya había visto yo brillar las lágrimas que ella intentaba ocultarnos.

Estéfana vino en aquel momento a decirle que mi madre la llamaba.

Paseábame en el comedor con la esperanza de poder hablar a María antes de que se retirase. Emma me dirigía algunas veces la palabra como para distraerme de las penosas reflexiones que conocía me estaban atormentando.

La noche continuaba serena: los rosales estaban inmóviles; en las copas de los árboles cercanos no se percibía un susurro, y solamente los sollozos del río turbaban aquella calma y silencio imponentes. Sobre los ropajes turquíes de las montañas blanqueaban algunas nubes desgarradas, como chales de gasa nívea que el viento hiciese ondear sobre la falda azul de una odalisca, y la bóveda diáfana del cielo se arqueaba sobre aquellas cumbres sin nombre, semejantes a una urna convexa de cristal azulado incrustada de diamantes.

María tardaba ya. Mi madre se acercó a indicarme que pasara al salón; me supuse que deseaba aliviarme con sus dulces promesas.

Sentado mi padre en un sofá, tenía a su lado a María, cuyos ojos no se levantaron para verme. Él me señaló el lugar desocupado que había cerca de ella. Mi madre se colocó en una butaca inmediata a la que ocupaba mi padre.

—Bien, hija mía —dijo éste a María, la cual, con los ojos bajos aún, jugaba con la peinetilla de sus cabellos—; ¿quieres que repita la pregunta que te hice cuando tu mamá salió para que me respondas delante de Efraín?

Mi padre sonreía, y ella meneó lentamente la cabeza en señal negativa.

—¿Y entonces?, ¿cómo haremos? —insistió él.

María se atrevió a mirarme un instante, y esa mirada me lo reveló todo: ¡aún no habían pasado todos nuestros días de felicidad!

—¿No es cierto —volvió a preguntarle mi padre— que prometes a Efraín ser su esposa cuando él regrese de Europa?

Ella volvió, después de unos momentos de silencio, a buscar mis ojos con los suyos, y ocultándome de nuevo sus miradas pudorosas respondió:

—Si él lo quiere así...

—¿No sabes si lo quiere? —le replicó casi riendo mi padre.

María calló sonrojada, y las vivas tintas que en sus mejillas mostró ese rubor no desaparecieron de ellas aquella noche.

Mirábala mi madre de manera más tierna que ojos de madre pueden mirar. Creí por un instante que estaba gozando de alguno de esos sueños en que María me hablaba con aquel acento que le acababa de oír, y en que sus miradas tenían la brillante humedad que estaba yo espiando en ellas.

—Tú sabes que lo quiero así, ¿no es cierto? —le dije.

—Sí, lo sé —contestó con voz apagada.

—Di a Efraín ahora —le dijo mi padre, sin sonreírse ya— las condiciones con que tú y yo le hacemos esa promesa.

—Con la condición —dijo María— de que se vaya contento..., cuanto es posible.

—¿Y cuál otra, hija?

—La otra es que estudie mucho para volver pronto..., ¿no es?

—Sí —contestó mi padre, besándole la frente—; y para merecerte. Las demás condiciones las pondrás tú. ¿Conque te gustan? —añadió volviéndose a mí y poniéndose en pie.

Yo no tuve palabras que responderle, y estreché fuertemente entre las mías la mano que él me extendía al decirme:

—Hasta el lunes, pues; fíjate bien en mis instrucciones, y lee muchas veces el pliego.

Mi madre se acercó a nosotros y abrazó nuestras cabezas, juntándolas de modo que involuntariamente tocaron mis labios la mejilla de María, y salió dejándonos solos en el salón.

Largo tiempo debió correr desde que mi mano asió en el sofá la de María y nuestros ojos se encontraron para no cesar de mirarse, hasta que sus labios pronunciaron estas palabras:

—¡Qué bueno es papá! ¿No es verdad?

Le signifiqué que sí, sin que mis labios pudieran balbucir una sílaba.

—¿Por qué no hablas? ¿Te parecen buenas las condiciones que pone?

—Sí, María. ¿Y cuáles son las tuyas en pago de tanto bien?

—Una sola.

—Dila.

—Tú la sabes.

—Sí, sí; pero hoy sí debes decirla.

—Que me ames siempre así —respondió.

Y su mano se enlazó más estrechamente con la mía.

XL

Cuando llegué a las haciendas en la mañana del día siguiente, encontré en la casa de habitación el médico que reemplazaba a Mayn en la asistencia de Feliciana. Él, por su porte y fisonomía, parecía más un capitán retirado que lo que aseguraba ser. Me hizo saber que había perdido toda esperanza de salvar a la enferma, pues que estaba atacada de una hepatitis que, en su último período, resistía ya toda clase de aplicaciones y concluyó manifestándome que se llamara un sacerdote. Entré al aposento donde se hallaba Feliciana. Ya estaba Juan Ángel allí, y se admiraba de que su madre no le respondiera "al alabarle a Dios". El encontrar a Feliciana en tan desesperante estado no podía menos de conmoverme.

Di orden para que se aumentase el número de esclavas que le servían; hice colocarla en una pieza más cómoda, a lo que ella se había opuesto humildemente, y se mandó por el sacerdote al pueblo.

Aquella mujer que iba a morir tan lejos de su patria; aquella mujer que tanto afecto me había tenido desde que fue a nuestra casa, en cuyos brazos se durmió tantas veces María siendo niña... Pero he aquí su historia, que, referida por Feliciana con rústico y patético lenguaje, entretuvo algunas veladas de mi infancia:

Magmahú había sido desde su adolescencia uno de los jefes más distinguidos en los ejércitos de Achanti*, nación poderosa del África occidental. El denuedo y pericia que había demostrado en las frecuentes guerras que el rey Say Tuto Kuamina sostuvo con las achimis hasta la muerte de Orsué, caudillo de éstos, y la completa victoria que alcanzó sobre las tribus del litoral insurreccionadas contra su rey por Carlos Macharty, a quien Magmahú mismo dio muerte en el campo de batalla, hicieron que el monarca lo colmara de honores y riquezas, confiándole al propio tiempo el mando de todas sus tropas, a despecho de los émulos del afortunado guerrero, los cuales nunca le perdonaron el haber merecido tamaño favor.

Pasada la corta paz conseguida con el vencimiento de Macharty,

---

Achanti. **Achantis**. Pueblo y reino considerable de la Guinea Central, que forma parte de la colonia inglesa de Costa de Oro. Su capital es Kumassi.

Algunas ediciones de *María* presentan la siguiente nota: "Cantú, hablando de los Achantis, dice: 'Son negros, pero se distinguen de las razas del mismo color, pareciéndose más a los abisinios. en razón a que tienen el pelo largo y lacio, barba, rostro ovalado, nariz aguileña, y el cuerpo bien proporcionado... El espíritu guerrero es general entre ellos, y son soldados desde que se encuentran en edad de tomar las armas' ".

pues los ingleses, con ejército propio ya, amenazaban a los achantis, todas las fuerzas del reino salieron a campaña.

Empeñada la batalla, pocas horas bastaron para convencer a los ingleses de la insuficiencia de sus mortíferas armas contra el valor de los africanos. Indecisa aún la victoria Magmahú, resplandeciente de oro, y terrible en su furor, recorría las huestes animándolas con su intrepidez, y su voz dominaba el estruendo de las baterías enemigas. Pero en vano envió repetidas órdenes a los jefes de las reservas para que entrasen en combate atacando el flanco más debilitado de los invasores. La noche interrumpió la lucha; y cuando a la primera luz del siguiente día pasó revista Magmahú a sus tropas, diezmadas por la muerte y la deserción y acobardadas por los jefes que impidieron la victoria, comprendió que iba a ser vencido y se preparó para luchar y morir. El rey, que llegó en tales terribles momentos al campo de sus huestes, las vio y pidió la paz. Los ingleses la concedieron y celebraron tratados con Say Tuto Kuamina. Desde aquel día perdió Magmahú el favor de su rey.

Irritado el valiente jefe con la injusta conducta del monarca, y no queriendo dar a sus émulos el placer de verle humillado, resolvió expatriarse. Antes de partir determinó arrojar a las corrientes del Tando la sangre y las cabezas de sus más hermosos esclavos, como ofrenda a su dios. Sinar era, entre ellos, el más joven y apuesto. Hijo éste de Orsué, el desdichado caudillo de los achimis, cayó prisionero lidiando valeroso en la sangrienta jornada en que su padre fue vencido y muerto; mas temiendo Sinar y sus compatriotas esclavos la saña implacable de los achenteas, les habían ocultado el prisionero que tenían.

Solamente Nay, única hija de Magmahú, conoció aquel secreto. Siendo niña todavía cuando Sinar vino como siervo a casa del vencedor de Orsué, le interesó al principio la digna mansedumbre del joven guerrero, y más tarde su ingenio y hermosura. Él le enseñaba las danzas de su tierra natal, los amorosos y sentidos cantares del país de Bambuk* le refería las maravillosas leyendas

***

Bambuk. Algunas ediciones de *María* presentan la siguiente nota: "Historiadores y geógrafos, como Cantú y Malte Brun, dicen que los negros africanos son en extremo aficionados a la danza, cantares y músicas. Siendo el *bambuco* una música que en nada con que su madre le había entretenido en la niñez, y si algunas lágrimas rodaban entonces por la tez úvea* de las mejillas del esclavo, Nay solía decirle:

—Yo pediré tu libertad a mi padre para que vuelvas a tu país, puesto que eres tan desdichado aquí.

Y Sinar no respondía; mas sus grandes ojos dejaban de llorar, y miraban a su joven señora de manera que ella parecía en aquellos momentos la esclava.

Un día en que Nay, acompañada de su servidumbre, había salido a pasearse por las cercanías de Cumasia*, Sinar, que guiaba el bello avestruz en que iba sentada su señora como sobre blancos cojines de Bornú*, hizo andar al ave tan precipitadamente, que a poco se encontraron a gran distancia de la comitiva. Sinar, deteniéndose, con las miradas llameantes y una sonrisa de triunfo en los labios, dijo a Nay, señalándole el valle que tenían a los pies:

—Nay, he allí el camino que conduce a mi país; yo voy a huir de mis enemigos, pero tú irás conmigo; serás la reina de los achimis y la única mujer mía; yo te amaré más que a la madre desventurada que llora mi muerte, y nuestros descendientes serán invencibles llevando en sus venas mi sangre y la tuya. Mira y ven: ¿quién se atreverá a ponerse en mi camino?

Al decir estas últimas palabras levantó el ancho manto de piel de pantera que le caía de los hombros, y bajo él brillaron las culatas de dos pistolas y la guarnición de un sable turco ceñido con un chal rojo de Zerbi*.

Sinar, de rodillas, cubrió de besos los pies de Nay, pendientes

se asemeja a la de los aborígenes americanos, ni a los aires españoles, no hay ligereza en asegurar que fue traída de África por los primeros esclavos que los conquistadores importaron al Cauca, tanto más que el nombre que hoy tiene parece no ser otro que el de *Bambuk* levemente alterado". *Bambuk* es hoy una comarca del Sudán (África).

la tez úvea. Del color de la tercera túnica del ojo, parecida en su forma al hollejo de la uva.

Cumasia. Kumassi. Véase nota de página 230.

Bornú. Antiguo reino del Sudán central (África), al sudoeste del lago Tchad y al nordeste de Nigeria, de la que forma parte. La capital es Kuka. Su existencia data del siglo XIV

Zerbi. Población de la provincia de Fayum, en el Egipto Medio.

sobre el mullido plumaje del avestruz, y éste halaba cariñoso con el pico los vistosos ropajes de su señora.

Muda y absorta ella, al oír las amorosas y tremendas palabras del esclavo, reclinó al fin sobre su regazo la bella cabeza de Sinar, diciéndole:

—Tú no quieres ser ingrato conmigo, y dices que me amas y me llevas a ser la reina de tu patria; yo no debo ser ingrata con mi padre, que me amó antes que tú, y a quien mi fuga causaría la desesperación y la muerte. Espera, y partiremos juntos con su consentimiento; espera, Sinar, que yo te amo...

Y Sinar se estremeció al sentir sobre su frente los ardientes labios de Nay.

Días y días corrieron, y Sinar esperaba, porque en su esclavitud era feliz.

Salió Magmahú a campaña contra las tribus insurreccionadas por Macharty, y Sinar no acompañó a su señor a la guerra como los otros esclavos. Él le había dicho a Nay:

—Prefiero la muerte antes de ir a combatir contra pueblos que fueron aliados de mi padre.

Ella, en vísperas de marchar las tropas, dio a su amante, sin que él lo echase a ver, una bebida en la cual había dezumado el jugo de una planta soporífera, y el hijo de Orsué quedó así imposibilitado para marchar, pues que permaneció por varios días dominado de un sueño invencible, el cual interrumpía Nay a voluntad, derramándole en los labios un aceite aromático y vivificante.

Mas declarada después la guerra por los ingleses a Say Tuto Kuamina, Sinar se presentó a Magmahú para decirle:

—Llévame contigo a las batallas; yo combatiré a tu lado contra los blancos; te prometo que mereceré comer corazones suyos asados por los sacerdotes, y que traeré en el cuello collares de dientes de los hombres rubios.

Nay le dio bálsamos preciosos para curar heridas; y poniendo plumas sagradas en el penacho de su amante, roció con lágrimas el ébano de aquel pecho que ella acababa de ungir con odorífero aceite y polvos de oro.

En la sangrienta jornada en que los jefes achenteas, envidiosos de la gloria de Magmahú, le impidieron alcanzar la victoria sobre los ingleses, una bala de fusil rompió el brazo izquierdo de Sinar.

Terminada la guerra y hecha la paz, el intrépido capitán de los achantis volvió humillado a su hogar, y Nay, durante algunos días, sólo dejó de enjugar el lloro que la ira arrancaba a su padre para ir ocultamente a dar alivio a Sinar, curándole amorosamente la herida.

Tomada por Magmahú la resolución de abandonar la patria y ofrecer aquel sangriento sacrificio al río Tando, habló así a su hija:

—Vamos, Nay, a buscar suelo menos ingrato que éste para mis nietos. Los más bellos y famosos jefes de Gambia*, país que visité en mi juventud, se engreirán de darme asilo en sus hogares y de preferirte a sus más bellas mujeres. Estos brazos están todavía fuertes para combatir, y poseo suficientes riquezas para ser poderoso dondequiera que un techo me cubra... Pero antes de partir es necesario que aplaquemos la cólera del Tando, ensañado contra mí por amor a la gloria, y que le sacrifiquemos lo más granado de nuestros esclavos: Sinar entre ellos el primero...

Nay cayó sin sentido al oír aquella terrible sentencia, dejando escapar de sus labios el nombre de Sinar. La recogieron sus esclavas, y Magmahú, fuera de sí, hizo venir a Sinar a su presencia. Desenvainando el sable le dijo tartamudeando de ira:

—¡Esclavo! Has puesto tus ojos en mi hija; en castigo haré que se cierren para siempre.

—Tú lo puedes —respondió sereno el mancebo—; no será la mía la primera sangre de los reyes de los achimis con que tu sable se enrojece.

Magmahú quedó desconcertado al oír tales palabras, y el temblor de su diestra hacía resonar sobre el pavimento el corvo alfanje que empuñaba.

Nay, deshaciéndose de sus esclavas, que aterradas la detenían entró en la habitación donde estaban Sinar y Magmahú y, abrazándose a éste de las rodillas, bañábale con lágrimas los pies, exclamando:

—¡Perdónanos, señor, o mátanos a ambos!

El viejo guerrero, arrojando de sí el arma terrible, se dejó caer en un diván y murmuró al ocultarse el rostro con las manos:

—¡Y ella lo ama!... ¡Orsué! ¡Orsué! Ya te han vengado.

Gambia. Protectorado británico en el curso inferior del río Gambia, en África.

Sentada Nay sobre las rodillas de su padre, lo estrechaba en sus brazos; y cubriéndole de besos la cana cabellera, le decía sollozante:

—Tendrás dos hijos en vez de uno; aliviaremos tu vejez y su brazo te defenderá en los combates.

Levantó Magmahú la cabeza, y haciendo además a Sinar para que se acercara, le dijo con voz y semblante terribles, extendiendo hacia él su diestra:

—Esta mano dio muerte a tu padre; con ella le arranqué del pecho el corazón... y mis ojos se gozaron en su agonía.

Nay selló con los suyos los labios de Magmahú, y volviéndose precipitadamente a Sinar extendió sus lindas manos hacia él, diciéndole con amoroso acento:

—Éstas curaron tus heridas y estos ojos han llorado por ti.

Sinar cayó de hinojos ante su amada y su señor, y éste, después de unos momentos, le dijo abrazando a su hija:

—He aquí lo que te daré en prueba de mi amistad el día en que esté seguro de la tuya.

—Juro por mis dioses y el tuyo —respondió el hijo de Orsué— que la mía será eterna.

Pasados dos días, Nay, Sinar y Magmahú salieron de Cumasia a favor de la oscuridad de la noche, llevando treinta esclavos de ambos sexos, camellos y avestruces para cabalgar, y cargados con las más preciosas alhajas y vajillas que poseían; gran cantidad de tibar y cauris*, comestibles y agua, como para un largo viaje.

Muchos días emplearon en aquella peligrosa peregrinación.

La caravana tuvo la fortuna de llevar buen tiempo y de no tropezar con los sereres. Durante el viaje Sinar y Nay disipaban la tristeza del corazón de Magmahú entonando a dúo alegres canciones, y en las noches serenas, a la luz de la luna y al lado de la tienda de la caravana, ensayaban los dichosos amantes graciosas danzas al son de las trompetas de marfil y de las liras de los esclavos.

Por fin llegaron al país de los kombu-manez, en las riberas del

gran cantidad de tibar y cauris. No era poca riqueza la que llevaba la caravana, pues tibar significaba oro en polvo y cauris eran conchillas que se utilizaban como moneda. Se justificaba el temor a los *sereres* o ladrones.

Gambia*, y aquella tribu celebró con suntuosas fiestas y sacrificios el arribo de tan ilustres huéspedes.

Desde tiempo inmemorial se hacían los kombu-manez y los cambez una guerra cruel, guerra atizada en ambos pueblos no solamente por el odio que se profesaban, sino por una criminal avaricia. Unos y otros cambiaban a los europeos traficantes en esclavos los prisioneros que hacían en los combates, por armas, pólvora, sal, hierro y aguardiente; y a falta de enemigos que vender los jefes vendían a sus súbditos, y muchas veces aquéllos y éstos a sus hijos.

El valor y la pericia militar de Magmahú y Sinar fueron por algún tiempo de gran provecho a los kombu-manez en la guerra con sus vecinos, pues libraron contra ellos repetidos combates, en los cuales obtuvieron un éxito hasta entonces no alcanzado. Precisado Magmahú a optar entre que se degollara a los prisioneros o que se los vendiera a los europeos, hubo de consentir en lo último, obteniendo al propio tiempo la ventaja de que el jefe de los kombu-manez impusiera penas terribles a aquellos de sus súbditos que enajenasen a sus dependientes o a sus hijos.

Una tarde que Nay había ido con algunas de sus esclavas a bañarse en las riberas del Gambia, y que Sinar, bajo la sombra de un gigantesco baobab, sitio en que se aislaban siempre algunas horas en los días de paz, la esperaba con amorosa impaciencia, dos pescadores amarraron su piragua en la misma ribera donde Sinar estaba, y en ella venían dos europeos: el uno se puso trabajosamente en tierra, y arrodillándose sobre la playa oró por algunos momentos; los pálidos rayos del sol moribundo, atravesando los follajes, le iluminaron la faz, tostada por los soles y orlada de una espesa barba, casi blanca. Como al ponerse de hinojos había colocado sobre las arenas el ancho sombrero de cañas que llevaba, las brisas del Gambia jugaban con su larga y enmarañada cabellera. Tenía un vestido talar negro, enlodado y hecho jirones, y le brillaba sobre el pecho un crucifijo de cobre.

Así lo encontró Nay al acercarse en busca de su amante. Los dos pescadores subieron a ese tiempo el cadáver del otro europeo el cual estaba vestido de la misma manera que su compañero.

---

en las riberas del Gambia. Río del África occidental; nace en la región del Futal (Guinea francesa) y desemboca en el Atlántico. Posee un curso de 1 100 km.

Los pescadores refirieron a Sinar cómo habían encontrado a los dos blancos bajo una barraca de hojas de palmera dos leguas arriba del Gambia, expirante el joven y ungiéndolo el anciano al pronunciar oraciones en una lengua extraña.

El viejo sacerdote permaneció por algún rato abstraído de cuanto lo rodeaba. Luego que se puso en pie, Sinar llevando de la mano a Nay, asustada ante aquel extranjero de tan raro traje y figura, le preguntó de dónde venía, qué objeto tenía su viaje y de qué país era, y quedó sorprendido al oírle responder, aunque con alguna dificultad, en la lengua de los achimís:

—Yo vengo de tu país; veo pintada en tu pecho la serpiente roja de los achimís nobles, y hablas su idioma. Mi misión es de paz y de amor; nací en Francia. ¿Las leyes de este país no permiten dar sepultura al cadáver del extranjero? Tus compatriotas lloraron sobre los de otros dos de mis hermanos; pusieron cruces sobre sus tumbas, y muchos las llevan de oro pendientes del cuello. ¿No me dejarás, pues, enterrar al extranjero?

Sinar le respondió:

—Tú debes decir la verdad y no debes ser malo como los blancos, aunque se te parezcan; pero hay quien manda más que yo entre los kombu-manez. Ven con nosotros; te presentaré a su jefe y llevaremos el cadáver de tu amigo para saber si permite que lo entierres en sus dominios.

Mientras andaban el corto trecho que los separaba de la ciudad, Sinar hablaba con el misionero, y Nay se esforzaba por entender lo que decían; seguí. n los dos pescadores, conduciendo en una manta el cadáver del joven sacerdote.

Durante el diálogo, Sinar se convenció de que el extranjero era veraz, por el modo como le respondió a las preguntas que le hizo sobre el país de los achimís; reinaba en éste un hermano suyo, y a Sinar lo creían muerto. Explicóle el misionero los medios de que se habían valido para captarse el afecto de algunas tribus de los achimís, que tuvo por origen el acierto con que habían curado algunos enfermos y la circunstancia de haber sido uno de ellos la esclava favorita del rey. Los achimís le habían dado una caravana y víveres para que se dirigiese a la costa con el único de sus compañeros que sobrevivía; pero sorprendidos en el viaje por una partida enemiga, algunos de sus guardianes los abandonaron y otros fueron muertos, contentándose los vencedores con dejar sin guías en el desierto a los sacerdotes, temerosos quizás de que los vencidos volviesen a la pelea. Muchos días viajaron sin otro guía que el sol ni más alimentos que las frutas que hallaban en los oasis. Dos días hacía que habían llegado a la ribera del Gambia, donde devorado por la fiebre acababa de expirar el joven cuando los pescadores los encontraron.

Magmahú y Sinar llevaron al sacerdote a presencia del jefe de los kombu-manez, y el segundo dijo:

—He aquí un extranjero que te suplica le permitas enterrar en tus dominios el cadáver de su hermano y tomar descanso para poder continuar el viaje a su país; en cambio, te promete curar a tu hijo.

Aquella noche, Sinar y dos esclavos suyos ayudaron al misionero a sepultar el cadáver. Arrodillado el anciano al borde de la huesa que los esclavos iban colmando, entonó un canto profundamente triste, y la luna hacía brillar en la blanca barba del ministro lágrimas que rodaban a humedecer la tierra extranjera que le ocultaba al denodado amigo.

XLI

Poco menos de dos semanas habían pasado desde la llegada del sacerdote francés al país de los kombu-manez. Sea porque solamente Sinar podía entenderlo, o porque gustase del trato europeo, daban juntos diariamente largos paseos, de los cuales notó Nay que su amante regresaba preocupado y melancólico. Supúsose ella que las noticias que daba a Sinar de su país el extranjero debían de ser tristes; pero más tarde creyó acertar mejor con la causa de aquella abstracción, imaginando que los recuerdos de la patria, avivados por la relación del sacerdote, hacían desear nuevamente al hijo de Orsué el verse en su suelo natal. Mas como la amorosa ternura de Sinar para con ella aumentaba en vez de disminuir, procuró aprovechar una ocasión oportuna para confiarle sus zozobras. Apagábase una tarde calurosa, y Sinar, sentado en la ribera, parecía dominado por la tristeza que en los pasados días de su esclavitud tanto había enternecido a Nay. Ésta lo divisó y se acercó a él con silenciosos pasos. Con la corta y ahuecada falda carmesí salpicada de estrellas de plata; el ancho chal color de cielo, que, después de ocultarle el seno cruzándolo, pendía de la cintura; turbante rojo prendido con agujas de oro, y collares y pulseras de ágata, debía estar más seductora que nunca. Sentóse al lado de su amado, mas éste continuaba meditabundo. Al fin le dijo ella:

—Nunca creí que al acercarse la hora antes tan deseada por ti, en que mi padre debe hacerme tu esposa, hubieras de estar como te veo. ¿Te ama él menos que antes? ¿Soy yo acaso menos tierna contigo, o no te parezco tan bella como el día en que merecí me confesaras tu amor?

Sinar, fijos los ojos en las fugitivas ondas del Gambia, parecía no haber oído. Nay lo contempló en silencio unos momentos con los ojos cuajados de lágrimas, y su pecho dejó escapar un sollozo. Al oírla, Sinar se volvió con precipitación hacia ella, y viendo aquellas lágrimas, besóla tiernamente diciéndole:

—¡Lloras! ¿Así recibes la felicidad que tanto hemos esperado y que al fin llega?

—¡Ay de mí! Jamás habías sido sordo a mi voz; jamás te habían buscado mis ojos sin que los tuyos se mostrasen halagüeños; por eso lloran.

—¿Cuándo, di, el más leve acento tuyo no turbó el más profundo de mis sueños? ¿Cuándo, aunque no te esperase ni te viese, dejé de sentirte si te acercabas a mí?

—Hace un instante; y tu inocencia, Sinar, confirma tu desdén y mi desventura.

—Perdón, Nay; perdóname, pues pensaba en ti.

—¿Qué te ha dicho este extranjero? —preguntó Nay enjugándose ya sus lágrimas y jugando con los corales y dientes de los collares del guerrero—. ¿Por qué buscas con él la soledad que tantas veces me dijiste era odiosa sin mí? ¿Te ha contado que las mujeres de su país son blancas como el marfil y que sus ojos tienen el azul profundo de las olas del Tando? Mi madre me lo decía a mí, y había olvidado contártelo... A ella le habló mucho del país de los blancos un extranjero parecido al que amas según ella lo amó; pero desde que partió de Cumasia ese hombre, mi madre se hizo odiosa a Magmahú; ella adoraba a otro Dios, y mi padre le dio muerte.

Nay calló por largo rato, y Sinar se mostraba dominado otra vez por tristes pensamientos. Despertando de súbito de esa especie de embebecimiento, toma de la mano a su amada, sube con ella a la cima de un peñasco desde el cual se divisaba el desierto sin límites y rielando de trecho en trecho el caudaloso río, y le dice:

—El Gambia, como el Tando, nace del seno de las montañas. La madre no es nunca hechura de su hijo. ¿Sabes tú quién hizo las montañas?

—No.

—Un Dios las hizo. ¿Has visto al Tando retroceder en su carrera?

—No.

—El Tando va como una lágrima a perderse en un inmenso mar, ante el bramido del cual el rumor de un río es como tu voz comparada con la del huracán que durante las tempestades sacude estos bosques gigantescos cual si fuesen débiles juncos. ¿Sabes tú quién hizo el mar?

—No.

—El rayo que rasga las nubes y cayendo sobre la copa del moabab lo despedaza, como tu planta deshace una de sus flores secas; las estrellas, que, como las ágatas y perlas que bordan tus mantos de calín, tachonan el cielo; la luna, que te place contemplar en la soledad dejándote aprisionar entre mis brazos; el sol que bruñó tu tez de azabache y da luz a tus ojos, el sol ante el cual el fuego de nuestros sacrificios es menor que el brillo de una luciérnaga; todos son obras de un solo Dios. Él no quiere que ame a otra mujer que a ti; él manda que te ame como a mí mismo; él quiere que yo ría si ríes, que llore si lloras, y que, en cambio de tus caricias, te defienda como a mi propia vida; que si mueres llore yo sobre tu tumba hasta que vaya a juntarme contigo más allá de las estrellas, donde me esperarás.

Nay, entrambas manos cruzadas sobre el hombro de Sinar, lo contemplaba enamorada y absorta, porque nunca lo había visto tan hermoso. Estrechándola él contra su corazón, besóle con ardor los labios y continuó:

—Eso me ha dicho el extranjero para que yo te lo enseñe; su Dios debe ser nuestro Dios.

—Sí, sí —replicó Nay circundándolo con los brazos—; y después de él, yo tu único amor.

XLII

Al amanecer del día en que el jefe de los kombu-manez había ordenado se diera principio a las pomposas fiestas que se hacían en celebración del desposorio de Sinar, éste, Nay y el misionero bajaron sigilosamente a la ribera del Gambia; y buscando allí el sitio más recóndito, el misionero se detuvo y les habló así:

—El Dios que os he hecho amar, el Dios que adorarán vuestros hijos, no desdeña por templo los pabellones de palmeras que nos ocultan, y en este instante os está viendo. Pidámosle que os bendiga.

Adelantándose con ellos a la orilla, dijo lentamente y con voz solemne una oración, que los amantes repitieron arrodillados a uno y otro lado del sacerdote. En seguida les derramó agua sobre las cabezas, pronunciando las palabras del bautismo.

El ministro permaneció orando solo algún espacio, y acercándose de nuevo a Nay y Sinar les hizo enlazarse las manos, y antes de bendecírselas dijo a uno y a otro palabras que Nay no olvidó jamás.

Era ya la última noche que los nobles de la tribu pasaban en casa de Magmahú en danzas y festines. Hermosas mujeres los rodeaban, y ellas y ellos ostentaban sus más bellas joyas y vestidos. Magmahú, por su gigantesca estatura y lo lujoso del traje que llevaba, se distinguía en medio de los guerreros, así como Nay había humillado durante seis días con sus galas y encanto a las más bellas esposas y esclavas de los kombu-manez. Hachones de resinas aromáticas, sostenidos por cráneos perforados de cambez muertos en los combates por Magmahú, iluminaban los espaciosos aposentos. Si por momentos cesaban las músicas marciales, eran reemplazadas por la blanda y voluptuosa de las liras. Los convidados apuraban con exceso caros y enervantes licores y todos habían ido rindiéndose lentamente al sueño. Sinar, huyendo de la algazara de la fiesta, descansaba en un lecho en sus habitaciones, mientras Nay le refrescaba la frente con un abanico de plumas perfumadas.

De improviso se oyeron en el bosque vecino algunas detonaciones de fusiles, seguidas de otras y otras que se acercaban a la morada de Magmahú. Éste llamó con voz estentórea a Sinar, quien empuñando un sable salió precipitadamente en su busca. Nay estaba abrazada a su esposo, cuando Magmahú decía a éste:

—¡Los cambez!... ¡Son ellos!... ¡Morirán degollados!... —añadía removiendo inútilmente a los valientes, tendidos inertes sobre los divanes y pavimentos.

Algunos hacían esfuerzos para ponerse en pie, pero a los más les era imposible.

El estruendo de las armas y los gritos de guerra se acercaban. Incendiadas las casas de la población más próximas a la ribera, un resplandor rojizo iluminaba el combate, y heridos de él relampagueaban los sables de los lidiadores.

Magmahú y Sinar, sordos a los alaridos de las mujeres, sordos a los lamentos de Nay, corrían hacia el sitio en que la pelea era más encarnizada, a tiempo que una masa compacta y desordenada de soldados se dirigía a la casa del jefe achentea, llamándoles a él y a Sinar con enronquecidas voces. Trataron de parapetarse en las habitaciones de Magmahú; pero todo fue inútil, tardío ya el coraje con que los jefes extranjeros combatían y animaban a los guerreros kombu-manez.

Atravesado el corazón por una bala, Magmahú cayó. Pocos de sus compañeros dejaron de correr la misma suerte.

Sinar luchó hasta el fin defendiendo cuerpo a cuerpo a Nay y a su vida, hasta que un capitán de los cambez, de cuya diestra pendía sangrienta la cabeza del misionero francés, le gritó:

—Ríndete y te concederé la vida.

Nay presentó entonces las manos para que las atase aquel hombre. Ella sabía la suerte que le esperaba, y postrándose ante él le dijo:

—No mates a Sinar; yo soy tu esclava.

Sinar acababa de caer herido de un sablazo en la cabeza y lo ataban ya como a ella.

Los feroces vencedores recorrieron los aposentos saciando su sed de sangre al principio, y después saqueándolos y amarrando prisioneros.

Los valientes kombu-manez se habían dormido en un festín y no despertaron..., o despertaron esclavos.

Cuando amos y siervos ya, no vencedores y vencidos, llegaron a la ribera del Gambia, cuyas ondas enrojecían las últimas llamaradas del incendio, los cambez hicieron embarcar con precipitación, en canoas que los esperaban, los numerosos prisioneros que conducían; mas no bien hubieron desatado éstas para abandonarse a las corrientes, una nutrida descarga de fusiles, hecho por algunos kombu-manez que tarde ya volvían al combate, sorprendió a los últimos navegantes que habían dejado la ribera, y los cuerpos de muchos de ellos flotaron a poco sobre las aguas.

Amanecía cuando los vencedores atracaron las piraguas a la ribera derecha del río, y dejando algunos de sus soldados en ellas, continuaron los otros la marcha por tierra custodiando el convoy de prisioneros* y encontrando de trecho en trecho masas de combatientes que habían emprendido la retirada por en medio de los bosques.

Durante las largas horas del viaje hasta llegar a las inmediaciones de la costa, no permitieron a Nay los conductores que se acercase a Sinar y éste vio incesantemente rodar lágrimas por sus mejillas.

A los dos días, una mañana antes que el sol ahuyentase las últimas sombras de la noche, condujeron a Nay y a otros prisioneros a la orilla del mar. Desde el día anterior la habían separado de su esposo. Algunas canoas esperaban a los prisioneros varadas en las arenas, y a mucha distancia sobre el mar, que el buen viento rizaba, blanqueaba el velamen de un bergantín.

—¿Dónde está Sinar que no viene con nosotros? —preguntó Nay a uno de los jefes compañeros de prisión al saltar a la piragua.

—Desde ayer lo embarcaron —le respondió—: estará en el buque.

Ya en él Nay, busca entre los prisioneros amontonados en la bodega a Sinar. Llámalo y nadie le responde. Sus miradas extraviadas lo buscan otra vez en la sentina. Un sollozo y el nombre de su amante salieron a un mismo tiempo de su pecho y cayó como muerta.

Cuando despertó de ese sueño quebrantador y espantoso se halló sobre cubierta y sólo divisó a su alrededor el nebuloso horizonte del mar. Nay no dijo ni un adiós a las montañas de su país.

Los gritos de desesperación que dio al convencerse de la realidad de su desgracia fueron interrumpidos por las amenazas de un blanco de la tripulación; y como ella le dirigiese palabras amenazantes, que por sus ademanes tal vez comprendió, alzó sobre Nay

convoy de prisioneros. Conjunto de prisioneros.

el látigo que empuñaba y... volvió a hacerla insensible a su desventura.

Una mañana, después de muchos días de navegación, Nay, con otros esclavos, estaba sobre cubierta. La epidemia que había atacado a los prisioneros permitía que se les dejara respirar aire libre, temeroso, sin duda, el capitán del buque, de que murieran algunos. Se oyó el grito de "¡tierra!" dado por lo marineros.

Levantó ella la cabeza de las rodillas y divisó una línea azul más oscura que la que rodeaba constantemente el horizonte. Algunas horas después entró el bergantín a un puerto de Cuba, donde debían desembarcar algunos negros. Las mujeres de entre éstos que iban a separarse de la hija de Magmahú, le abrazaron las rodillas sollozando, y los varones le dijeron adiós doblando las suyas ante ella y sin tratar de ocultar el llanto que derramaban. Casi se consideraron dichosos los pocos que quedaron al lado de Nay.

El buque, después de recibir nueva carga, zarpó al día siguiente, y la navegación que siguió fue más penosa por el mal tiempo. Ocho días habían pasado, y al visitar una noche el capitán la bodega encontró muertos dos esclavos de los seis que, escogidos entre los más apuestos y robustos, reservaba. El uno se había dado muerte y estaba bañado con la sangre de una ancha herida que tenía en el pecho y en la cual se veía clavado aún un puñal de marinero que el infeliz había recogido probablemente sobre cubierta; el otro había sucumbido a la fiebre. Los dos fueron despojados de los grillos que en una sola barra aprisionaban a entrambos, y poco después vio sacar Nay los cadáveres para ser arrojados al mar.

Una de las esclavas de Nay y tres de los jefes kombu-manez eran los últimos compañeros que le quedaban, y de éstos sucumbió otro más la misma mañana en que hubo de acercarse el buque a una costa que entendió Nay llamarse Darién*. A favor de un fuerte viento norte y de la marejada, el bergantín se internó en el golfo y se colocó cautamente a poca distancia de Pisisí.

Darién. Golfo formado por el mar Caribe, en la costa septentrional del departamento de Cauca (Colombia). Tiene unos 235 km de longitud y en su interior se encuentran excelentes puertos naturales.

Entrada la noche, el capitán hizo poner en una lancha a Nay con los tres esclavos restantes, y embarcándose él también dio orden a los marineros que debían manejarla para que se dirigiesen a cierto punto luminoso que señaló en la costa. Pronto estuvieron en tierra. Los esclavos fueron maniatados con cuerdas antes de desembarcar, y guiando uno de los marineros, siguieron por corto tiempo una senda montuosa. Al llegar a cierto punto, el capitán dio una seña particular con un silbato y continuaron avanzando. Repetida la seña, fue contestada por otra semejante, cuando ya divisaban medio oculta entre los follajes de frondosos árboles una casa, en cuyo corredor se vio luego a un hombre blanco, que, con una luz en la mano, se hacía sombra en los ojos con la otra tratando de distinguir a los recién venidos que se acercaban. Pero los amenazantes ladridos de algunos perros enormes impedían a los viajeros adelantar. Aquietados aquéllos por las voces de su amo y de algunos sirvientes, pudo el capitán subir la escalera de la casa, edificada sobre estantillos, y después de abrazarse con el dueño trabaron diálogo, durante el cual el capitán hablaba sin duda de los esclavos, pues los señalaba frecuentemente. Dieron orden para que subiesen éstos, y a ese tiempo salió al corredor una mujer joven blanca y bastante bella, a quien saludó cordialmente el marino. El dueño de la casa no pareció satisfecho después del examen que hizo de los tres compañeros de Nay; pero al fijarse en ésta se detuvo, hablando con la mujer blanca en un idioma más dulce que el que había usado hasta entonces; y más musical pareció éste al responderle ella, dejando ver a Nay en sus miradas una compasión que agradeció.

Era el dueño de la casa un irlandés llamado William Sardick, establecido hacía dos años en el golfo de Urabá*, no lejos de Turbo*; y su esposa, a quien Nay oyó nombrar Gabriela, una mestiza, cartagenera* de nacimiento.

Urabá. Golfo de Colombia, en el fondo del de Darién, donde desemboca el río Atrato.

Turbo. Población y municipio de Colombia, en el departamento de Antioquia, provincia de Urabá.

cartagenera. Natural de Cartagena.

XLIII

Explotábanse en aquel tiempo muchas minas de oro en el Chocó*; y si se tiene en cuenta el rústico sistema* que se empleaba para elaborarlas, bien merecen ser calificados de considerables sus productos. Los dueños ocupaban cuadrillas de esclavos en tales trabajos. Introducían por el Atrato* la mayor parte de las mercancías extranjeras que se consumían en el Cauca, y naturalmente las destinadas a expenderse en el Chocó. Los mercados de Kingston y de Cartagena* eran los más frecuentados por los comerciantes importadores. Existía en Turbo una bodega.

Esto sabido, es fácil estimar cuán tácticamente había Sardick establecido su punto de residencia: las comisiones de muchos negociantes; la compra de oro y el frecuente cambio que con los cunas ribereños* hacía de carey, tagua, pieles, cacao, caucho y jagua, por sales, aguardiente*, pólvora, armas y baratijas eran, sin contar sus utilidades como agricultor, especulaciones bastante lucrativas para tenerlo satisfecho y hacerle acariciar la risueña esperanza de regresar rico a su país, de donde había venido miserable. Servíale de

minas de oro en el Chocó. La economía de la región del Pacífico gira en torno a la explotación de minas de oro.

el rústico sistema. Existe en el Chocó una forma tradicional para obtener el oro y el platino denominada *mazamorreo,* que consiste en lavar la tierra metalífera que se extrae del fondo de canalones.

Atrato. Río de Colombia; nace en los Andes y desemboca en la bahía de Chocó después de 690 km de curso, en su mayoría navegables.

Cartagena. Ciudad de Colombia, llamada Cartagena de Indias en el período hispánico; fue fundada en 1533 por don Pedro de Heredia, que acataba orden real. Es capital del departamento de Bolívar, situado en una isla arenosa en el mar de las Antillas. Cartagena de Indias y Veracruz eran los únicos puertos autorizados por la Corona de España para recibir los contingentes de negros con destino a América. No se sabe la fecha exacta en que entraron los negros en Colombia, pues los señores de estancia o minería los adquirieron de segunda mano en el mercado de Cartagena de Indias.

los cunas ribereños. Indios de la costa del Pacífico.

aguardiente. Al rey Carlos III de España se le debe en Colombia la popularización del aguardiente de caña como bebida nacional, pues impidió que en América se cultivaran vides. Este hecho obligó a sus súbditos a consumir el jugo de la caña, ya en forma de guarapo (bebida fermentada), ya de aguardiente.

poderoso auxiliar su hermano Thomas, establecido en Cuba y capitán del buque negrero que he seguido en su viaje. Descargado el bergantín a los efectos que en aquella ocasión traía y que a su arribo al puerto de La Habana había recibido ocupado con las producciones indígenas que William había almacenado durante algunos meses, todo lo cual fue ejecutado en dos noches y con el mayor sigilo por los contrabandistas, el capitán se dispuso a partir.

Aquel hombre que tan despiadadamente había tratado a los compañeros de Nay, desde el día en que al alzar un látigo sobre ella la vio desplomarse inerte a sus pies, le dispensó toda la consideración de que su recia índole era capaz. Comprendiendo Nay que el capitán iba a embarcarse, no pudo sofocar un sollozo y lamentos, suponiéndose que aquel hombre volvería a ver pronto las costas del África, de donde la había arrebatado*. Acércase a él y le pide de rodillas y con ademanes que no la deje, bésale los pies, e imaginando en su dolor que podrá comprenderla, le dice:

—Llévame contigo. Yo seré tu esclava; buscaremos a Sinar y así tendrás dos esclavos en vez de uno. Tú, que eres blanco y que cruzas los mares, sabrás dónde está y podremos hallarlo... Nosotros adoramos al mismo Dios que tú y te seremos fieles con tal que no nos separes jamás.

Debía estar bella en su doloroso frenesí. El marino la contempló en silencio; plególe los labios una sonrisa extraña, que la rubia y espesa barba que acariciaba no alcanzó a velar; pasóle por la frente una sombra roja y sus ojos dejaron ver la mansedumbre de los del chacal cuando le acaricia la hembra. Por fin, tomándole una mano y llevándola contra el pecho, le dio a entender que si prometía amarle partirían juntos. Nay, altiva como una reina, se puso de pie, dio la espalda al irlandés y entró al aposento inmediato. En éste la recibió Gabriela, y después de indicarle, temerosa, que guardase silencio, le significó que había obrado bien y le prometió amarla mucho. Como después de señalarle el cielo le mostró un crucifijo quedó asombrada al ver a Nay caer de rodillas ante él y

---

las costas del África, de donde la había arrebatado. El aparato colonial del feudalismo español en América necesitaba fuerza humana que lo pusiera a andar, y el tráfico de esclavos africanos, que ya había nutrido a Europa y Asia, se desvió hacia América.

247

orar sollozando cual si pidiese a Dios lo que los hombres le negaban.

Transcurridos seis meses Nay se hacía entender ya en castellano, debido a la constancia con que se empeñaba Gabriela en enseñarle su lengua. Ésta sabía ya cómo se había convertido la africana; y lo que había logrado comprenderle de su historia la interesaba más y más en su favor. Pero casi a ninguna hora estaban sin lágrimas los ojos de la hija de Magmahú: el canto de algún ave americana que le recordaba las de su país o la vista de flores parecidas a las de los bosques del Gambia, avivaban su dolor y la hacían gemir. Como durante los cortos viajes del irlandés le permitía Gabriela dormir en su aposento, había oído muchas veces llamar en sueños a su padre y a su esposo.

Las despedidas de los compañeros de infortunio habían ido quebrantando el corazón de la esclava y al fin llegó el día en que se despidió del último. Ella no había sido vendida y era tratada con menos crueldad, no tanto porque la amparase el afecto de su ama, sino porque la desventurada iba a ser madre y su señor esperaba realizarla mejor una vez que naciera el manumiso. Aquel avaro negociaba de contrabando con sangre de reyes.

Nay había resuelto que el hijo de Sinar no fuera esclavo.

En una ocasión en que Gabriela le hablaba del cielo, usó de toda su salvaje franqueza para preguntarle:

—¿Los hijos de esclavos, si mueren bautizados, pueden ser ángeles?

La criolla adivinó el pensamiento criminal que Nay acariciaba y se resolvió a hacerle saber que, en el país en que estaba, su hijo sería libre cuando cumpliera dieciocho años.

Nay respondió solamente en tono de lamento:

—¡Dieciocho años!

Dos meses después dio a luz un niño, y se empeñó en que se le cristianara* inmediatamente. Así que acarició con el primer beso a su hijo, comprendió que Dios le enviaba con él un consuelo: y orgullosa de ser madre del hijo de Sinar, volvieron a sus labios las sonrisas que parecían haber huido de ellos para siempre.

---

cristianara. Término familiar por "bautizar", es decir, administrar el sacramento del Bautismo.

Un joven inglés que regresaba de las Antillas al interior de Nueva Granada descansó por casualidad en aquellos meses en casa de Sardick antes de emprender la penosa navegación del Atrato. Traía consigo una preciosa niña de tres años, a quien parecía amar tiernamente.

Eran ellos mi padre y Ester, la cual empezaba apenas a acostumbrarse a responder a su nuevo nombre de María.

Nay se supuso que aquella niña era huérfana de madre y le cobró particular cariño. Mi padre temía confiársela a pesar de que María no estaba contenta sino en los brazos de la esclava o jugando con su hijo; pero Gabriela lo tranquilizó contándole lo que ella sabía de la historia de la hija de Magmahú, relación que conmovió al extranjero. Comprendió éste la imprudencia cometida por la esposa de Sardick al hacerle sabedor de la fecha, puesto que las leyes del país prohibían desde 1821 la importación de esclavos*, y en tal virtud Nay y su hijo eran libres. Mas guardóse bien de dar a conocer a Gabriela el error cometido y esperó una ocasión favorable para proponer a William le vendiera a Nay.

Un norteamericano que regresaba a su país después de haber realizado en Citaré* un cargamento de harina se detuvo en casa de Sardick, esperando, para continuar su viaje, la llegada a Pasisí* de los botes que venían de Cartagena conduciendo las mercancías que importaba mi padre. El yanqui vio a Nay y pagado de su gentileza habló a William, durante la comida, del deseo que tenía de llevar una esclava de bellas condiciones, pues que la solicitaba con el fin de regalarla a su esposa. Nay le fue ofrecida, y el norteamericano, después de regatear el precio una hora, pesó al irlandés ciento cincuenta castellanos de oro en pago de la esclava.

Nay supo en seguida por Gabriela, al referirle ésta que estaba vendida, que esa pequeña porción de oro pesada por los blancos a

---

prohibían desde 1821 la importación de esclavos. El Congreso de Cúcuta dictó en 1821 la primera Constitución de Colombia y varias leyes. Fue decretada la libertad de los hijos de las esclavas, la manumisión de los negros, la abolición del tráfico de esclavos y la libertad de prensa y se fijaron las armas de la república.

Pasisí. Villa sobre el Golfo de Darién.

Citaré. Nombre de la cordillera occidental de Colombia, departamento de Antioquia.

su vista era el precio en que se la estimaba, y sonrió amargamente al pensar que la cambiaban por un puñado de Tibar. Gabriela no le ocultó que en el país a donde la llevaban el hijo de Sinar sería esclavo.

Nay se mostró indiferente a todo; pero por la tarde, cuando al ponerse el sol se paseaba mi padre por la ribera del mar llevando de la mano a María, se acercó a él con su hijo en los brazos; en la fisonomía de la esclava aparecía una mezcla tal de dolor e ira salvajes, que sorprendió a mi padre. Cayendo de rodillas a sus pies, le dijo en mal castellano.

—Yo sé que en este país a donde me llevan mi hijo será esclavo: si no quieres que lo ahogue esta noche, cómprame; yo me consagraré a servir y querer a tu hija.

Mi padre lo allanó todo con dinero. Firmado por el norteamericano el nuevo documento de venta con todas las formalidades apetecibles, mi padre escribió a continuación una nota en él y pasó el pliego a Gabriela para que Nay la oyese leer. En estas líneas renunciaba al derecho de propiedad que pudiera tener sobre ella y su hijo.

Impuesto el yanqui de lo que el inglés acababa de hacer, le dijo admirado:

—No puedo explicarme la conducta de usted. ¿Qué gana esta negra con ser libre?

—Es —le contestó mi padre— que yo no necesito una esclava, sino un aya que quiera mucho a esa niña.

Y sentando a María sobre la mesa en que acababa de escribir, hizo que ella le entregase a Nay el papel, diciendo él al mismo tiempo a la esposa de Sinar estas palabras:

—Guarda bien eso. Eres libre para quedarte o ir a habitar con mi esposa y mis hijos en el bello país en que viven.

Ella recibió la carta de libertad de manos de María y tomando a la niña en los brazos la cubrió de besos. Asiendo después una mano de mi padre, tocóle con sus labios y la acercó llorando a los de su hijo.

Así fueron a habitar a la casa de mis padres, Feliciana y Juan Ángel.

A los tres meses, Feliciana, hermosa otra vez y conforme en su infortunio cuanto era posible, vivía con nosotros amada de mi padre, quien la distinguió siempre con especial afecto y consideración.

En los últimos tiempos, por su enfermedad, y más por ser aparente para ello, cuidaba en Santa... del huerto y de la lechería; pero el principal objeto de su permanencia allí era recibirnos a mi padre y a mí cuando bajábamos de la sierra.

Niños María y yo, en los momentos en que Feliciana era más complaciente con nosotros solíamos acariciarla llamándola Nay; pero pronto notamos que se entristecía si le dábamos ese nombre. Alguna vez que, sentada a la cabecera de mi cama a prima noche, me entretenía con alguno de sus fantásticos cuentos, se quedó silenciosa luego que hubo terminado, y yo creí notar que lloraba.

—¿Por qué lloras? —le pregunté.

—Así que seas hombre —me respondió con su más cariñoso acento— harás viajes y nos llevarás a Juan Ángel y a mí ¿no es cierto?

—Sí, sí —le contesté entusiasmado—: iremos a la tierra de esas princesas lindas de tus historias..., me las mostrarás... ¿Cómo se llama?

—África* —contestó.

Yo me dormí aquella noche soñando con palacios de oro y oyendo músicas deliciosas.

XLIV

El cura había administrado los sacramentos a la enferma.

Dejando el médico a la cabecera, monté para ir al pueblo a disponer lo necesario para el entierro y a poner en el correo aquella carta fatal dirigida al señor A...

Cuando regresé, Feliciana parecía menos quebrantada y el médico había concebido una ligera esperanza. Ella me preguntó por cada uno de los de la familia, y al mencionar a María dijo:

—¡Quién pudiera verla antes de morir! ¡Yo le habría recomendado tanto a mi hijo!...

África. Apunta Anderson Imbert que "el exotismo era un rasgo tan típicamente romántico que Isaacs no quiso renunciar a él; y nos dio el cuento de Nay y Sinar en marco africano. África fue para Isaacs lo que América para Chateaubriand".

Y luego, como para satisfacerme por la preferencia que manifestaba hacia ella, agregó:

—Si no hubiera sido por la niña, ¿qué sería de él y de mí?

La noche fue muy mala para la enferma. Al día siguiente, sábado, a las tres de la tarde, el médico entró a mi cuarto diciéndome:

—Morirá hoy. ¿Cómo se llama el marido de Feliciana?

—Sinar —le respondí.

—¿Sinar? Y, ¿qué se ha hecho? En el delirio pronuncia ese nombre.

No tuve la condescendencia de enternecer al doctor refiriéndole las aventuras de Nay, y pasé a la habitación de ella.

El médico decía la verdad; iba a morir y sus labios pronunciaban sólo ese nombre, cuya elocuencia no podían medir las esclavas que la rodeaban ni aun su mismo hijo.

Me acerqué para decirle, de modo que sus oídos entorpecidos pudiesen oírme:

—¡Nay! ¡Nay!

Abrió los ojos, enturbiados ya.

—¿No me conoces?

Hizo con la cabeza una señal afirmativa.

—¿Quieres que te lea algunas oraciones?

Hizo la misma señal.

Eran las cinco de la tarde cuando hice que alejaran a Juan Ángel del lecho de su madre. Aquellos ojos que tan hermosos habían sido giraban amarillentos y ya sin luz en las órbitas ahuecadas; la nariz se le había afilado; los labios, graciosos aunque ligeramente gruesos, retostados ahora por la fiebre, dejaban ver los dientes que ya no humedecían; con las manos crispadas y yertas sostenía sobre el pecho un crucifijo y se esforzaba en vano por pronunciar el nombre de Jesús que yo le repetía, nombre del único que podía devolverle a su esposo.

Hacía una hora que había anochecido cuando expiró.

Luego que las esclavas la vistieron y la colocaron en un ataúd, cubierta desde la garganta hasta los pies de un lino blanco, fue puesta en una mesa enlutada, en cuyas cuatro esquinas había cirios encendidos. Juan Ángel a la cabecera de la mesa, derramaba lágrimas sobre la frente de su madre, y de su pecho, enronquecido por los sollozos, salían lastimeros alaridos.

Mandé orden al capitán de la cuadrilla de esclavos para que aquella noche la trajese a rezar en casa. Fueron llegando, silenciosos y ocupando los varones y niños toda la extensión del corredor occidental; las mujeres se arrodillaron en círculo alrededor del féretro; y como las ventanas del cuarto mortuorio caían al corredor, ambos grupos rezaban a un mismo tiempo.

Terminado el rosario, una esclava entonó la primera estrofa de una de esas salves llenas de dolorosa melancolía y desgarradores lamentos de algún corazón esclavo que oró. La cuadrilla repetía en coro cada estrofa cantada, armonizándose las graves voces de los varones con las puras y dulces de las mujeres y de los niños. Éstos son los versos que de aquel himno he conservado en la memoria:

> En oscuro calabozo
> cuya reja al sol ocultan
> negros y altos murallones
> que las prisiones circundan;
> en que sólo las cadenas
> que arrastro el silencio turban
> de esta soledad eterna
> donde ni el viento se escucha..
> Muero sin ver tus montañas,
> ¡oh, patria! donde mi cuna
> se meció bajo los bosques
> que no cubrirán mi tumba.

Mientras sonaba el canto, las luces del féretro hacían brillar las lágrimas que rodaban por los rostros medio embozados de las esclavas, y yo procuraba inútilmente ocultarles las mías.

La cuadrilla se retiró y solamente quedaron unas pocas mujeres que debían turnarse para orar toda la noche y dos hombres para preparar las andas en que la muerta debía ser conducida al pueblo.

Estaba muy avanzada la noche cuando logré que Juan Ángel se durmiera, rendido por su dolor. Me retiré luego a mi cuarto; pero el rumor de las voces de las mujeres que rezaban y el golpe de los machetes de los esclavos que preparaban la parihuela de guaduas me despertaban cada vez que había conciliado el sueño.

A las cuatro, Juan Ángel dormía aún. Los ocho esclavos que conducían el cadáver, y yo, nos pusimos en marcha. Había dado orden al mayordomo Higinio para que hiciera al negrito esperarme en casa porque quería yo evitarle el lance terrible de despedirse de su madre.

Ninguno de los que acompañábamos a Feliciana pronunció una sola palabra durante el viaje. Los campesinos que, conduciendo víveres al mercado, nos dieron alcance, extrañaban aquel silencio, por ser costumbre entre los aldeanos del país el entregarse a una repugnante orgía en la noche que ellos llamaban de velorio, noches en las cuales los parientes y vecinos del que ha muerto se reúnen en la casa de los dolientes, so pretexto de rezar por el difunto.

Una vez que las oraciones y misas mortuorias se terminaron, nos dirigimos con el cadáver al cementerio. Ya la fosa estaba cavada. Al pasar con él bajo la portada del camposanto, Juan Ángel, que había burlado la vigilancia de Higinio para correr en busca de su madre, nos dio alcance.

Colocado el ataúd en el borde de la huesa, se abrazó de él como para impedir que se lo ocultasen. Fue necesario acercarme a él y decirle, mientras le acariciaba enjugándole las lágrimas:

—No es tu madre ésa que ves ahí; ella está en el cielo, y Dios no puede perdonarte esa desesperación.

—¡Me dejó solo! ¡Me dejó solo! —repetía el infeliz.

—No, no —le respondí—: aquí estoy yo, que te he querido y te querré siempre; te quedan María, mi madre, Emma... y todas te servirán de madres.

El ataúd estaba ya en el fondo de la fosa: uno de los esclavos le echó encima la primera palada de tierra. Juan Ángel abalanzándose casi colérico hacia él, le cogió a dos manos la pala, movimiento que nos llenó de penoso estupor a todos.

A las tres de la tarde del mismo día, dejando una cruz sobre la tumba de Nay nos dirigimos su hijo y yo a la hacienda de la sierra.

XLV

Pasados ocho días empezó a calmarse el pesar que la muerte de Feliciana había causado en los ánimos de mi madre, Emma y María, sin que por esto dejase de ser ella el tema frecuente de las conversaciones. Todos procurábamos aliviar a Juan Ángel con nuestros cuidados y afectos, siendo esto lo mejor que podíamos hacer por su madre. Mi padre le hizo saber que era completamente libre, aunque la ley lo pusiese bajo su cuidado por algunos años, y que en adelante debía considerarse solamente como un criado de nuestra casa. El negrito, que ya tenía noticia de mi próximo viaje, manifestó que lo único que deseaba era que le permitieran acompañarme y mi padre le dio alguna esperanza de complacerlo.

A pesar de lo sucedido la noche víspera de mi marcha a Santa..., María continuaba siendo para conmigo solamente lo que había sido hasta entonces; aquel casto misterio que había velado nuestro amor lo velaba aún. Apenas nos tomábamos la libertad de pasear algunas veces solos en el jardín y en el huerto. Olvidados entonces de mi viaje, retozaba ella a mi alrededor, recogiendo flores que ponía en su delantal para venir después a mostrármelas, dejándome escoger las más bellas para mi cuarto, y disputándome alguna que fingía querer reservar para el oratorio. Ayudábale yo a regar sus eras predilectas, para lo cual se recogía las mangas dejando ver sus brazos, sin advertir que tan hermosos me parecían. Nos sentábamos a la orilla del derrumbo, coronado de madreselvas, desde donde veíamos hervir y serpentear la corriente del río en el fondo profundo y monstruoso de la vega. Afanábase otras veces por hacerme distinguir entre los lampos de oro que el sol dejaba al ocultarse, leones dormidos, caballos gigantes y ruinas de castillos de jaspe y lapislázuli, y cuanto se complacía en forjar con entusiasmo infantil.

Mas si la más leve circunstancia nos hacía pensar en el viaje temido, su brazo no se desenlazaba del mío, y deteniéndose en ciertos sitios me buscaban sus miradas húmedas, después de espiar en ellos algo invisible para mí.

Una tarde ¡hermosa tarde, que vivirá siempre en mi memoria!, la luz de los arreboles moribundos del ocaso se confundía bajo un cielo color de lila con los rayos de la luna naciente, blanqueados como los de una lámpara al cruzar un globo de alabastro. Los vientos bajaban retozando de las montañas a las llanuras; las aves buscaban presurosas sus nidos en los follajes de los sotos. Los bucles de la cabellera de María, que recorría lentamente el jardín, asida de mi brazo con entrambas manos, me habían acariciado la frente más de una vez; ella había intentado reclinar la sien sobre mi hombro; nada nos decíamos... De repente se detuvo en el extremo de una calle de rosales: miró por algunos instantes hacia la ventana de mi cuarto, y volvió a mí los ojos para decirme:

—Aquí fue; así estaba yo vestida: ¿lo recuerdas?

—Siempre, María..., siempre —le respondí cubriéndole las manos de besos.

—Mira: esa noche me desperté temblando, porque soñé que hacías eso que haces ahora... ¿Ves este rosal recién sembrado? Si me olvidas no florecerá; pero si sigues siendo como eres dará las más lindas rosas, y se las tengo prometidas a la Virgen, con tal de que me haga conocer por él si eres bueno siempre.

Sonreí, enternecido por tanta inocencia.

—¿No crees que será así? —me preguntó seria.

—Creo que la Virgen no necesitará tantas rosas.

Hizo que nos acercáramos a la ventana de mi cuarto. Una vez allí, desenlazó su brazo del mío; se dirigió al arroyo distante unos pasos, anudándose en la cintura el pañolón y trayendo agua en el hueco de las manos juntas, se arrodilló a mis pies para dejarla caer a gotas sobre una cebolletita retoñada, diciéndome:

—Es una mata de azucenas de la montaña.

—¿Y la has sembrado ahí?

—Porque aquí...

—Ya lo sé; pero esperaba que lo hubieses olvidado.

—¿Olvidar? ¡Cómo es tan fácil olvidar!... —me dijo sin levantarse ni mirarme.

Su cabellera rodaba destrenzada hasta el suelo, y el viento hacía que algunos de sus bucles tocaran las blancas mosquetas de un rosal inmediato.

—¿Pero no sabes por qué encontraste aquí el ramillete de azucenas?

—¡Cómo no lo he de saber! Porque ese día hubo quien supusiera que yo no quería volver a poner flores en su mesa.

—Mírame, María.

—¿Para qué? —respondió sin levantar los ojos de la matita, que parecía examinar con suma atención.

—Cada azucena que nazca aquí será un castigo cruel por un solo momento de duda. ¿Sabía yo acaso si era digno?... Vamos a sembrar tus azucenas lejos de este sitio.

Doblé una rodilla al frente de ella.

—No, señor —me respondió alarmada y cubriendo la matita con entrambas manos.

Yo me volví a poner en pie, y cruzado de brazos esperaba a que ella terminara lo que hacía o fingía hacer. Trató de verme sin que yo lo notase, y rió al fin levantando el rostro, lleno de recompensas por un instante de supuesta severidad, diciéndome:

—Conque muy bravo, ¿no? Voy a contarle, señor, para qué son todas las azucenas que dé la mata.

Al tratar de ponerse en pie asida de la mano que yo le ofrecí volvió a caer arrodillada, porque la detenían algunos cabellos enredados en las ramas del rosal; los separamos y al sacudir ella graciosamente la cabeza, para arreglar la cabellera, su mirada tenía una fascinación casi nueva. Apoyada en mi brazo observó:

—Vámonos, que va oscurecer.

—¿Para qué son las azucenas? —insistí al dirigirnos lentamente al corredor de la montaña.

—Ya sabes para qué servirán las rosas de la mata nueva que te mostré, ¿no?

—Sí.

—Pues las azucenas servirán para una cosa parecida.

—A ver.

—¿Te gustará encontrar en cada carta mía que recibas un pedacito de las azucenas que dé?

—¡Ah, sí!

—Eso será como decirte muchas cosas que algunas veces no deben escribirse, y que otras me costaría mucho trabajo expresar bien, porque no me has acabado de enseñar lo necesario para que mis cartas vayan bien puestas... También es cierto...

—¿Qué es cierto?

—Que ambos tenemos la culpa.

Después de haberse distraído en romper bajo sus pies, precisamente calzados, las hojas secas de los mandules y mameyes, regadas por el viento en la callejuela que seguíamos dijo:

—No quiero ir mañana a la montaña.

—¿Pero no se resentirá Tránsito contigo? Hace un mes que se casó y no le hemos hecho la primera visita. ¿Por qué no quieres ir?

—Porque..., por nada. Le dirás que estamos atareados con tu viaje..., cualquier cosa. Que vengan ella y Lucía el domingo.

—Está bien. Yo volveré muy temprano.

—Sí, y no habrá cacería.

—Pero esa condición es nueva, y Carlos se reiría de saber que me la has puesto.

—¿Y quién ha de ir a decírselo a él?

—Tal vez yo mismo.

—Y eso, ¿para qué?

—Para consolarle de aquel tiro que erró tan lastimosamente al venadito.

—¿De veras? A un tigre hubiera sido otra cosa, porque claro está que debe dar miedo.

—Lo que no sabes es que la escopeta de Carlos no tenía munición cuando disparó; Braulio se la había sacado.

—¿Y por qué hizo Braulio eso?

—Para tomar desquite; Carlos y el señor de M... se habían burlado aquella mañana de la flacura de los perros de José.

—Braulio hizo mal, ¿verdad? Pero si no lo hubiera hecho así no estaría vivo el venadito. Tú no has visto lo alegre que se pone si yo me le acerco; hasta Mayo ha conseguido que lo quiera y muchas veces duermen juntos. ¡Es tan lindo! ¡Cómo lo habrá llorado su madre!

—Suéltalo para que se vaya, pues.

—¿Y ella lo buscará todavía por los montes?

—Tal vez no.

—¿Por qué?

—Porque Braulio me asegura que la venada que mató poco después en la misma cañada de donde salió el chiquito era la madre.

—¡Ay, qué hombre! No vuelvas a matar venadas.

Habíamos llegado al corredor, y Juan, con los brazos abiertos, salió al encuentro de María; ella lo levantó y desapareció con él, después de haberle hecho reclinar la cabeza soñolienta sobre uno de aquellos hombros de porcelana sonrosada, que ni su pañolón ni su cabellera se atrevían en algunos momentos a ocultar.

XLVI

A las doce del día siguiente bajé de la montaña. El sol, desde el cenit, sin nubes que le estorbaran, lanzaba viva luz intentando abrasar todo lo que los follajes de los árboles no defendían de sus rayos de fuego. Las arboledas estaban silenciosas; la brisa no movía los ramajes ni aleteaba un ave en ellos, las chicharras festejaban infatigables aquel día de estío con que se engalanaba diciembre; las aguas cristalinas de las fuentes rodaban precipitadas al atravesar las callejuelas para ir a secretearse bajo los tamarindos y hobos y esconderse después en los yerbabuenales frondosos; el valle y sus montañas parecían iluminados por el resplandor de un espejo gigantesco.

Seguíanme Juan Ángel y Mayo. Divisé a María, que llegaba al baño acompañada de Juan y Estéfana. El perro corrió hacia ellos y se puso a dar vueltas alrededor del bello grupo, estornudando y dando aulliditos como solía hacerlo para expresar contento. María me buscó con mirada anhelosa por todas partes, y me divisó al fin a tiempo que yo saltaba el vallado del huerto. Dirigíme hacia donde ella estaba. Sus cabellos, conservando las ondulaciones que las trenzas les habían impreso, le caían en manojos desordenados sobre el pañolón y parte de la falda blanca, que recogía con la mano izquierda mientras con la derecha se abanicaba con una rama de albahaca.

Estaba sentada bajo el ramaje del naranjo del baño, sobre una alfombra que Estéfana acababa de extender, cuando me acerqué a saludarla.

—¡Qué sol! —me dijo—, por no haber venido temprano.

—No fue posible.

—Casi nunca es posible. ¿Quieres bañarte y yo me esperaré?

—¡Oh, no!

—Si es porque falta en el baño algo, yo puedo ponérselo ahora.

—¿Rosas?

—Sí; pero ya las tendrá cuando vengas.

Juan, que había estado haciendo bambolear los racimos de naranja que estaban a su alcance y casi sobre el césped, se arrodilló delante de María para que ella le desabrochara la blusa.

Ese día traía yo una abundante provisión de lirios, pues además de los que me habían guardado Tránsito y Lucía, encontré muchos en el camino: escogí los más hermosos para entregárselos a María y recibiendo de Juan Ángel todos los otros los arrojé al baño. Ella exclamó:

—¡Ay, qué lástima! ¡Tan lindos!

—Las ondinas —le dije— hacen lo mismo con ellos cuando se bañan en los remansos.

—¿Quiénes son las ondinas?

—Unas mujeres que quisieran parecerse a ti.

—¿A mí? ¿Dónde las has visto?

—En el río las veía.

María rió; y como me alejaba, me dijo:

—No me demoraré sino un ratito.

Media hora después entró al salón, donde la esperaba yo. Sus miradas tenían esa brillantez y sus mejillas el suave sonrosado que tanto la embellecían cuando salía del baño.

Al verme se detuvo, exclamando:

—¡Ah! ¿Por qué aquí?

—Porque supuse que entrarías.

—Y yo que me esperabas.

Sentóse en el sofá que le indiqué, e interrumpió luego algo en que pensaba para decirme:

—¿Por qué es así?

—¿Qué cosa?

—Que sucede esto siempre.

—No has dicho qué.

—Que si imagino que vas a hacer algo, lo haces.

—¿Y por qué a mí me avisa también algo que ya vienes, si has tardado? Eso no tiene explicación.

—Yo quería saber, desde hace días, si sucediéndome esto ahora, cuando no estés aquí ya, podrás adivinar lo que yo haga y saber yo si estás pensando...

—En ti, ¿no?

—Será. Vamos al costurero de mamá, que por esperarte no he hecho nada hoy, y ella quiere que esté a la tarde lo que estoy cosiendo.

—¿Allá estaremos solos?

—¿Y qué nuevo empeño es ése de que estemos siempre solos?

260

—Todo lo que me estorba...

—¡Chist!... —dijo, poniéndose un dedo sobre los labios—. ¡Ya ves!, están en la repostería —añadió sentándose—. ¿Conque son muy lindas esas mujeres? —preguntó, sonriéndose y arreglando la costura—. ¿Cómo se llaman?

—¡Ah!..., son muy lindas.

—¿Y viven en los montes?

—En las orillas del río.

—¿Al sol y el agua? No deben de ser muy blancas.

—En las sombras de los grandes bosques.

—¿Y qué hacen allí?

—No sé qué hacen; lo que sí sé es que ya no las encuentro.

—¿Y cuánto hace que te sucede esa desgracia? ¿Por qué no te esperarán? Siendo tan bonitas, estarás apesadumbrado.

—Están..., pero tú no sabes qué es estar así.

—Pues me lo explicarás tú. ¿Cómo están?... ¡No, señor! —agregó, escondiendo en los pliegues de la irlanda que tenía sobre la falda la mano derecha, que yo había intentado tomarle.

—Está bien.

—Porque no puedo coser y no dices cómo están las... ¿cómo se llaman?

—Voy a confesártelo.

—A ver, pues.

—Están celosas de ti.

—¿Enojadas conmigo?

—Sí.

—¡Conmigo!

—Antes sólo pensaba yo en ellas, y después...

—¿Después?

—Las olvidé por ti.

—Entonces me voy a poner muy orgullosa.

Su mano derecha estaba ya jugando sobre un brazo de la butaca, y era así como solía indicarme que podía tomarla. Ella siguió diciendo:

—¿En Europa hay ondinas?... Oígame, mi amigo, ¿en Europa hay...?

—Sí.

—Entonces, ¡quién sabe!

—Es seguro que aquéllas se pintan las mejillas con zumos de flores rosadas y se ponen corsé y botines.

María trataba de coser, pero su mano derecha no estaba firme. Mientras desenredaba la hebra me observó:

—Yo conozco uno que se desvive por ver pies lindamente calzados. Las flores del baño se van a ir por el desagüe.

—¿Y... eso quiere decir que debo irme?

—Es que me da lástima de que se pierdan.

—Algo más es.

—De veras; que me da como pena... y otra cosa, de que nos vean tantas veces solos..., y Emma y mamá van a venir.

XLVII

Mi padre había resuelto ir a la ciudad antes de mi partida, tanto porque los negocios lo exigían urgentemente como para tomarse tiempo allá para arreglar mi viaje.

El catorce de enero, víspera del día en que debía dejarnos, a las siete de la noche, y después de haber trabajado juntos algunas horas hice llevar a su cuarto una parte de mi equipaje, que debía seguir con el suyo. Mi madre acomodaba los baúles arrodillada sobre una alfombra, y Emma y María le ayudaban. Ya no quedaban por acomodar sino vestidos míos: María tomó algunas piezas de éstos que estaban en los asientos inmediatos, y al reconocerlas preguntó:

—¿Esto también?

Mi madre se las recibió sin responder, y se llevó algunas veces el pañuelo a los ojos mientras los iba colocando.

Salí, y al regresar con algunos papeles que debían ponerse en los baúles, encontré a María recostada en la baranda del corredor.

—¿Qué es? —le dije—. ¿Por qué lloras?

—Si no lloro...

—Recuerda lo que me tienes prometido.

—Sí, ya sé: tener valor para todo esto. Si fuera posible que me dieras parte del tuyo... Pero yo no he prometido a mamá ni a ti no llorar. Si tu semblante no estuviese diciendo más de lo que estas lágrimas dicen, yo las ocultaría..., pero, después, ¿quién las sabrá?...

Enjugué con mi pañuelo las que le rodaban por las mejillas diciéndole:

—Espérame, que vuelvo.

—¿Aquí?

—Sí.

Estaba en el mismo sitio. Me recliné a su lado en la baranda.

—Mira —me dijo, mostrándome el valle tenebroso—. Mira como se han entristecido las noches; cuando vuelvan las de agosto, ¿dónde estarás ya?...

Después de unos momentos de silencio, agregó:

—Si no hubieras venido, si, como papá pensó, no hubieses vuelto antes de seguir para Europa...

—¿Habría sido mejor?

—¿Mejor?... ¿Mejor?... ¿Lo has creído alguna vez?

—Bien sabes que no he podido creerlo.

—Yo sí, cuando papá dijo eso que le oí de la enfermedad que tuve; ¿y tú nunca?

—Nunca.

—¿Y en aquellos diez días?

—Te amaba como ahora; pero lo que el médico y mi padre...

—Sí; mamá me lo ha dicho. ¿Cómo podré pagarte?

—Ya has hecho lo que yo podía exigirte en recompensa.

—¿Algo que valga tanto así?

—Amarme como te amé entonces; como te amo hoy: amarme mucho.

—¡Ay, sí! Pero aunque sea una ingratitud, eso no ha sido por pagarte lo que hiciste.

Y apoyó por unos instantes la frente sobre su mano, enlazada con la mía.

—Antes —continuó, levantando lentamente la cabeza— me habría muerto de vergüenza al hablarte así... Tal vez no hago bien...

—¿Mal, María? ¿No eres, pues, casi mi esposa?

—Es que no puedo acostumbrarme a esa idea; tanto tiempo me pareció imposible...

—¿Pero hoy?..., ¿aún hoy?

—No puedo imaginarme cómo serás tú y cómo seré yo entonces. ¿Qué buscas? —preguntóme, sintiendo que mis manos registraban las suyas.

—Esto —le respondí, sacándole del dedo anular de la mano izquierda una sortija en la cual estaban grabadas las dos iniciales de los nombres de sus padres.

—¿Para usarla tú? Como no usas sortijas, no te la había ofrecido.

—Te la devolveré el día de nuestras bodas; reemplázala mientras tanto con ésta: es la que mi madre me dio cuando me fui para el colegio; por dentro del aro están tu nombre y el mío. A mí no me viene; a tí sí, ¿no?

—Bueno; pero ésta no te la devolveré nunca. Recuerdo que días antes de irte se te cayó en el arroyo del huerto, y yo me descalcé para buscártela; y como me mojé mucho, mamá se enojó.

Algo oscuro como la cabellera de María, y veloz como el pensamiento, cruzó por delante de nuestros ojos. María dio un grito ahogado, y cubriéndose el rostro con las manos exclamó horrorizada:

—¡El ave negra!

Temblorosa, se asió de uno de mis brazos. Un calofrío de pavor me recorrió el cuerpo. El zumbido metálico de las alas del ave ominosa no se oía ya. María estaba inmóvil. Mi madre, que salía del escritorio con una luz se acercó alarmada por el grito que acababa de oírle a María: ésta estaba lívida.

—¿Qué es? —preguntó mi madre.

—Esa ave que vimos en el cuarto de Efraín.

La luz tembló en la mano de mi madre, quien dijo:

—Pero, niña, ¿cómo te asustas así?

—Usted no sabe… Pero yo no tengo ya nada. Vámonos de aquí —añadió, llamándome con la mirada ya más serena.

La campanilla del comedor sonó y nos dirigíamos allá, cuando María se acercó a mi madre para decirle:

—No le vaya a contar mi susto a papá, porque se reirá de mí.

XLVIII

A las siete de la mañana siguiente ya había salido de casa el equipaje de mi padre, y él y yo tomábamos el café en traje de camino. Debía acompañarlo hasta cerca de la hacienda de los señores de M…, de los cuales iba a despedirme, lo mismo que de otros vecinos. La familia estaba toda en el corredor cuando acercaron los caballos para que montáramos. Emma y María salieron de mi cuarto en aquel momento, lo cual me llamó la atención. Mi padre, después de besar en una de las mejillas, le besó la frente a María, a Emma y a cada uno de los niños, hasta llegar a Juan, quien le recordó el encargo que le había hecho de un galapaguito con pistoleras para ensillar un potro gaucho* que le servía de diversión en esos días.

Detúvose de nuevo mi padre delante de María antes de bajar la escalera, y le dijo en voz baja, poniéndole una mano sobre la cabeza y tratando inútilmente de conseguir que lo mirara:

—Es convenido que estarás muy guapa y muy juiciosa: ¿no es verdad, mi señora?

María le significó una respuesta afirmativa, y por sus mejillas sonrosadas de pudor intentaron deslizarse lágrimas, que ella enjugó precipitadamente.

Me despedí hasta la tarde; y estando yo cerca de María mientras montaba mi padre, ella me dijo de modo que ningún otro la oyera:

—Ni un minuto después de las cinco.

De la familia de don Jerónimo, solamente Carlos estaba en la hacienda: éste me recibió lleno de placer, y tratando de obtener de mí, desde el punto que me abrazó, que pasara todo el día con él.

Visitamos el ingenio, costosamente montado, aunque con poco gusto y arte; recorrimos el huerto, hermosa obra de los antepasados de la familia, y fuimos por último al pesebre, adornado con media docena de valiosos caballos.

Fumábamos de sobremesa, después del almuerzo, cuando Carlos me dijo:

—Por lo visto, me será imposible verte antes de que nos digamos adiós, con tu cara alegre de estudiante, con aquella que ponías para atormentarme al contarte algún capricho desesperador* de Matilde. Pero al cabo, si estás triste porque te vas, eso significa que estarías contento si te quedaras... ¡Diablo de viaje!

—No seas mal agradecido —le respondí—; desde que yo regrese tendrás médico de balde.

---

potro gaucho. En algunas ediciones aparece "potro guacho", es decir, sin madre.

capricho desesperador. El Diccionario de la Real Academia Española no registra esta palabra. El término admitido es "desesperante".

—Cierto, hombre. ¿Crees que no había caído en cuenta de eso? Estudia mucho para volver pronto. Si mientras tanto no me mata un •tabardillo atrapado en estos llanos, es posible que me encuentres hidrópico. Estoy aburriéndome atrozmente. Todo el mundo quiso aquí que fuera a pasar la Nochebuena en Buga, y para quedarme tuve que fingir que me había dislocado un tobillo, a riesgo de que tal conducta me despopularice entre la numerosa turba de mis primas. Al fin tendré que pretextar algún negocio en Bogotá, aunque sea a traer soches y ranas como Emigdio..., a traer cualquier cosa.

—¿Como una mujer? —le interrumpí.

—¡Toma! ¡Te imaginas que no he pensado en eso? Mil veces. Todas las noches hago cien proyectos. Figúrate: tirado boca arriba en un catre desde las seis de la tarde aguardando a que vengan los negros a rezar, a que me llamen después a tomar chocolate, y oyendo luego conchabar desenraíces, despajes y siembras de caña*... A la madrugada de todos los días, el primer olor de bagazal que me llega a las narices deshace todos mis castillos.

—Pero leerás.

—¿Qué leo? ¿Con quién hablo de lo que lea? ¿Con ese cotudo de mayordomo que bosteza desde las cinco?

—Saco en limpio que necesitas urgentemente casarte; que has vuelto a pensar en Matilde, y que proyectas traerla aquí.

—Al pie de la letra; eso ha sucedido así: después que me convencí de que había cometido un dislate intentando casarme con tu prima (Dios y ella me lo perdonen), vino la tentación que dices. Pero ¿sabes lo que suele sucederme? Después de costarme tanto trabajo como resolver uno de aquellos problemas de Bracho, imaginarme bien que Matilde es ya mi mujer y que está en casa, suelto la carcajada al suponerme qué sería de la infeliz.

—Pero ¿por qué?

—Hombre, Matilde es de Bogotá como la pila de San Carlos, como la estatua de Bolívar*, como el porte Escamilla: tendría que

---

oyendo luego conchabar desenraíces, despajes y siembras de caña. La elipsis del complemento hace en cierto modo oscura la oración. Lo que oye Carlos es conchabar peones para las tareas agrarias de desenraizar, despejar, etcétera.

la estatua de Bolívar. El escultor colombiano Arenas Betan~ourt realizó el famoso monumento en que catorce jinetes siguen a Bolívar volando sobre el vacío. En casi echárseme a perder en la trasplanta*. ¿Y qué podría yo hacer para evitarlo?

—Puedes hacerte amar de ella siempre; proporcionarle todos los refinamientos y recreaciones posibles... En fin tú eres rico y ella te sería un estímulo para el trabajo. Además estas llanuras, estos bosques, estos ríos, ¿son por ventura cosas que ella ha visto? ¿Son para verse y no amarse?

—Ya me vienes con poesías. ¿Y mi padre y sus campesinadas? ¿Y mis tías con sus humos y gazmoñerías*? ¿Y esta soledad? ¿Y el calor?.... ¿Y el demonio?...

—Aguárdate —le interrumpí riéndome—; no lo tomes tan a pecho.

—No hablemos más de esto. Apúrate mucho para que vuelvas pronto a curarme. Cuando regreses te casarás con la señorita María, ¿no es así?

—Dios mediante.

—¿Quieres que yo sea tu padrino?

—De mil amores.

—Gracias. Es, pues, cosa convenida.

—Haz que me traigan mi caballo —le dije después de un rato de silencio.

—¿Te vas ya?

—Lo siento, pero en casa me esperan temprano, ya ves que está muy próximo el viaje... y tengo que despedirme hoy de Emigdio y de mi compadre Custodio, que no están muy cerca.

—¿Te vas el treinta, precisamente?

—Sí.

—Te quedan sólo quince días; no debo detenerte. Al fin te has reído de algo, aunque haya sido de mi tedio.

---

todos los municipios de Colombia hay un monumento del prócer. En las ciudades, una estatua ecuestre, de bronce. En todas partes, una leyenda: por aquí pasó el Libertador, en tales fechas. Pero las dos plazas principales son las de Bogotá y Tunja.

en la trasplanta. Con el cambio de lugar. El Diccionario de la Real Academia Española registra "el trasplante".

con sus humos y gazmoñerías. Con sus presunciones y su falsa modestia y devoción.

267

Ni Carlos ni yo pudimos ocultar el pesar que nos causaba aquella despedida.

Vadeaba el Amaimito a tiempo que oí se me llamaba y divisé a mi compadre Custodio saliendo de un bosque inmediato. Cabalgaba él en un potrón melado, de rienda todavía, sobre una silla de gran cabeza; llevaba camisa de listado azul, los calzones arremangados hasta la rodilla y el capisayo atravesado a lo largo sobre los muslos. Seguíale, montado en una yegua bebeca, agobiada por los años y por cuatro racimos de plátanos, un muchacho idiota, el mismo que desempeñaba en la chacra funciones combinados de porquero, pajarero y hortelano.

—Dios me lo guarde, compadrito —me dijo el viejo cuando estuvo cerca—. Si no me empecino a gritarle, se me escabulle.

—A su casa iba, compadre.

—No me lo diga. ¡Y yo que por poco no salgo de estos montarrones, dándome forma de topar esa maneta indina que ya se volvió a horrar!; pero en el trapiche me las ha de pagar todas juntas. Si no acierto a pasar por el llanito de la puerta y a ver las gualas, hastora* estaría haraganeando en su busca. Me fui de jilo, y dicho y hecho: medio comido ya el muleto y tan bizarrote que parecía de dos meses. Ni el cuero se pudo sacar, que con otro me habría servido para hacer unos zamarros, que los que tengo están de la vista de los perros*.

—No se les dé nada, compadre, que muletos le han de sobrar y años para verlos de recua. Vámonos, pues.

—Nada, señor —dijo mi compadre, empezando a andar precediéndome—: si es cansera; el tiempo está de lo pésimo. Hágase cargo: la miel a real; la rapadura no se diga; la azucarita que sale blanca a peso; los quesos de balde* y los puercos tragándose todo el maíz de la cosecha y como si se botara al río. Los balances de su comadre, aunque la pobre es un ringlete, no dan ni para velas; no hay cochada de jabón que pague lo que se gasta; y esos garosos de guardas tras del sacatín que se las pelan... ¿Qué le cuento?, le

---

hastora. Por "hasta ahora". Apócope común entre la gente campesina.

están de la vista de los perros. Muy gastados, en pésimas condiciones.

de balde. Lo que se consigue sin precio alguno o cuesta muy poco.

compré al amo don Jerónimo el rastrojo aquel del guadalito; ¡pero qué hombre tan tirano!... Cuatrocientos patacones y diez ternerotes de aparte me sacó.

—¿Y de dónde salieron los cuatrocientos? ¿Del jabón?

—¡Ah! Usted para temático, compadre... Si rompimos hasta la alcancía de Salomé para poder pagarle.

—Y Salomé, ¿sigue tan trabajadora como antes?

—¿Y si no dónde le diera la agua*? Labra tiras de lomillo, que es lo que hay que ver y ayuda en todo: al fin hija de su mamá. Pero si le digo que esa muchacha me tiene zurumbático no le miento.

—¿Salomé? Ella, tan formalita, tan recatada...

—Ella, compadre; así tan pacatica como la ve.

—¿Qué sucede?

—Usted es un caballero de veras y mi amigo, y se lo voy a contar en vez de írselo a decir* al señor cura de la parroquia, que yo creo que de puro santo no tiene ni malicia y se le pasea el alma por el cuerpo. Pero aguárdese y paso yo primero este zanjón, porque para no embarrarse en él se necesita baquía.

Y volviéndose al bobo, que venía durmiéndose entre los plátanos, dijo:

—Ve el camino, tembo; porque si se atolla la yegua con gusto pierdo los guangos por dejarte ahí.

El cotudo rió estúpidamente y dio por respuesta algunos rezongos inarticulados. Mi compadre continuó:

—¿Usted sí conoce a Tiburcio el mulatico* que crió el difunto Murcia?

—¿No es el que se quería casar con Salomé?

—Allá llegaremos.

—No sé quién lo crió. Pero ¡vaya si lo conozco! Lo he visto en casa de usted* y en la de José, y aun hemos casado algunas veces juntos: es un guapo mozo.

---

la agua. El agua. Se advierte el error propio de la lengua campesina.

írselo a decir. La expresión correcta es "ir a decírselo", pero aquí su uso responde a la lengua oral.

mulatico. Véase nota de pág. 134.

en casa de usted. Véase nota de pág. 171. En su casa.

—Ahí donde lo ve no le faltan ocho buenas vacas, su punta de puercos, su estancita y dos buenas yeguas de silla. Porque ñor Murcia, aunque vivía renegando que daba miedo, era un buen hombre, y le dejó todo eso al muchacho. Es el hijo de la mulata que le costó al viejo una rebotación de tiricia* que por poco se lo lleva, pues a los cuatro meses de haber comprado la zamba en Quilichao* se le murió; y yo supe el cuento, porque entonces me gustaba jornalear* algunas veces en la chagra de ñor Murcia.

—¿Y qué hay con Tiburcio?

—Allá voy. Pues, señor, va para ocho meses que empecé a notar que al muchacho no le faltaban historias para venir a vernos; pero pronto le cogí la mácula, y conocí que lo que buscaba era ocasión de ver a Salomé. Un día se lo dije por lo claro* a Candelaria, y ella me salió con la repostada de que tal vez me había caído nube a los ojos* y que el cuento era rancio. Me puse en atisba un sábado en la tardecita, porque Tiburcio no faltaba los sábados a esa hora, y cate usted que vi a la muchacha salirle al encuentro apenas lo oyó, y no me quedó ni pizca de duda... Eso sí, nada vi que no fuera legítimo*. Pasaron días y días y Tiburcio no abría la boca para hablar de casamiento; pero yo pensaba: cateando que estará a Salomé, y bien guanábano y será si no se casa con ella, pues no es ninguna mechosa, y tan mujer de su casa no hay riesgo que la halle. Cuando de golpe dejó de venir Tiburcio, sin que Candelaria pudiera sacarle a la muchacha el motivo; y como a mí me tiene Salomé el respeto que debe, menos pude averiguarle; y desde antes de nochebuena Tiburcio no se asoma allá. ¿Si será usted amigo del niño Justiniano, hermano de don Carlitos?

---

tiricia. Barbarismo por ictericia.

Quilichao. Población de Santander, en Colombia, departamento de Cauca. El nombre procede de los indios Quilichaos que vivían al pie de un cerro llamado Munchique ("montaña de oro").

jornalear. Neologismo. El Diccionario de la Real Academia Española no registra esta palabra.

por lo claro. Claramente.

me había caído nube a los ojos. Me había parecido.

que no fuera legítimo. Que no fuera decente.

—No le veo* desde que éramos chicos.

—Pues quítele las patillas que ha echado don Carlos, y ahí lo tiene individual. ¡Pero ojalá fuera como el hermano!; es el mismo patas, pero bonito mozo, ¿para qué es negarlo*? Yo no sé dónde vio él a Salomé: tal vez sería agora que estuve empeñado sobre hacer* el cambalache con su padre porque el niño se vino a herrar los terneros, y desde el mismo día no me deja comer un plátano a gusto.

—Eso no está bueno.

—Yo, que se lo cuento con riesgo de que su comadre, si lo sabe, me diga un día que esté lunática que soy un garlero, sé lo que hago. Pero no hay mal que no tenga su cura: he estado dando y cavando* hasta dar en el toque*.

—A ver, compadre; pero dígame antes (y dispense si hay indiscreción en preguntárselo): ¿qué cara le hace Salomé a Justiniano?

—Déjeme, señor; si eso es lo que me tiene día y noche como si durmiera yo sobre pringamoza.... Compadre, la muchacha está picada... Por no matarla... Y la pela que le doy si se mete el mandinga... lo quiere, niño, y por eso le cuento a usté* todo para que me saque con bien*.

—¿Y en qué ha conocido usted que está enamorada Salomé?

—¡Válgame! ¿No habré visto yo cómo le bailan los ojos cuando ve al blanquito y que toda ella se pone como azogada si le pasa agua o candela, porque parece que él vive con sequía y que fumar es el único quehacer que tiene? Pues por candela y agua arrima a casa arreo arreo*, y no hace falta los domingos en la tarde en casa la vieja Dominga; ¿no la conoce?

—No.

No le veo. No lo veo. Caso de leísmo, muy común en España.

¿para qué es negarlo? ¿Por qué negarlo?

estuve empeñado sobre hacer. Estuve empeñado en hacer.

he estado dando y cavando. He estado pensando mucho.

dar en el toque. Descubrir el punto esencial en que consiste o estriba alguna cosa.

usté. Usted. Apócope común en la lengua oral.

me saque con bien. Me lo resuelva.

arrima a casa arreo arreo. Viene a casa frecuentemente, con asiduidad.

—Pues estoy por decirle que es de las que usan polvos, y ya no hay quién le quite de la cabeza a Candelaria que esa murciélaga fue la que le ojeó el mico aquel tan sabido y que tanto le divertía a usté: porque el animalito boqueó sobándose la barriga y dando quejidos como un cristiano.

—Algún alacrán que se habría comido, compadre.

—¿De ónde*? ¡Si trabajo costaba para que probara comida fría! Convénzase que la bruja le hizo maleficio; pero no era allá donde yo iba. Enanticos que fui a buscar la yegua me encontré a la vieja en el guayabal, que iba para casa; y como ando orejero, todo fue verla y me la aboqué por delante para decirle: "Vea, ña* Dominga: devuélvase*, porque allá tienen las gentes oficio en lugar de estar en conversas. Van dos viajes con éste que le he dicho que me choca verla en casa". Toda ella se puso a temblar y yo que la vi asustada, pensé al golpe*: este retobo no anda en cosa buena. Salió con éstas y las otras; pero la dejé como en misa* cuando le dije: "Mire que yo soy malicioso, y si la cojo a usté en la que anda, yo la desuello a rejo, y si no lo hago que me quiten el nombre".

La exaltación de mi compadre había llegado al colmo, y santiguándose continuó:

—¡Jesús, creo en Dios Padre! Esa cangalla es capaz de hacerme perder, un día que se me revista la ira mala. Es buen hacer, blanco: tener un hombre de bien su hijita que tantas pesadumbres le ha costado y no ha de faltar quien quiera hacerlo abochornar a uno de lo más querido.

Mi irascible compadre estaba próximo a un acceso de enternecimiento; y yo, a quien no habían parecido salvas y repiques* sus últimas palabras, me apresuré a decirle:

<hr>

¿De ónde? ¿De dónde? Vulgarismo común entre la gente campesina.

ña. Aféresis de "doña". Tratamiento que se da en algunas partes a las mujeres de clase humilde y a las de cierta edad.

devuélvase. Vuélvase, regrese.

al golpe. Inmediatamente.

la dejé como en misa. La dejé muda.

no habían parecido salvas y repiques. No habían dado motivo de alegría, de regocijo.

272

—Veamos el remedio que usted ha encontrado para el mal, porque ya voy creyendo que es cosa grave.

—Pues ory* verá: su mamá le propuso el otro día a mi mujer que le mandara a Salomé por unas semanas, para que la muchacha aprendiera a coser en fino, que es todo lo que Candelaria desea. Entonces no se pudo... Yo no le conocía* a usté como agora.

—¡Compadre!

—Por la verdad murió Cristo. Ya el caso es diferente: quiero que su mamá me tenga allá unos meses a la muchacha, que por ahí no ha de ir a buscarla ese enemigo malo; Salomé se ajuiciará, y será lo mismo que decirle al que quiera alborotármela que se vaya a la punta de un cuerno. ¿Le parece?

—Por supuesto. Hoy mismo le hablaré a mi madre, y ella y las muchachas se pondrán muy contentas. Yo le prometo que todo se allanará.

—Dios se lo pague, compadre. Entonces yo me daré formas* de que usté hable hoy un rato solo con Salomé: como quien no quiere la cosa, le propone que vaya a su casa y le dice que su mamá la está esperando. Usté me cuenta luego qué ha notado, y así nos saldrá todo derecho como surco. Pero si la muchacha se me encapricha, sí le juro que un día de éstos la encajo en uno de mis mochos y al beaterío de Cali va a dar, que ahí no se me le ha de asentar una mosca, y, si no sale casada, rezando y aprendiendo a leer un libro la tengo hasta que San Juan agache el dedo*

Pasamos por el rastrojo recién comprado por Custodio y éste me dijo:

—¿No ve qué primor de tierra y cómo está el espino de mono* que es la mejor señal de buen terreno? Lo único que lo daña es la falta de agua.

---

ory. Ahora.

Yo no le conocía. Yo no *lo* conocía. Caso de leísmo.

yo me daré formas. Yo me ingeniaré.

hasta que San Juan agache el dedo. Hasta que San Juan Bautista, desde su estatua, baje el dedo que tiene levantado.

mono. Expresión familiar que significa "lindo", "bonito", "atractivo".

—Compadre —le respondí—, si ya puede usted ponerle toda la que quiera.

—No embrome; entonces no lo vendo ni por el doble.

—Mi padre consiente en que usted tome cuanta necesite de los potreros de abajo; yo le hice ver lo que usted me recomendó, y él extrañó que no se le hubiese pedido antes el permiso.

—¡Pero qué memoria la suya, compadrito, mire que aguardar ahora para avisármelo!... Dígamele al patrón* que se lo agradezco en mi alma; que ya sabe que no soy ningún ingrato, y que aquí me tiene con cuanto tengo para que me mande. Candelaria va a estar de pascuas*: agua a mano para la huerta, para el sacatín, para la manguita... Supóngase que la que pasa por casa es un hilito, y eso revuelta por los puercos de mi compañero Rudecindo, que lo que es hozar y dañarme las quinchas no vagan; de forma que para cuanto limpio hay que hacer en casa*, tienen que empuntar al mundo* con la yegua cargada de calabazos a Amaimito, porque para tomar agua de la Honda mejor es tragar lejía, de la pura caparrosa que tiene.

—Es cobre, compadre.

—Eso será.

La noticia del permiso que le concedía mi padre para tomar el agua, refrescó al chagrero* hasta el punto de hacer que el potrón en que iba luciera la trastaba en que decía el picador lo estaba metiendo.

—¿De quién es ese potro? No tiene el fierro* de usted.

—¿Le gusta? Es del abuelo Somera.

—¿Cuánto vale?

Dígamele al patrón. Valor afectivo del pronombre personal "me".

va a estar de pascuas. Va a estar alegre y regocijada.

cuanto limpio hay que hacer en casa. Hacer limpio significa "limpiar", "hacer el aseo" de la casa.

empuntar al mundo. Ir lejos.

chagrero. Significa chacarero. Anderson Imbert dice que en este capítulo y en el siguiente, "es hermoso el cuadro rústico con la deliciosa Salomé coloreada en el centro como una ninfa mulata, inocente, juguetona y sensual".

el fierro. El hierro o la marca para llevar a cabo la yerra.

—Pues para no andar con vueltas ni regodeos, le confesaré que don Emigdio no quiso cuatro medallas; y éste es una ranga delante del rucio negro mío, que ya lo tengo de freno, y manotea al paso llano, y saca la cola que es un gusto; así me costó amansarlo; para una semana entera me baldó ese brazo, porque no hay otro que le gane en lo canónigo; y un remache en el dos y dos; y engordando lo tengo pues tras la última tambarria que le di quedó en la espina*.

Llegábamos a la casa de Custodio, y él taloneó el potro para darse trazas de abrir la puerta del patio.

Apenas dio ésta tras de nosotros el último quejido y un golpe que hizo estremecer al caballete pajizo, me aconsejó mi compadre:

—Ándele vivo* y con tiento a Salomé a ver qué le saca.

—Pierda cuidado —le respondí, haciendo llegar al corredor mi caballo, al cual espantaba la ropa blanca colgada por allí.

Cuando traté de apearme ya le había tapado mi compadre la cabeza al potro con el capisayo, y estaba teniéndome el estribo y la brida. Después de amarrar las cabalgaduras entró gritando:

—¡Candelaria! ¡Salomé!

Sólo los bimbos contestaban.

—Pero ni los perros —continuó mi compadre—: como si a todos se los hubiera tragado la tierra.

—¡Allá voy! —respondió desde la cocina mi comadre.

—¡Hu turutas! Si es que aquí está tu compadre Efraín.

—Aguárdeme una nada*, compadrito, que es porque estamos bajando una rapadura y se nos quema.

—¿Y Fermín, dónde se ha metido? —preguntó Custodio.

—Se fue con los perros a buscar el puerco cimarrón —respondió la voz melodiosa de Salomé.

Ésta se asomó de pronto a la puerta de la cocina, mientras mi compadre se empeñaba en ayudarme a quitar los zamarros.

Era la casita de la chagra pajiza y de suelo apisonado, pero muy

quedó en la espina. Quedó muy delgado y extenuado.

Ándele vivo. Actúe con rapidez.

una nada. Un instante, poco tiempo.

limpia y recién enjalbegada*: así, rodeada de cafetos*; anones, papayuelos y otros árboles frutales, no faltaba a la vivienda sino lo que iba a tener en adelante, esperanza que tan favorablemente había mejorado el humor de su dueño: agua caliente cristalina. La salita tenía por adorno algunos taburetes aforrados en cuero crudo, un escaño, una mesa cubierta por entonces con almidón sobre lienzos, y el aparador, donde lucían platos y escudillas de vario tamaño y color.

Cubría una alta cortina de zaraza rosada la puerta que conducía a las alcobas, y sobre la cornisa de ésta descansaba una deteriorada imagen de la Virgen del Rosario, completando el altarcito dos pequeñas estatuas de San José y San Antonio, colocadas a uno y otro lado de la lámina.

Salió a poco de la cocina mi rolliza y reidora comadre, sofocada con el calor del fogón y empuñando en la mano derecha una cagüinga. Después de darme mil quejas por mi inconstancia, terminó por decirme:

—Salomé y yo lo estábamos esperando a comer.

—¿Y eso?

—Aquí llegó Juan Ángel por unos reales de huevos, y la señora me mandó a decir que usted venía hoy. Yo mandé llamar a Salomé al río, porque estaba lavando, y pregúntele lo que le dije, que no me dejará mentir: "Si mi compadre no viene hoy a comer aquí lo voy a poner de vuelta y media*".

—Todo lo cual significa que me tienen preparada una boda.

—No lo he visto yo comer con gana un sancocho hecho de mi mano; lo malo es que todavía se tarda.

—Mejor, porque así tendré tiempo de ir a bañarme. A ver, Salomé —dije, parándome a la puerta de la cocina a tiempo que mis

enjalbegada. Véase última nota de pág. 130.

cafetos. Varios documentos históricos dan testimonio de que el café se cultivaba en Colombia desde los primeros años del siglo XVIII; otros aseguran que los primeros cultivos sólo datan del siglo XIX, y que su principal promotor fue el sacerdote Francisco Romero, de Santander, quien imponía a sus feligreses la penitencia de sembrar una mata de café en expiación de sus pecados. La producción en gran escala se inicia en 1821, cuando el Congreso reunido por Bolívar en Cúcuta decide restringir las importaciones de café. En 1835, Colombia se convierte en exportadora de café.

poner de vuelta y media. Tratarlo mal de palabra, llenarlo de improperios.

compadres entraban en la sala conversando bajo—: ¿qué me tienes tú?

—Jalea, y esto que le estoy haciendo —me respondió sin dejar de moler—. ¡Si supiera que lo he estado esperando como el pan bendito!

—Eso será porque hay muchas cosas buenas.

—Una porcia. Aguárdeme una nadita mientras me lavo, para darle la mano, aunque será ñanga; porque como ya no es mi amigo...

Esto decía sin mirarme de lleno, y entre alegre y vergonzosa, pero dejándome ver, al sonreír su boca, de medio lado, aquellos dientes de blancura inverosímil, compañeros inseparables de húmedos y amorosos labios; sus mejillas mostraban aquel sonrosado que en las mestizas de cierta tez escapa por su belleza a toda comparación.

Al ir y venir de los desnudos y mórbidos brazos sobre la piedra en que apoyaba la cintura, mostraba ésta toda su flexibilidad, le temblaba la suelta cabellera sobre los hombros, y se estiraban los pliegues de su camisa blanca y bordada. Sacudiendo la cabeza, echada hacia atrás para volver a la espalda los cabellos, se puso a lavarse las manos, y acabándoselas de secar sobre los cuadriles me dijo:

—Como que le gusta ver moler. ¡Si supiera —continuó, más paso*— lo molida que me tienen!*... ¿No le digo que lo he estado esperando?

Colocada de manera que de afuera no podían verla, continuó, dándome la mano:

—Si usté no se hubiera estado un mes sin venir, me habría hecho un bien. Vea a ver si mi taita está por ahí.

—Ninguno está. ¿No puedo hacerte el mismo bien ahora?

—¡Ya quién sabe!

—Pero di, a ver. ¿No estás persuadida de que te lo haré de mil amores?

—Si le dijera que no, sería una mentirosa; porque desde que

más paso. En voz más baja.

ver moler (...) lo molida que me tienen. **Juego de palabras.**

tomó tanto empeño para que ese señor inglés viniera a verme cuando me dio el tabardillo, y muchísimo interés por que yo me alentara, me convencí de que sí me tenía cariño.

—Me alegro de que lo conozcas*.

—Pero es que lo que yo tengo que contarle es tantísimo, que así de pronto no se puede, y antes un milagro es que ya no esté mi mamá aquí... Escuche que ahí viene.

—No faltará ocasión.

—¡Hay, señor! Y yo no me conformo con que se vaya hoy sin decírselo todo.

—¿Conque va a bañarse, compadrito? —dijo, entrando Candelaria—. Entonces voy a traerle una sábana bien olorosa, y orita mismo* se va con Salomé y su ahijado; antes ellos traen un viaje de agua, y ésta lava unos coladores, que con el viaje del mudo por los plátanos y lo que ha habido que hacer para usté y para mandar a la parroquia, no ha quedado sino la de la tinaja.

Al oír la propuesta de la buena mujer, me persuadí de que ella había entrado de lleno en el plan de su marido, y Salomé me hizo al descuido una muequecita expresiva, de modo que con labio y ojo me significó a un mismo tiempo: "ahora sí".

Salí de la cocina, y paseándome por la sala mientras se preparaba lo necesario para el viaje al baño, pensaba que sobrada razón tenía mi compadre en celar a su hija, pues a cualquiera menos malicioso que él podía ocurrírsele que la cara de Salomé con sus lunares, y aquel talle y andar, y aquel seno, parecían cosa, más que cierta, contada.

Interrumpió aquellas consideraciones Salomé, la cual, parándose a la puerta, con un sombrerito raspón medio puesto, me dijo:

—¿Nos vamos?

Y dándome a oler la sábana que llevaba colgada en un hombro, añadió:

—¿Qué olor tiene?

—El tuyo.

—A malvas, señor.

—Pues a malvas.

---

lo conozcas. Lo reconozcas.

orita mismo. "Ahorita mismo", diminutivo popular muy usado en Colombia.

—Porque yo tengo siempre muchas en mi baúl. Camine y no vaya a creer que es lejos; lo vamos a llevar por debajo del cacaotal; al salir del otro lado no hay que andar sino un pedacito, y ya estamos allá.

Fermín, cargado con los calabazos y coladeras, nos precedía. Éste era mi ahijado; tenía yo trece años y él dos cuando le serví de padrino de confirmación, debido ello al afecto que sus padres me habían dispensado siempre.

XLIX

Salíamos del patio por detrás de la cocina, cuando mi comadre nos grita:

—No se vayan a demorar, que la comida está en estico*.

Salomé quiso cerrar la puertecita de trancas por donde habíamos entrado al cacaotal, pero yo me puse a hacerlo mientras ella me decía:

—¿Qué hacemos con Fermín, que es tan cuentero?

—Tú lo verás.

—Ya sé: deje que estemos más allá, y yo lo engaño.

Cubríanos la densa sombra del cacaotal, que parecía no tener límites. La belleza de los pies de Salomé*, que la falda de pancho azul dejaba visibles hasta arriba de los tobillos, resaltaba sobre el sendero negro y la hojarasca seca. Mi ahijado iba tras de nosotros arrojando cáscaras de mazorcas y pepas de aguacate a los cucaracheros cantores y a las magüiblancas, que gemían bajo los follajes. Al llegar al pie de un cachimbo se detuvo Salomé y dijo a su hermano:

—¿Si irán las vacas a ensuciar el agua? Seguro, porque a esta hora están en el bebedero de arriba. No hay más remedio que ir en carrera a espantarlas: corre, mi vida, y ve que no se vayan a comer el socobe que se me quedó olvidado en la hoqueta del chiminango. Pero cuidado con ir a romper los trastos o a botar algo. Ya estás allá.

---

en estico. Expresión que en Colombia significa "enseguida".

La belleza de los pies de Salomé. La ñapanga o mujer del pueblo lleva los brazos y los pies desnudos.

Fermín no se dejó repetir la orden; bien es verdad que se le había dado de la manera más dulce y comprometedora.

—¿Ya vido? —me preguntó Salomé, acortando el paso y mirando hacia las ramas con mal fingida distracción.

Se puso luego a mirarse los pies, cual si contara sus lentos pasos, y yo interrumpí el silencio que guardábamos diciéndole:

—A ver, ¿qué es lo que hay y con qué te tienen molida?

—Pues ahí verá, que me da no sé qué contarle.

—¿Por qué?

—Si es que se me hace hoy como muy triste y... ahora tan serio.

—Es que te parece. Empieza, porque después no se ha de poder. Yo también tengo algo muy bueno que contarte.

—¿Sí? Usté primero, pues.

—Por nada —le respondí.

—¿Conque así es la cosa? Pues oiga; pero prométame no decir nadica* de lo que...

—Por supuesto.

—Pues lo que sucede es que Tiburcio se ha vuelto un veleta y un ingrato, y que anda buscando majaderías* para darme sentimientos*; ahora hace cosa de un mes que estamos de malas sin haber dado yo motivo.

—¿Ninguno? ¿Estás bien segura?

—Mire... se lo juro.

—Y ¿cuál te ha dicho él que tiene para estar así después de haberte querido tanto?

—¿Tiburcio? Lambido que es; él no me quiere a mí nada; al principio no sabía yo por qué se ponía mal modoso* cada rato, y después caí en la cuenta de que todo era porque se figuraba que yo le hacía buena cara al primero que veía. Dígame usté: ¿eso se puede aguantar cuando una es honrada? Primero dio en creer una bobería y usté anduvo en la danza.

—¿Yo también?

nadica. Véase nota de página 134.

anda buscando majaderías. Trata de importunar o molestar.

darme sentimientos. Molestarme, enfadarme.

mal modoso. Que no guarda modo y compostura en su conducta y ademanes.

—¡Cuándo se iba a librar!

—¿Y qué creía?

—¿Para qué es decirle si ya se lo figurará? Todo porque lo vio venir unas veces a casa y porque yo le tengo cariño: cómo no se lo había de tener, ¿no?

—¿Y se convenció al fin de que pensaba un disparate?

—Así me costó de lágrimas y buenas palabras para traerlo a razón.

—Créame que siento haber sido causa de eso.

—No se le dé nada, porque si no hubiese sido con usted no hubiera faltado otro de quien echar malos juicios. Oiga, que no le he dicho lo mejor. Mi taita le amansaba potros al niño Justiniano, y él tuvo que venir a ver unos terneros que tenían en trato; en una de las ocasiones, en que el blanco vino, lo encontró aquí Tiburcio.

—¿Aquí?

—No se haga el bobo; en casa. Para castigo de mis pecados lo volvió a encontrar otra vez.

—Creo que van dos, Salomé.

—Ojalá hubiese sido eso sólo; también lo encontró un domingo en la tarde, que vino a pedir agua.

—Son tres.

—Nada más; porque, aunque ha venido otras veces, Tiburcio no lo ha visto; pero a mí se me pone que se lo han contado.

—Y ¿todo te parece nada entre dos platos*?

—¿Usté también da en lo mismo? ¡Y agora! ¿Yo tengo la culpa de que ese blanco dé en venir*? ¿Por qué mi taita no le dice que no vuelva, si es que se puede?

—Es que hay cosas sencillas, difíciles de hacer.

—¡Ah!, pues eso mismo le digo yo a Tiburcio; pero todo tiene su remedio, y de eso no me atrevo a hablarle yo.

—Que se case pronto contigo, ¿no es esto?

—Si tanto me quiere... Pero él ya cuándo... y es capaz de creer que soy una cualquiera.

---

entre dos platos. Locución que expresa el aparato, ostentación o ceremonia con que se hace u ofrece una fineza.

dé en venir. Acostumbre venir.

Salomé tenía los ojos aguados y después de dar unos pasos más se detuvo a enjugarse las lágrimas.

—No llores —le dije—; ya estoy cierto de que no cree tal; todo esto es obra de los celos, y nada más; verás cómo se remedia.

—No lo piense; menos tibante había de ser. Porque le han dicho que es hijo de caballero, nadie le da al tobillo* ya en lo fachendoso, y se figura que no hay más que él... ¡Caramba! como si yo fuera alguna negra bozal o alguna manumisa como él. Ahora está metido donde las provincianas, y todo por hacerme patear*, porque mucho que lo conozco; bien que me alegraría de que ñor José lo echara a la porra*.

—Es necesario que no seas injusta. ¿Qué tiene de particular que esté jornaleando en casa de José? Eso quiere decir que aprovecha el tiempo; peor sería que pasara los días tunando.

—Mire que yo sé quién es Tiburcio. Menos enamorado había de ser...

—Pero porque le parezcas bonita tú, en lo cual maldita la gracia que hace, ¿han de parecerle también bonitas cuantas ve?

—Por eso.

Yo me reí de la respuesta, y ella, torciendo los ojos, dijo:

—¡Velay! Y eso, ¿qué cosquillas le hace*?

—¿Pero no ves que estás haciendo lo mismo con Tiburcio, exactamente lo mismo que lo que hace contigo?

—¡Válgame Dios!, ¿yo qué hago?

—Pues estar celosa.

—Eso sí que no.

—¿No?

—¿Y si él lo ha querido? A mí nadie me quita de la cabeza que si ñor José lo consintiera, ese veleidoso se casaría con Lucía, y a no ser porque Tránsito es ajena ya, hasta con ambas si lo dejaran.

—Pues sábete que Lucía quiere, desde que estaba chiquita, a un

nadie le da al tobillo. Nadie le llega al tobillo, nadie se le iguala.

por hacerme patear. Por hacerme enfadar, encolerizar.

lo echara a la porra. Lo mandara al diablo.

¿qué cosquillas le hace? "Hacerle a uno cosquillas" es una locución que significa "excitarle el deseo o la curiosidad", pero aquí está tomada en sentido familiar, ya que las cosquillas provocan involuntariamente la risa.

hermano de Braulio que pronto vendrá; y no te quepa duda, porque Tránsito me lo ha contado.

Salomé se quedó pensativa. Llegábamos ya al fin del cacaotal, y, sentándose en un tronco, me dijo, meciendo con los pies colgantes una mata de buenastardes:

—Conque, diga: ¿qué le parece bueno hacer?

—¿Me das permiso para referirle a Tiburcio lo que hemos conversado?

—No, no. Por lo que usté más quiera, no lo vaya a hacer.

—Si solamente te pregunto si lo consientes...

—¿Todito?

—Las quejas sin los agravios.

—Si es que cada vez que me acuerdo de lo que se figura él de mí no sé ni lo que digo... Vea: se me pone* que es mejor no contarle; porque si ya no me quiere, después andará diciendo que me cansé de llorar por él y que lo quise contentar.

—Entonces, convéncete, Salomé, de que no hay modo de remediar tus penas.

—¡Ah, trabajo! —exclamó, poniéndose a llorar.

—Vamos, no seas cobarde —le dije, apartándole las manos de la cara— las lágrimas de tus ojos valen mucho para que las derrames a chorros.

—Si Tiburcio creyera eso, no me pasaría yo las noches llorando hasta que me quedo dormida, de verlo tan ingrato y ver que por él mi taita me ha cogido tema*.

—¿Qué quieres apostar conmigo que mañana en la tarde viene Tiburcio a verte y a contentarte?

—¡Ay! Le confieso que no tendría con qué pagarle —me respondió estrechándome la mano entre las suyas y acercándomela a su mejilla—. ¿Me lo promete?

—Muy desgraciado o tonto debo ser si no lo consigo.

—Vea que le cojo la palabra. Pero, por vida suya, no vaya a contarle a Tiburcio que hemos estado así tan solitos y..., porque vuelve a dar en lo del otro día, y eso sí era echarlo todo a perder.

se me pone. Me parece.

me ha cogido tema. Se ha opuesto caprichosamente y se ha obstinado en algo.

Ahora —añadió, empezando a subir al cerco— voltéese para allá; y no me vea saltar, o saltemos juntos.

—Escrupulosa andas; antes no lo eras tanto.

—Si es que todos los días le cojo más vergüenza. Súbase, pues.

Mas como sucedió que Salomé, para caer al otro lado, encontro dificultades que no encontré yo, quedóse sentada encima de la cerca, diciéndome:

—Miren al niño; diga agoo. Pues ahora no he de bajar si no se voltea.

—Déjame que te ayude; mira que se hace tarde, y mi comadre…

—¿Acaso ella es como aquél?… Y ansina, ¿cómo quiere que me baje? ¿No ve que si me enredo…?

—Déjate de monadas y apóyate aquí —le dije presentándole mi hombro.

—Haga fuerza, pues, porque yo peso como… una pluma —concluyó, saltando ágilmente—. Me voy a poner creidísima, porque conozco muchas blancas que ya quisieran saltar así talanqueras.

—Eres una boquirrubia.

—¿Eso es lo mismo que piquicaliente? Porque entonces voy a entromparme con usté.

—¿Vas a qué?

—Adiós… ¿Y no entiende? Pues que voy a enojarme. ¿Qué hiciera yo para saber cómo es usté cuando se pone bien bravo? Es antojo que tengo.

—¿Y si después no podías contentarme?

—¿Ayayay? No habré visto yo que se le vuelve el corazón un yuyo* si me ve llorando.

—Pero eso será porque conozco que no lo haces por coquetería.

—¿Qué no lo hago qué?

—¡Co-que-te-ría!

—Y eso, ¿qué quiere decir? Dígame, que de veras no sé… Sólo que sea cosa mala… Entonces me la tiene muy guardadita; ¿ya l'oye?

—¡Buen negocio! Mientras tú la desperdicias.

—A ver, a ver: de aquí no paso si no dice.

---

se le vuelve el corazón un yuyo. Se le enternece el corazón.

—Me iré solo —le respondí, dando unos pasos.

—¡Jesús! Era yo capaz hasta de revolverle el agua. ¿Y con qué sábana se secaba?... Nada, dígame qué es lo que yo desperdicio. Ya se me va poniendo qué es.

—Di.

—Será... ¿será amor?

—Lo mismo.

—¿Y qué remedio? ¿Por qué quiero a ese creído? Si yo fuera blanca, pero bien blanca; rica, pero bien rica... sí que lo quería a usté, ¿no?

—¿Te parece así? ¿Y qué hacíamos con Tiburcio?

—¿Con Tiburcio? Por amigo de tenderle el ala a todas, lo poníamos de mayordomo y lo teníamos aquí —dijo, cerrando la mano.

—No me convendría el plan.

—¿Por qué? ¿No le gustaría que yo lo quisiera?

—No es eso, sino el destino que te agrada para Tiburcio.

Salomé rió con toda gana.

Habíamos llegado al riecito, y ella, después de poner la sábana sobre el césped que debía servirme de asiento en la sombra, se arrodilló en una piedra y se puso a lavarse la cara. Luego que acabó, iba a desatarse de la cintura un pañuelo para secarse, y le presenté la sábana diciéndole:

—Eso te hará mal si no te bañas.

—Casi... casi que vuelvo a bañarme; y que está el agua tan tibiecita; pero usté refrésquese un rato; y ora que venga Fermín mientras usté acaba, doy una zambullida yo en el charco de abajo.

En pie ya, se quedó mirándose, y sonreía maliciosa mientras se pasaba las manos húmedas por los cabellos. Al fin me dijo:

—¿Me creerá que yo he soñado que era cierto todo eso que le venía diciendo?

—¿Que Tiburcio no te quería ya?

—¡Malhaya!, que yo era blanca... Cuando desperté me entró una pesadumbre tan grande, que al otro día era domingo y en la parroquia no pensé sino en el sueño mientras duró la misa; sentada, lavando ahí donde usté está, cavilé toda la semana con eso mismo y...

Interrumpieron las inocentes confidencias de Salomé los gritos de "chiino, chiino" que hacia el lado del cacaotal daba mi compadre llamando a los cerdos. Salomé se asustó un poco y, mirando en torno, dijo:

—Y este Fermín, que se ha vuelto humo... Báñese pronto, pues, que yo voy a buscarlo río arriba, no sea que se largue sin esperarnos.

—Espéralo aquí, que él vendrá a buscarte. Todo eso es porque has oído a mi compadre. ¿Te figuras que a él no le gusta que conversemos los dos?

—Que conversemos sí, pero... según.

Saltando con suma agilidad sobre las grandes piedras de la orilla, desapareció tras de los carboneros frondosos.

Los gritos del compadre seguían y me hicieron pensar que la confianza de él en mí tenía sus límites. Sin duda nos había seguido de lejos por entre el cacaotal, y solamente al perdernos de vista se había resuelto a llamar a la piara. Custodio ignoraba que su recomendación estaba ya diplomáticamente cumplida, y que a los mil encantos de su hija, alma ninguna podía ser más ciega y sorda que la mía.

Regresé a la casa al paso de Salomé y de Fermín, que iban cargados con zumbos de calabaza; ella había hecho un rodete con su pañuelo y colocado en la cabeza sobre él un rústico cántaro, que, sin ser sostenido por mano alguna, no impedía al donoso cuerpo de la conductora ostentar toda su soltura y gracia de movimientos.

Luego que saltó Salomé como la vez primera, me dio las gracias con un "Dios se lo pague" y su más chusca sonrisa, añadiendo:

—En pago de esto le estuve echando del lado de arriba, mientras se bañaba, guabitas, flores de carbonero y venturosas; ¿no las vio?

—Sí, pero creí que alguna partida de monos estaría por ahí arriba.

—Lo desentendido que es usté: y que en aínas* me doy una caída por subirme al guabo.

—¿Y eres tan boba que creas no caí en la cuenta de que eras tú quien echaba al río abajo las flores?

—Como Juan Ángel me ha contado que en la hacienda le echan rosas a la pila cuando usté va a bañarse yo eché al agua lo mejor que en el monte había.

---

aínas. Adverbio que significa "por poco", "casi".

Durante la comida tuve ocasión de admirar, entre otras cosas, la habilidad de Salomé y mi comadre para asar pintones y quesillos, freír buñuelos, hacer pandebono y dar temple a la jalea. En las idas y venidas de Salomé a la cocina puse yo a mi compadre al corriente de lo que en realidad quería la muchacha y de lo que yo pensaba hacer para sacarlos a ambos de trabajos. No le cabía al pobre el gusto en el cuerpo, y hasta algunas chanzas sobre la buena voluntad con que me servía a la mesa le dirigió a mi compañera de paseo, que era mucho lograr después de su enojo contra ella.

Pasadas las horas de calor, a las cuatro de la tarde, era la casa una revuelta arca de Noé: los patos empezaron a atravesar por orden de familias la salita; las gallinas a amotinarse en el patio y al pie del ciruelo, donde, en horquetas de guayabo descansaba la canoíta en que estaba comiendo maíz mi caballo; los pavos criollos se pavoneaban inflados y devolviendo los gritos de dos loras maiceras que llamaban a una Benita, que debía ser la cocinera, y, los cerdos chillaban tratando de introducir las cabezas por entre los travesaños de la puerta de golpe. A todo lo cual hay que agregar los gritos de mi compadre dando órdenes, y los de su mujer espantando a los patos y llamando a las gallinas.

Fueron largas las despedidas y las promesas que me hizo mi comadre de encomendarme mucho al Milagroso de Buga* para que me fuera bien en el viaje y volviera pronto. Al despedirme de Salomé, que procuró en tal momento no estar cerca de los demás, me apretó mucho la mano y, mirándome tal vez más que afectuosamente, me dijo:

—Mire bien que con usted cuento. A mí no me diga adiós para su viaje de porra*, porque, aunque sea arrastrándome, al camino he de salir a verlo, si es que no llega de pasada. No me olvide..., vea que si no, yo no sé qué haga con mi taita.

Hacia el otro lado de una de las quebradas que por entre las

Milagroso de Buga. En la hidalga ciudad de Guadalajara de Buga, una humilde lavandera pescó, al caer una tarde de fatigosa labor, un pequeño crucificado. Éste creció hasta adquirir sus actuales formas laceradas, cuando los hidalgos y pastores le erigieron una capilla pajiza. Luego, vinieron los proclamados prodigios. Así habitó en aquellos valles la imagen del "Milagroso de Buga"

su viaje de porra. Véase nota de pág. 282.

quingueadas cintas de bosque bajan ruidosas al declive, oí una voz
sonora de hombre que cantaba:

> Al tiempo le pido tiempo
> y el tiempo tiempo me da,
> y el mismo tiempo me dice
> que él me desengañará.

Salió del arbolado el cantor, y era Tiburcio, quien, con la ruana
colgada de un hombro y apoyado en el otro un bordón, de cuya
punta pendía un pequeño lío, entretenía su camino cantando por
instinto sus penas a la soledad. Calló y detúvose al divisarme, y
después de un risueño y respetuoso saludo me dijo, luego que me
acerqué:

—¡Caramba!, que sube tarde y a escape... Cuando el retinto
suda... ¿De dónde viene así sorbiéndose los vientos?

—De hacer unas visitas; y la última, para fortuna tuya, fue a
casa de Salomé.

—Y hacía marras* que no iba.

—Mucho lo he sentido. ¿Y cuánto hace que no vas tú?

El mozo, con la cabeza agachada, se puso a despedazar con el
bordón una matita de lulo y, al cabo, me miró, respondiendo:

—Ella tiene la culpa. ¿Qué le ha contado?

—Que eres un ingrato y un celoso y que se muere por ti: nada
más.

—¿Conque todo eso le dijo? Pero entonces le guardó lo mejor.

—¿Qué es lo que llamas mejor?

—Las fiestas que tiene con el niño Justiniano.

—Óyeme acá: ¿crees que yo pueda estar enamorado de Salomé?

—¿Cómo lo había de creer?

—Pues tan enamorada está Salomé de Justiniano como yo de
ella. Es necesario que estimes a la muchacha en lo que vale, que
para tu bien es mucho. Tú la has ofendido con los celos, y con tal
que vayas a contentarla, ella te lo perdonará todo y te querrá más que
nunca.

Tiburcio se quedó meditabundo antes de responderme con cierto
acento y aire de tristeza:

—Mire, niño Efraín; yo la quiero tantísimo que ella no se figura

---

hacía marras. Hacía mucho tiempo.

288

las crujidas que me ha hecho pasar en este mes. Cuando uno tiene su genio como a mí me lo dio Dios, todo se aguanta menos que lo tengan a un por cipote (perdone su merced la mala palabra). Yo, que le estoy diciendo que Salomé tiene la culpa, sé lo que digo.

—Lo que sí no sabes es que contándome hoy tus agravios se ha desesperado y ha llorado hasta darme lástima.

—¿De veras?

—Y yo he inferido que la causa de todo eres tú. Si la quieres como dices, ¿por qué no te casas con ella? Una vez en tu casa, ¿quién había de verla sin que tú lo consintieras?

—Yo le confieso que sí he pensado en casarme, pero no me resolví: lo primero, porque Salomé me tenía siempre malicioso, y el dos*, que yo no sé si ñor Custodio me la querría dar.

—Pues de ella ya sabes lo que te he dicho; y en cuanto a mi compadre yo te respondo. Es necesario que obres racionalmente, y que, en prueba de que me crees, esta tarde misma vayas a casa de Salomé y, sin darte por entendido de tales sentimientos, le hagas una visita.

—¡Caray con su afán! ¿Conque me responde de todo?

—Sé que Salomé es la muchacha más honesta, bonita y hacendosa que puedes encontrar; y en cuanto a los compadres, yo sé que te la darán gustosísimos.

—Pues ahí verá que me estoy animando a ir.

—Si lo dejas para luego y Salomé se despecha y la pierdes, de nadie tendrás que quejarte.

—Voy, patrón.

—Convenido, y es inútil exigirte me avises cómo te va, porque estoy cierto de que me quedarás agradecido… Y adiós, que van a ser las cinco.

—Adiós, mi patrón; Dios se lo pague. Siempre le diré lo que suceda.

—Cuidado con ir a entonar donte te oiga Salomé esos versos que venías cantando.

Tiburcio rió antes de responder.

—¿Le parece insultoso? Hasta mañana, y cuente conmigo.

---

el dos. La expresión correcta es "lo segundo", pero téngase en cuenta que habla un campesino.

L

El reloj del salón daba las cinco. Mi madre y Emma me esperaban paseándose por el corredor. María estaba sentada en los primeros peldaños de la grada y vestida con aquel traje verde que tan hermoso contraste formaba con el castaño oscuro de sus cabellos, peinados entonces en dos trenzas, con las cuales jugaba Juan medio dormido en el regazo de ella. Se puso en pie al desmontarme yo. El niño suplicó que lo paseara un ratito en mi caballo, y María se acercó con él en los brazos para ayudarme a colocarlo sobre las pistoleras del galápago, diciéndome:

—Apenas son las cinco; ¡qué exactitud!, si siempre fuera así...

—¿Qué has hecho hoy con tu Mimiya? —le pregunté a Juan, luego que nos alejamos de la casa.

—Ella es la que ha estado tonta hoy —me respondió.

—¿Cómo así?

—Pues llorando.

—¡Ah! ¿Por qué no la has contentado?

—No quiso, aunque le hice cariños y le llevé flores; pero se lo conté a mamá.

—Ella sí la contentó abrazándola, porque Mimiya quiere más a mamá que a mí. Ha estado tonta, pero no le digas nada.

María me recibió a Juan.

—¿Has regado ya las matas? —le pregunté subiendo.

—No; te estaba esperando. Conversa un rato con mamá y Emma —agregó en voz baja—, y así que sea tiempo me iré a la huerta.

Temía ella siempre que mi hermana y mi madre pudiesen creerla causa de que se entibiase mi afecto hacia las dos, y procuraba recompensarlas con el suyo lo que del mío les había quitado.

María y yo acabábamos de regar las flores. Sentados en un banco de piedra, teníamos casi a nuestros pies el arroyo, y un grupo de jazmines nos ocultaba a todas las miradas, menos a las de Juan, que, cantando a su modo estaba alelado embarcando sobre hojas secas y cáscaras de granada cucarrones y chapules prisioneros.

Los rayos lívidos del sol, que se ocultaba tras las montañas de Mulaló, medio embozado por nubes cenicientas fileteadas de oro.

jugaba con las luengas sombras de los sauces*, cuyos verdes penachos acariciaba el viento.

Habíamos hablado de Carlos y de sus rarezas, de mi visita a la casa de Salomé, y los labios de María se sonreían tristemente, porque sus ojos no sonreían ya.

—Mírame —le dije.

Su mirada tenía algo de la languidez que la embellecía en las noches en que velaba al lado del lecho de mi padre.

—Juan no me ha engañado —agregué.

—¿Qué te ha dicho?

—Que tú has estado tonta hoy…, no lo llames…, que has llorado, y que no pudo contentarte; ¿es cierto?

—Sí. Cuando tú y papá ibais a montar esta mañana, se me ocurrió, por un momento, que ya no volverías y que me engañaban. Fui a tu cuarto y me convencí de que no era cierto, porque vi tantas cosas tuyas que no podías dejar. Todo me pareció tan triste y silencioso después que desapareciste en la bajada, que tuve más miedo que nunca a ese día que se acerca, que llega, sin que sea posible evitarlo ya…. ¿Qué haré? Dime, dime qué debo hacer para que estos años pasen. Tú durante ellos no vas a estar viendo todo esto. Dedicado al estudio, viendo países nuevos, olvidarás muchas cosas durante horas enteras; y yo nada podré olvidar…, me dejas aquí, y recordando y esperando voy a morirme.

Poniendo la mano izquierda sobre mi hombro, dejó descansar por un instante la cabeza sobre ella.

—No hables así, María —le dije con voz ahogada y acariciándole con mi mano temblorosa su frente pálida; no hables así; vas a destruir el último resto de mi valor.

—¡Ah, tú tienes valor aún, y yo hace días que lo perdí todo! He podido conformarme —agregó ocultando el rostro con el pañuelo—; he debido prestarme a llevar en mí este afán y angustia que me atormentan, porque a tu lado se convertía eso en algo que debe ser la felicidad… Pero te vas con ella y me quedo sola… y no volveré a ser ya como antes era… ¡Ay!, ¿para qué viniste?

---

las luengas sombras de los sauces. **Más tarde el poeta colombiano José Asunción Silva (1865-1896) hablará también de "una sola sombra larga" en su celebrado poema "Nocturno", publicado en 1894.**

Sus últimas palabras me hicieron estremecer, y apoyando la frente sobre las palmas de las manos respeté su silencio, abrumado por su dolor.

—Efraín —dijo con su voz más tierna después de unos momentos—, mira, ya no lloro.

—María —le respondí levantando el rostro, en el cual debió ella ver algo extraño y solemne, pues me miró inmóvil y fijamente—; no te quejes a mí de mi regreso; quéjate al que te hizo compañera de mi niñez; a quien quiso te amara tanto como te amo; cúlpate entonces de ser como eres..., quéjate a Dios. ¿Qué te he exigido, qué me has dado que no pudiera darse y exigirse delante de Él?

—¡Nada, ay, nada! ¿Por qué me lo preguntas así?... Yo no te culpo; pero ¿culparte de qué? Ya no me quejo...

—¿No lo acabas de hacer una vez por todas?

—No, no... ¿Qué te dije, qué? Yo soy una muchacha ignorante que no sabe lo que dice. Mírame —continuó, tomando una de mis manos—; no seas rencoroso conmigo por esa bobería. Yo tendré ya valor..., tendré todo; de nada me quejo...

Reclinó de nuevo su cabeza en mi hombro, y ella añadió:

—Yo no volveré jamás a decirte eso... Nunca te habías enojado conmigo.

Mientras enjugaba yo sus últimas lágrimas, besaban por vez primera mis labios las ondas de cabellos que le orlaban la frente para perderse después en las hermosas trenzas que se enrollaban sobre mis rodillas. Alzó las manos entonces casi hasta tocar mis labios para defender su frente de las caricias de ellos; pero en vano, porque no se atrevían a tocarla.

LI

El veintiocho de enero, dos días antes del señalado para mi viaje, subí a la montaña muy temprano. Braulio había venido a llevarme, enviado por José y las muchachas, que deseaban recibir mi despedida en su casa. El montañés no interrumpió mi silencio durante la marcha. Cuando llegamos, Tránsito y Lucía estaban ordeñando la vaca Mariposa en el patiecito de la cabaña de Braulio, y se levantaron a recibirme con sus agasajos y alegría de costumbre, convidándome a entrar.

—Acabemos antes de ordeñar la novillona —les dije recostando mi escopeta en el palenque— pero Lucía y yo solos, porque quiero conseguir así que se acuerde de mí todas las mañanas.

Tomé el socobe, en cuyo fondo blanqueaban ya nevadas espumas, y poniéndolo bajo la ubre de la Mariposa logré al fin que Lucía, toda avergonzada, lo acabase de llenar. Mientras esto hacía, le dije mirándola por debajo de la vaca:

—Como no se han acabado los sobrinos de José, pues yo sé que Braulio tiene un hermano más buen mozo que él, y que te quiere desde que estabas como una muñeca...

—Como otro a otra —me interrumpió.

—Lo mismo. Voy a decirle a la señora Luisa que se empeñe con su marido para que el sobrinito pueda ayudarte, y así, cuando yo vuelva, no te pondrás colorada de todo.

—¡Eh, eh! —dijo dejando de ordeñar.

—¿No acabas?

—Pero ¿cómo quiere que acabe si usté está tan zorral?... Ya no tiene más.

—¿Y esas dos tetas llenas? Ordéñalas.

—Ello no; si ésas son las del ternero.

—¿Conque le digo a Luisa?

Dejó de oprimir con los dientes el inferior de sus voluptuosas labios para hacer con ellos un gestito que en el lenguaje de Lucía significaba "a ver y cómo no" y en el mío "haga lo que quiera"

El becerro, que desesperaba porque le quitaran el bozal, hecho con una extremidad de la manea, y que lo ataba a una mano de la vaca, quedó a sus anchas con sólo halar la ordeñadora una punta de la cuerda; y Lucía, viéndolo abalanzarse a la ubre, dijo:

—Eso era lo que querías; cabezón más fastidioso...

Después de lo cual entró a la casa llevando sobre la cabeza el socobe y mirándome al pasar pícaramente al soslayo.

Yo desalojé de una orilla del arroyo una familia de gansos que dormitaban sobre el césped, y me puse a hacer mi tocado de mañana conversando al mismo tiempo con Tránsito y Braulio, quienes tenían las piezas de vestido de que yo me había despojado.

—¡Lucía! —gritó Tránsito—, tráete el paño bordado que está en el baulito pastuso.

—No creas que viene —le dije a mi ahijada, y les conté en seguida lo que había conversado con Lucía.

Ellos reían, a tiempo que Lucía se presentó corriendo con lo que se le había pedido, contra todo lo que esperábamos; y como adivinaba de qué habíamos tratado, y que de ella se reían sus hermanos, me entregó el paño volviendo a un lado la cara, para que no se le viese ni verme ella, y se dirigió a Tránsito para hacerle la siguiente observación:

—Ven a ver tu café, porque se me va a quemar, y déjate de estar ahí riéndote a carcajadas.

—¿Ya está?— preguntó Tránsito.

—Hace tiempo.

—¿Qué es eso de café? —pregunté.

—Pues que yo le dije a la señorita, el último día que estuve allá, que me lo enseñara a hacer, porque se me pone que a usté no le gusta la gamuza; y por eso fue por lo que nos encontró afanadas ordeñando.

Esto decía colgando el paño, que ya le había devuelto yo, en una de las hojas de la palma de helecho pintorescamente colocada en el centro del patio.

En la casa llamaban la atención a un mismo tiempo la sencillez, la limpieza y el orden: todo olía a cedro, madera de que estaban hechos los rústicos muebles, y florecían en los alares macetas de claveles y narcisos con que la señora Luisa había embellecido la cabañita de su hija; en los pilares había testas de venados, y las patas disecadas de los mismos servían de garabatos en la sala y en la alcoba.

Tránsito me presentó, entre ufana y temerosa, la taza de café con leche, primer ensayo de las lecciones que había recibido de María; pero felicísimo ensayo, pues desde que lo probé conocí que rivalizaba con aquel que tan primorosamente sabía preparar Juan Ángel.

Braulio y yo fuimos a llamar a José y a la señora Luisa para que almorzasen con nosotros. El viejo estaba acomodando en jigras las arracachas* y verduras que debía mandar al mercado al día siguiente y ella acabando de sacar del horno el pan de yuca que debía

---

arracachas. Planta de América meridional cuyas raíces son comestibles.

servirnos para el almuerzo. La hornada había sido feliz, como lo demostraban, no solamente el color dorado de los esponjados panes, sino la fragancia tentadora que despedían.

Almorzábamos todos en la cocina; Tránsito desempeñaba lista y risueña su papel de dueña de casa. Lucía me amenazaba con los ojos cada vez que le mostraba con los míos a su padre. Los campesinos, con una delicadeza instintiva, desechaban toda alusión a mi viaje, como para no amargar esas últimas horas que pasábamos juntos.

Eran ya las once; José, Braulio y yo habíamos visitado el platanal nuevo, el desmonte que estaban haciendo y el maizal en filote. Reunidos nuevamente en la salita de la casa de Braulio, y sentados en banquitos alrededor de una atarraya le poníamos las últimas plomadas, y la señora Luisa desgranaba con las muchachas maíz para apilar. Ellas y ellos sentían, como yo, que se acercaba el momento temible de nuestra despedida. Todos guardamos silencio. Debía de haber en mi rostro algo que los conmovía, pues esquivaban mirarme. Al fin, haciendo una resolución, me puse en pie, después de haber visto mi reloj. Tomé mi escopeta y sus arreos y al colgarlos en uno de los garabatos de la salita, le dije a Braulio:

—Siempre que aciertes un tiro bueno con ella, acuérdate de mí.

El montañés no tuvo voz para darme las gracias.

La señora Luisa, sentada aún, seguía desgranando la mazorca que tenía en las manos sin cuidarse de ocultar su lloro. Tránsito y Lucía, en pie, recostadas a un lado y otro de la puerta, me daban la espalda. Braulio estaba pálido. José fingía buscar algo en el rincón de las herramientas.

—Bueno, señora Luisa —dije a la anciana inclinándome para abrazarla—: rece usted mucho por mí.

Ella se puso a sollozar sin responderme.

En pie sobre el quicio de la puerta, junté en un solo abrazo sobre mi pecho las cabezas de las muchachas, quienes sollozaban mientras mis lágrimas rodaban por sus cabelleras. Cuando, separándome de ellas, me volví para buscar a Braulio y José, ninguno de los dos estaba en la salita: me esperaban en el corredor.

—Yo voy mañana* —me dijo José, tendiéndome la mano.

Yo voy mañana. Desde el punto de vista semántico el adverbio de tiempo "mañana" exige el uso del verbo en el futuro imperfecto del modo indicativo: yo iré mañana.

Bien sabíamos él y yo que no iría. Luego que me soltó de sus brazos Braulio, su tío me estrechó en los suyos, y enjugándose los ojos con la manga de la camisa tomó el camino de la roza, al mismo tiempo que empezaba yo a andar por el opuesto, seguido de Mayo, y haciendo una señal a Braulio para que no me acompañase.

LII

Descendía lentamente hasta el fondo de la cañada: sólo el canto lejano de las gurríes* y el rumor del río turbaban el silencio de las selvas. Mi corazón iba dando un adiós a cada uno de estos sitios, a cada árbol del sendero, a cada arroyo que cruzaba.

Sentado en la orilla del río, veía rodar sus corrientes a mis pies pensando en las buenas gentes a quienes mi despedida acababa de hacer derramar tantas lágrimas, y dejaba gotear las mías sobre esas ondas que huían de mí como los días felices de aquellos seis meses.

Media hora después llegué a la casa y entré al costurero de mi madre, en donde estaban solamente ella y Emma. Aun cuando haya pasado nuestra infancia, no por eso nos niega sus mimos una tierna madre: nos faltan sus besos; nuestra frente, marchita demasiado pronto quizá, no descansa en su regazo; su voz no nos aduerme; pero nuestra alma recibe las caricias amorosas de la suya.

Más de una hora había pasado allí y extrañando no ver a María pregunté por ella.

—Estuvimos con ella en el oratorio —me respondió Emma—; ahora quiere que recemos a cada rato; después se fue a la repostería. No sabrá que has vuelto.

Nunca me había sucedido regresar a la casa sin ver a María pocos momentos después, y mucho temí que hubiese vuelto a caer en aquel abatimiento que tanto me desanimaba y para vencer el cual le había visto en los últimos ocho días hacer constantes esfuerzos.

Pasada una hora, durante la cual estuve en mi cuarto, llamó Juan a la puerta para que fuera a comer. Al salir encontré a María

_____

gurríes. Se llama en Colombia gurrí a una especie de pavo silvestre.

apoyada en la reja del costurero que caía al corredor.

—Mamá no te ha llamado —me dijo el niño riendo.

—¿Y quién te ha enseñado a decir mentiras? —le respondí— María no te perdonará ésta.

—Ella fue la que me mandó —contestó Juan señalándola.

Volvíme hacia María para averiguar la verdad pero no me fue preciso, porque ella misma se acusaba con su sonrisa. Sus ojos brillantes tenían la apacible alegría que nuestro amor les había quitado; sus mejillas, el vivo sonrosado que las hermoseaba durante nuestros retozos infantiles. Llevaba un traje blanco, sobre cuya graciosa falda ondulaban las trenzas al más leve movimiento de su cintura o de sus pies, que jugaban con la alfombra.

—¿Por qué estás triste y encerrado? —me dijo—; yo no he estado así hoy.

—Tal vez sí —le respondí por tener pretexto para examinarla de cerca, aproximándome a la reja que nos separaba.

Ella bajó los ojos fingiendo anudar de nuevo los largos cordones de su delantal de gro azul y cruzando luego las manos por detrás del talle, se recostó contra una hoja de la ventana diciéndome:

—¿No es verdad?

—Lo dudaba, porque como acabas de engañarme...

—¡Vea qué engaño! ¿Y puede ser bueno estarse así encerrado para salir después hecho una noche*?

—Me gusta verte tan valiente. ¿Y será bueno dejarte ver una hora después de que he llegado?

—¿Y las doce son horas de venir de la montaña? También es que yo he estado muy ocupada. Pero te vi cuando venías bajando. Por más señas, no traías escopeta y Mayo se había quedado muy atrás.

—¿Conque muchas ocupaciones? ¿Qué has hecho?

—De todo: algo bueno y algo malo.

—A ver.

—He rezado mucho.

—Ya me decía Emma que a todas horas quieres que te acompañen a rezar.

—Porque siempre que le cuento a la Virgen que estoy triste ella me oye.

hecho una noche. Triste, apesadumbrado.

—¿En qué lo conoces?

—En que se me quita un poco esa tristeza y me da menos miedo pensar en tu viaje. Te llevarás tu Dolorosita, ¿no?

—Sí.

—Acompáñanos esta noche al oratorio y verás cómo es cierto lo que te digo.

—¿Qué es lo otro que has hecho?

—¿Lo malo?

—Sí, lo malo.

—¿Rezas esta noche conmigo y te cuento?

—Sí.

—Pero no se lo dirás a mamá, porque se enojaría.

—Prometo no decírselo.

—He estado aplanchando*

—¿Tú?

—Pues yo.

—Pero ¿cómo haces eso?

—A escondidas de mamá.

—No haces bien en ocultarte de ella.

—Si lo hago muy rara vez...

—Pero ¿qué necesidad hay de estropear tus manos tan?...

—¿Tan qué?... ¡Ah, sí, ya sé! Fue que quise que llevaras tus más bonitas camisas aplanchadas por mí. ¿No te gustó eso? Sí, me lo agradeces, ¿no?

—¿Y quién te ha enseñado a aplanchar? ¿Cómo se te ha ocurrido hacerlo?

—Un día que Juan Ángel devolvió unas camisas a la criada encargada de eso, porque diz que a su amito no le parecían buenas, me fijé yo en ellas y le dije a Marcelina que yo iba a ayudarle para que te parecieran mejor. Ella creía que no tenían defectos; pero

---

He estado aplanchando. En la sociedad patriarcal donde vivía María las niñas eran muy laboriosas y realizaban todas las tareas domésticas... siempre que no les arruinasen las manos, que eran preciados atributos de la belleza femenina. Por eso no lavaban, sino por excepción, y no planchaban. Las planchas eran entonces pesados artefactos de hierro, calentados por lo general en braseros, que había que manejar con mucho cuidado.

estimulada por mí le quedaron siempre intachables, pues no volvió a suceder que las devolvieras, aunque yo no las hubiese tocado.

—Yo te agradezco muchísimo todos esos cuidados; pero no me imaginé que tuvieras fuerzas ni manos para manejar una plancha.

—Si es muy chiquita, y envolviéndole bien el asa en un pañuelo, no puede lastimar las manos.

—A ver cómo las tienes.

—Buenecitas, pues.

—Muéstramelas.

—Si están como siempre...

—¡Quién sabe!

—Míralas.

Las tomé en las mías y les acaricié las palmas, suaves como el raso.

—¿Tienen algo? —me preguntó.

—Como las mías pueden estar ásperas...

—No lo siento yo así. ¿Qué hiciste tú en la montaña?

—Sufrir mucho. Nunca creí que se afligieran tanto con mi despedida, ni que me causaría tanto pesar decirles adiós, particularmente a Braulio y a las muchachas.

—¿Qué te dijeron ellas?

—¡Pobres! Nada, porque les ahogaban las lágrimas; demasiado decían las que no pudieron ocultarse... Pero no te pongas triste. He hecho mal en hablarte de eso. Que al recordar yo las últimas horas que pasemos juntos, te pueda ver, como hoy, resignada, casi feliz.

—Sí —dijo, volviéndose para enjugarse los ojos—. Yo quiero estar así... ¡Mañana!... ¡Ya solamente mañana!... Pero como es domingo, estaremos todo el día juntos; leeremos algo de lo que nos leías cuando estabas recién venido; y debieras decirme cómo te agrada más verme para vestirme de ese modo.

—Como estás en este momento.

—Bueno. Ya vienen a llamarte a comer... Ahora, hasta la tarde —agregó, desapareciendo.

Así solía despedirse de mí, aunque en seguida hubiésemos de estar juntos, porque lo mismo que a mí, le parecía que estando rodeados de la familia nos hallábamos separados el uno del otro.

LIII

A las once de la noche del veintinueve me separé de la familia y de María en el salón. Velé en mi cuarto hasta que oí al reloj dar la una de la mañana, primera hora de aquel día tanto tiempo temido y que al fin llegaba; no quería que sus primeros instantes me encontrasen dormido.

Con el mismo traje que tenía me recosté en la cama cuando dieron las dos. El pañuelo de María, fragante aún con el perfume que siempre usaba ella, ajado por sus manos y humedecido con sus lágrimas, recibía sobre la almohada las que rodaban de mis ojos como de una fuente que jamás debía agotarse.

Si las que derramo aún, al recordar los días que precedieron a mi viaje, pudieran servir para mojar mi pluma al historiarlos; si fuera posible a mi mente, tan sólo una vez, por un instante siquiera, sorprender a mi corazón todo lo doloroso de su secreto para revelarlo, las líneas que voy a trazar serían bellas para los que mucho han llorado, pero acaso funestas para mí. No nos es dable deleitarnos por siempre con un pesar amado; como las de dolor, las horas de placer se van. Si alguna vez nos fuese concedido detenerlas, María hubiera logrado hacer más lentas las que antecedieron a nuestra despedida. Pero, ¡ay!, todas sordas a sus sollozos, ciegas ante sus lágrimas, volaron y volaban prometiendo volver...

Un estremecimiento nervioso me despertó dos o tres veces en que el sueño vino a aliviarme. Entonces mis miradas recorrían ese cuarto ya desmantelado y en desorden por los preparativos de viaje, cuarto donde esperé tantas veces las alboradas de días venturosos. Y procuraba conciliar de nuevo el sueño interrumpido, porque así volvía a verla tan bella y ruborosa como en las primeras tardes de nuestros paseos después de mi regreso; pensativa y callada, como solía quedarse cuando le hacía mis primeras confidencias, en las cuales casi nada se habían dicho nuestros labios y tanto nuestras miradas y sonrisas; confiándome con voz queda y temblorosa los secretos infantiles de su castísimo amor; menos tímidos al fin sus ojos ante los míos para dejarme ver en ellos su alma a trueque de que le mostrase la mía... El ruido de un sollozo volvía a estremecerme: ¡el de aquel que, mal ahogado, había salido de su pecho esa noche al separarnos!

No eran las cinco todavía cuando, después de haberme esmerado en ocultar las huellas de tan doloroso insomnio, me paseaba en el corredor, oscuro aún. Muy pronto vi brillar luz en las rendijas del aposento de María y luego oí la voz de Juan que la llamaba.

Los primeros rayos del sol al levantarse trataban en vano de desgarrar la densa neblina que como un velo inmenso y vaporoso pendía desde las crestas de las montañas, extendiéndose flotante hasta las llanuras lejanas. Sobre los montes occidentales, limpios y azules, amarillearon luego los templos de Cali, y al pie de las faldas blanqueaban, cual rebaños agrupados, los pueblecillos de Yumbo* y Vijes. Juan Ángel, después de haberme traído el café y ensillado mi caballo negro, que impaciente ennegrecía con sus pisadas el gramal del pie del naranjo a que estaba atado, me esperaba llorando, recostado contra la puerta de mi cuarto, las espuelas en una mano y los zamarros colgados de un brazo. Al alcanzármelas, su lloro caía en gruesas gotas sobre mis pies.

—No llores —le dije, dando trabajosamente seguridad a mi voz—; cuando yo regrese ya serás hombre y no te volverás a separar de mí. Mientras tanto, todos te querrán mucho en casa.

Era llegado el momento de reunir todas mis fuerzas. Mis espuelas resonaron en el salón; éste estaba solo. Empujé la puerta entornada del costurero de mi madre, quien se lanzó del asiento en que estaba a mis brazos. Ella conocía que las demostraciones de su dolor podían hacer flaquear mi ánimo, y entre sollozo y sollozo trataba de hablarme de María y de hacerme tiernas promesas.

Todos habían humedecido mi pecho con su lloro. Emma, que había sido la última, conociendo qué buscaba yo a mi alrededor al desasirme de sus brazos, me señaló la puerta del oratorio y entré a él. Sobre el altar irradiaban su resplandor amarillento dos luces; María, sentada en la alfombra, sobre la cual resaltaba el blanco de su ropaje, dio un débil grito al sentirme, volviendo a dejar caer la cabeza destrenzada sobre el asiento en que la tenía reclinada cuando entré. Ocultándome así el rostro, alzó la mano derecha para que yo la tomase; medio arrodillado la bañé en lágrimas y la cubrí de caricias, mas al ponerme en pie, como temerosa de que me

Yumbo. Yumbó. Población y municipio de Colombia, departamento del Valle del Cauca, provincia de Cali.

alejase ya, se levantó de súbito para asirse sollozante de mi cuello. Mi corazón había guardado para aquel momento casi todas sus lágrimas.

Mis labios descansaron sobre su frente... María, sacudiendo estremecida la cabeza, hizo ondular los bucles de su cabellera, y escondiendo en mi pecho la faz, extendió uno de sus brazos para señalarme el altar. Emma que acababa de entrar, la recibió inanimada en su regazo, pidiéndome con ademán suplicante que me alejase. Y obedecí.

LIV

Hacía dos semanas que estaba yo en Londres y una noche recibí cartas de la familia. Rompí con mano trémula el paquete, cerrado con el sello de mi padre. Había una carta de María. Antes de desdoblarla busqué en ella aquel perfume demasiado conocido para mí de la mano que la había escrito; aún lo conservaba. En sus pliegues iba un pedacito de cáliz de azucena. Mis ojos nublados quisieron inútilmente leer las primeras líneas. Abrí uno de los balcones de mi cuarto, porque parecía no serme suficiente el aire que había en él. ¡Rosales del huerto de mis amores!... ¡Montañas americanas, montañas mías!... ¡Noches azules!... La inmensa ciudad, rumorosa aún y medio embozada por su ropaje de humo, semejaba dormir bajo los densos cortinajes de un cielo plomizo. Una ráfaga de cierzo azotó mi rostro penetrando en la habitación. Aterrado, junté las hojas del balcón, y solo con mi dolor, al menos solo, lloré largo tiempo rodeado de oscuridad.

He aquí algunos fragmentos de la carta de María:

Mientras están de sobremesa en el comedor, después de la cena, me he venido a tu cuarto para escribirte. Aquí es donde puedo llorar sin que nadie venga a consolarme; aquí, donde me figuro que puedo verte y hablar contigo. Todo está como lo dejaste, porque mamá y yo hemos querido que esté así. Las últimas flores que puse en tu mesa han ido cayendo marchitas ya en el fondo del florero; ya no se ve una sola; los asientos en los mismos sitios; los libros como estaban, y abierto sobre la mesa el último en que leíste; tu traje de caza donde lo colgaste al volver de la montaña la última vez; el almanaque del estante mostrando siempre ese 30 de enero ¡ay! tan temido, tan espantoso, ¡y ya pasado! Ahora mismo las ramas florecidas de los rosales de tu ventana entran como a buscarte y tiemblan al abrazarlas yo diciéndoles que volverás.

¿Dónde estarás? ¿Qué harás en este momento? De nada me sirve el haberte exigido tantas veces me mostraras en el mapa cómo ibas a hacer el viaje, porque no puedo figurarme nada. Me da miedo pensar en ese mar que todos admiran, y para mi tormento te veo siempre en medio de él. Pero después de tu llegada a Londres vas a contármelo todo: me dirás cómo es el paisaje que rodea la casa en que vives; me describirás minuciosamente tu habitación, sus muebles, sus adornos; me dirás qué haces todos los días, cómo pasas las noches, a qué horas estudias, en cuáles descansan, cómo son tus paseos y en qué ratos piensas más en tu María. Vuélveme a decir qué horas de aquí corresponden a las de allá, pues se me ha olvidado.

José y su familia han venido tres veces desde que te fuiste. Tránsito y Lucía no te nombran sin que se les llenen los ojos de lágrimas, y son tan dulces y cariñosas conmigo, tan finas si me hablan de ti, que apenas es creíble. Ellas me han preguntado si adonde estás tú llegan cartas que se te escriban, y alegres al saber que sí, me han encargado que te diga en su nombre mil cosas.

Ni Mayo te olvida. Al día siguiente de tu marcha recorría desesperado la casa y el huerto buscándote. Se fue a la montaña, y a la oración, cuando volvió, se puso a aullar sentado en el cerrito de la subida. Lo vi después acostado a la puerta de tu cuarto; se la abrí y entró lleno de gusto; pero no encontrándote después de haber husmeado por todas partes, se me acercó otra vez triste, y parecía preguntarme por ti con los ojos, a los que sólo les faltaba llorar, y al nombrarte yo levantó la cabeza como si fuera a verte entrar. ¡Pobre! Se figura que te escondes de él como hacías algunas veces para impacientarlo y entra a todos los cuartos an-

dando paso a paso y sin hacer el menor ruido, esperando sorprenderte.

Anoche no concluí esta carta porque mamá y Emma vinieron a buscarme; ellas creen que me hace daño estar aquí, cuando si me impidieran estar en tu cuarto no sé qué haría.

Juan se despertó esta mañana preguntándome si habías vuelto, porque dormida me oye nombrarte.

Nuestra mata de azucenas ha dado la primera, y dentro d. esta carta va un pedacito. ¿No es verdad que estás seguro de que nunca dejará de florecer? Así necesito creer, así creo que la de rosas dará las más lindas del jardín.

LV

Durante un año tuve dos veces cada mes carta de María.

Las últimas estaban llenas de una melancolía tan profunda que parecían escritas en nuestros días de felicidad.

En vano había tratado de reanimarla diciéndole que esta tristeza destruiría su salud, por más que hasta entonces hubiese sido tan buena como me decía; en vano.

Yo sé que no puede faltar mucho para que yo te vea —me había contestado—; desde ese día ya no podré estar triste; estaré siempre a tu lado... No, no; nadie podrá volver a separarnos.

La carta que contenía estas palabras fue la única de ella que recibí en dos meses.

En los últimos días de junio, una tarde se me presentó el señor A..., que acababa de llegar de París, a quien no había visto desde e. pasado invierno.

—Le traigo a usted cartas de su casa —me dijo después de habernos abrazado.

—¿De tres correos?

—De uno solo. Debemos hablar algunas palabras antes —me observó, reteniendo el paquete.

Noté en su semblante algo siniestro que me turbó.

—He venido —añadió después de haber paseado silencioso algunos instantes por el cuarto— a ayudarle a usted a disponer su regreso a América.

—¡Al Cauca! —exclamé, olvidado por un momento de todo, menos de María y de mi país.

—Sí —me respondió—; pero ya habrá usted adivinado la causa.

—¡Mi madre! —prorrumpí desconcertado.

—Está buena —respondió.

—¿Quién, pues? —grité, asiendo el paquete que sus manos retenían.

—Nadie ha muerto.

—¡María! ¡María! —exclamé, como si ella pudiera acudir a mis voces; y caí sin fuerzas sobre el asiento.

—Vamos —dijo, procurando hacerse oír, el señor A...—. Para eso fue necesaria mi venida. Ella vivirá si usted llega a tiempo. Lea usted las cartas, que ahí debe venir una de ella.

Vente —me decía—, ven pronto, o me moriré sin decirte adiós. Al fin me consienten que te confiese la verdad: hace un año que me mata, hora por hora, esta enfermedad de que la dicha me curó por unos días.

Si no hubiera interrumpido esta felicidad, yo habría vivido para ti.

Si vienes... sí, vendrás, porque yo tendré fuerza para resistir hasta que te vea; si vienes, hallarás solamente una sombra de María; pero esa sombra necesita abrazarte antes de desaparecer. Si no te espero, si una fuerza más poderosa que mi voluntad me arrastra sin que tú me animes, sin que cierres mis ojos, a Emma le dejaré, para que te lo guarde, todo lo que yo sé te será amable: las trenzas de mis cabellos; el guardapelo en donde están los tuyos y los de mi madre; la sortija que pusiste en mi mano en vísperas de irte, y todas tus cartas.

Pero, ¿a qué afligirte diciéndote todo esto? Si vienes yo me alentaré; si vuelvo a oír tu voz, si tus ojos me dicen un solo instante lo que ellos solos sabían decirme, yo viviré y volveré a ser como antes era. Yo no quiero morirme; yo no puedo morirme y dejarte solo para siempre.

—Acabe usted —me dijo el señor A..., recogiendo la carta de mi padre caída a mis pies. Usted mismo conocerá que no podemos perder tiempo.

Mi padre decía lo que yo había sabido ya demasiado cruelmente. Los médicos tenían sólo una esperanza de salvar a María: la que les hacía conservar mi regreso. Ante esa necesidad, mi padre no vacilaba; ordenaba mi marcha precipitada, y se disculpaba por no haberlo dispuesto antes.

Dos horas después salía de Londres.

LVI

Hundíase en los confines nebulosos del mar de la India* el sol del veinticinco de julio, llenando el horizonte de resplandores de oro y rubí, persiguiendo con sus rayos horizontales hasta las olas azuladas que iban como fugitivas a ocultarse bajo las selvas sombrías de la costa. La *Emilia López*, a bordo de la cual venía yo de Panamá, fondeó en la bahía de Buenaventura después de haber jugueteado sobre la alfombra marina acariciada por las brisas del litoral. Para los que la veían desde la costa, la bella goleta debía asemejarse a una linda campesina que en traje de lujo recorre presurosa el prado de su granja recogiendo flores para engalanarse en la fiesta de la noche.

Reclinado sobre el barandaje de cubierta contemplé esas montañas, a la vista de las cuales sentía renacer tan dulces esperanzas. Diecisiete meses antes, rodando a sus pies, impulsado por las corrientes tumultuosas del Dagua*, mi corazón había dicho un adiós a cada una de ellas, y su soledad y silencio habían armonizado con mi dolor.

Estremecida por las brisas, temblaba en mis manos una carta que había recibido de María en Panamá, la cual volví a leer a la luz del moribundo crepúsculo. Acababan de recorrerla mis ojos...

mar de la India. El Océano Pacífico.

Dagua. Río de Colombia, que nace en la cordillera Central, cerca de Cali, y desemboca en el puerto de Buenaventura.

Amarillenta ya, aún parece húmeda con mis lágrimas de aquellos días.

> *La noticia de tu regreso ha bastado a volverme las fuerzas. Ya puedo contar los días, porque cada uno que pasa acerca más aquel en que he de volver a verte.*
>
> *Hoy ha estado muy hermosa la mañana: tan hermosa como esas que no has olvidado. Hice que Emma me llevara al huerto; estuve en los sitios que me son queridos en él, y me sentí casi buena bajo esos árboles, rodeada de todas sus flores, viendo correr el arroyo sentada en el banco de piedra de la orilla. Si esto me sucede ahora, ¿cómo no he de mejorarme cuando vuelva a recorrerlo acompañada por ti?*
>
> *Acabo de poner azucenas y rosas de las nuestras al cuadro de la Virgen, y me ha parecido que ella me miraba más dulcemente que de costumbre y que iba a sonreír.*
>
> *Pero quieren que vayamos a la ciudad, porque dicen que allá podrán asistirme mejor los médicos: yo no necesito otro remedio que verte a mi lado para siempre. Yo quiero esperarte aquí; no quiero abandonar todo esto que amabas, porque se me figura que a mí me lo dejaste recomendado y que me amarías menos en otra parte. Suplicaré para que papá demore nuestro viaje, y mientras tanto llegarás. Adiós.*

Los últimos renglones eran casi ilegibles.

El bote de la aduana, que al echar ancla la goleta había salido de la playa, estaba ya inmediato.

—¡Lorenzo! —exclamé al reconocer un amigo querido en el gallardo mulato que venía de pie en medio del administrador y del jefe del resguardo.

—Allá voy —contestó.

—Y subiendo precipitadamente la escala me estrechó en sus brazos.

—No lloremos —dijo, enjugándose los ojos con una de las puntas de su manta y esforzándose para sonreír—; nos están viendo, y estos marineros tienen corazón de piedra.

Ya en medias palabras me había dicho lo que con mayor ansiedad deseaba yo saber: María estaba mejor cuando él salió de casa. Aunque hacía dos semanas que me esperaba en la Buenaventura, no habían venido más cartas para mí que las que él trajo, seguramente porque la familia me aguardaba de un momento a otro.

Lorenzo no era esclavo. Compañero fiel de mi padre en los viajes frecuentes que éste hizo durante su vida comercial, era amado por toda la familia y gozaba en casa fueros de mayordomo y consideraciones de amigo. Su fisonomía y talante mostraban su vigor y su franco carácter: alto y fornido, tenía la frente espaciosa y con entradas; hermosos ojos sombreados por cejas crespas y negras; recta y elástica nariz; bella dentadura; cariñosas sonrisas y barba enérgica.

Verificada la visita de ceremonia del administrador al buque, la cual había precipitado suponiendo encontrarme en él, se puso mi equipaje en el bote, y yo salté a éste con los que regresaban, después de haberme despedido del capitán y de algunos de mis compañeros de viaje. Cuando nos acercábamos a la ribera, el horizonte se había ya entenebrecido: olas negras, tersas y silenciosas pasaban meciéndonos para perderse de nuevo en la oscuridad: luciérnagas sin número revoloteaban sobre el crespón rumoroso de las selvas de las orillas.

El administrador, sujeto de alguna edad, obeso y rubicundo, era amigo de mi padre. Luego que estuvimos en tierra, me condujo a su casa y me instaló él mismo en el cuarto que tenía preparado para mí. Después de colgar una hamaca corozaleña*, amplia y perfumada, salió diciéndonos antes:

—Voy a dar disposiciones para el despacho de tu equipaje, y otras más importantes y urgentes al cocinero, porque supongo que las bodegas y reposterías de la *Emilia* no vendrían muy recargadas; me ha parecido hoy muy retozona.

Aunque el administrador era padre de una bella e interesante familia establecida en el interior del Cauca, al hacerse cargo del destino que desempeñaba no se había resuelto a traerla al Puerto, por mil razones que me tenía dadas, y que yo, a pesar de mi inexperiencia, hallé incontestables. Las gentes porteñas le parecían cada día más alegres, comunicativas y despreocupadas; pero no encontraría grave mal en ello, puesto que después de algunos

hamaca corozaleña. Procedente de Corozal, ciudad y municipio de Colombia, en el departamento de Bolívar.

meses de permanencia en la costa, él mismo se había contagiado convenientemente de la aquella despreocupación.

Después de un cuarto de hora que yo empleé en cambiar por otro mi traje de a bordo, el administrador volvió a buscarme: tenía ya, en lugar de su vestido de ceremonia, pantalones y chaqueta de intachable blancura; su chaleco y corbata habían empezado una nueva temporada de oscuridad y abandono.

—Descansarás un par de días aquí antes de seguir tu viaje —dijo, llenado dos copas con brandy que tomó de una hermosa frasquera.

—Pero es que yo no necesito ni puedo descansar —le observé.

—Toma el brandy; es un excelente Martell; ¿o prefieres otra cosa?

—Yo creí que Lorenzo tenía preparados bogas y canoas para madrugar mañana.

—Ya veremos. ¿Con que prefieres ginebra o ajenjo?

—Lo que usted guste.

—Salud, pues —dijo, convidándome.

Y después de vaciar de un trago la copa:

—¿No es superior? —preguntó, guiñando entrambos ojos y produciendo con la lengua y el paladar un ruido semejante al de un beso sonoro. Y añadió—: Ya se ve que habrás saboreado el más añejo de Inglaterra.

—En todas partes abrasa el paladar. ¿Conque podré madrugar?

—Si todo es broma mía —respondió, acostándose descuidadamente en la hamaca y limpiándose el sudor de la garganta y de la frente con un pañuelo de seda de la India, fragante como el de una novia—. ¿Con que abrasa, eh? Pues el agua y él son los únicos médicos que tenemos aquí, salvo mordedura de víbora.

—Hablemos de veras: ¿qué es lo que usted llama su broma?

—La propuesta de que descanses, hombre. ¿Se te figura que tu padre se ha dormido para recomendarme que lo tuviera todo preparado para tu marcha? Va para quince días que llegó Lorenzo, y hace ocho que están listos los bogas y ranchada la canoa. Lo cierto es que he debido ser menos puntual, y así habría logrado que te dejaras ajonjear por mí dos días.

—¡Cuánto le agradezco su puntualidad!

Rióse ruidosamente, impulsando la hamaca para darse aire, diciéndome al fin:

—Mal agradecido.

—No es eso: usted sabe que no puedo, que no debo demorarme ni una hora más de lo indispensable; que es urgente que llegue yo a casa muy pronto...

—Sí, sí, es verdad; sería un egoísmo de mi parte —dijo, ya serio.

—¿Qué sabe usted?

—La enfermedad de una de las señoritas... ¿Pero recibirías las cartas que te envié a Panamá?

—Sí, gracias; a tiempo de embarcarme.

—¿No te dicen que está mejor?

—Eso dicen.

—¿Y Lorenzo?

—Dice lo mismo.

Pasado un momento en que ambos guardamos silencio, el administrador gritó, incoporándose en la hamaca:

—¡Marcos! ¡La comida!

Un criado entró luego a anunciarnos que la mesa estaba servida.

—Vamos —dijo mi huésped, poniéndose en pie—; hace hambre*; si hubieras tomado el brandy, tendrías buen apetito. ¡Hola! —agregó a tiempo que entrábamos al comedor, y dirigiéndose a un paje—: si vienen a buscarnos, di que no estamos en casa. Es necesario que te acuestes temprano para poder madrugar —me observó, señalándome el asiento de la cabecera.

Él y Lorenzo se colocaron a uno y otro lado del mío.

—¡Diantre! —exclamó el administrador cuando la luz de la hermosa lámpara de la mesa bañó mi rostro—: ¡qué bozo has traído! Si no fueras moreno, se podría jurar que no sabes dar los buenos días en castellano. Se me figura que estoy viendo a tu padre cuando él tenía veinte años; pero me parece que eres más alto que él; sin esa seriedad, heredada sin duda de tu madre, creería estar con el judío la noche que por primera vez desembarcó en Quibdó*. ¿No te parece Lorenzo?

—Idéntico —respondió éste.

hace hambre. Hay hambre; tengo hambre.

Quibdó. Véase nota de pág. 221.

—Si hubieras visto —continuó mi huésped, dirigiéndose a él —el afán de nuestro inglesito luego que le dije que tendría que permanecer conmigo dos días... Se impacientó hasta decirme que mi brandy abrasaba no sé qué. ¡Caracoles!, temí que me regañara. Vamos a ver si te parece lo mismo este tinto, y si logramos que te haga sonreír. ¿Qué tal? —añadió después que probé el vino.

—Es muy bueno.

—Temblando estaba de que me le hicieras gesto*, porque es lo mejor que he podido conseguir para que tomes en el río.

La jovialidad del administrador no flaqueó un instante durante dos horas. A las nueve permitió que me retirase, prometiéndome estar en pie a las cuatro de la mañana para acompañarme al embarcadero. Al darme las buenas noches, agregó:

—Espero que no te quejarás mañana de las ratas como la otra vez; una mala noche que te hicieron pasar les ha costado carísimo: les he hecho desde entonces guerra a muerte.

LVII

A las cuatro llamó el buen amigo a mi puerta, y hacía una hora que lo esperaba yo listo para marchar. Él, Lorenzo y yo nos desayunamos con brandy y café, mientras los bogas* conducían a las canoas mi equipaje, y poco después estábamos todos en la playa.

La luna, grande y en su plenitud, descendía ya al ocaso, y al aparecer bajo las negras nubes que la habían ocultado, bañó las selvas distantes, los manglares de la ribera y la mar tersa y callada con resplandores trémulos y rojizos, como los que esparcen los blandones de un féretro sobre el pavimento de mármol y los muros de una sala mortuoria.

—¿Y ahora hasta cuándo? —me dijo el administrador, correspondiendo a mi abrazo de despedida con otro muy apretado.

—Quizá volveré muy pronto —le respondí.

—¿Regresas, pues, a Europa?

—Tal vez.

me le hicieras gesto. Me la despreciaras. "Hacer gesto" significa "despreciar una cosa o mostrarse poco contento con ella".

boga. Sustantivo que, en América meridional, significa remero, botero.

Aquel hombre tan festivo me pareció melancólico en aquel momento. Al alejarse de la orilla la canoa ranchada, en la cual íbamos Lorenzo y yo, gritó:

—¡Muy buen viaje!

Y dirigiéndose a los dos bogas:

—¡Cortico!... ¡Laureán!... Cuidádmelo mucho, cuidádmelo como cosa mía.

—Sí, mi amo —contestaron a dúo los dos negros.

A dos cuadras estaríamos de la playa y creí distinguir el bulto blanco del administrador, inmóvil en el mismo sitio en que acababa de abrazarme.

Los resplandores amarillentos de la luna, velados a veces, fúnebres siempre, nos acompañaron hasta después de haber entrado a la embocadura del Dagua.

Permanecía yo en pie a la puerta del rústico camarote, bóveda de techumbre cilíndrica formada con matambras, bejucos y hojas de rabiahorcado, que en el río llaman rancho. Lorenzo, después de haberme arreglado una especie de cama sobre tablas de guadua bajo aquella navegante gruta, estaba sentado a mis pies con la cabeza apoyada sobre las rodillas, y parecía dormitar. Cortico (o sea Gregorio, que tal era su nombre de pila) bogaba cerca de nosotros refunfuñando a ratos la tonada de un bunde. El atlético cuerpo de Laureán se dibujaba como el perfil de un gigante sobre los últimos celajes de la luna, ya casi invisible.

Apenas si se oían el canto monótono y ronco de los bamburés en los manglares sombríos de las riberas y el ruido sigiloso de las corrientes, interrumpiendo* aquel silencio solemne que rodea los desiertos en su último sueño, sueño siempre profundo como el del hombre en las postreras horas de la noche.

—Toma un trago, Cortico, y entona mejor esa canción triste —dije al boga enano.

—¡Jesú*!, mi amo, ¿le parece triste?

Lorenzo escanció de su chamberga pastusa cantidad más que

---

interrumpiendo. Uso incorrecto del gerundio. Véase nota de pág. 88.

¡Jesú! Apócope común entre los campesinos. Exclamación con que se denota sorpresa o admiración.

suficiente de anisado en el mate que el boga le presentó, y éste continuó diciendo:

—Será que el sereno me ha dao carraspera. —Y dirigiéndose a su compañero—: Compae Laureán, el branco que si quiere despejá el pecho para que cantemo un baile alegrito.

—A probalo —respondió el interpelado con voz ronca y sonora—; otro baile será el que va a empezá en el escuro. ¿Ya sabe?

—Po lo mesmo, señó.

Laureán saboreó el aguardiente como conocedor en la materia, murmurando:

—Del que ya no baja.

—¿Qué es eso del baile a oscuras? —le pregunté.

Colocándose en su puesto entonó por respuesta el primer verso del siguiente bunde, respondiéndole Cortico con el segundo, tras de lo cual hicieron pausa, y continuaron de la misma manera hasta dar fin a la salvaje y sentida canción:

> *Se nos junde ya la luna;*
> *remá, remá.*
> *¿Qué hará mi negra tan sola?*
> *Llorá, llorá.*
> *Me coge tu noche escura,*
> *San Juan, San Juan.*
> *Escura como mi negra,*
> *ni má, ni má.*
> *La lú de su s'ojo mío,*
> *der má, der má.*
> *Lo relámpago parecen,*
> *bogá, bogá.*

Aquel cantar armonizaba dolorosamente con la naturaleza que nos rodeaba; los tardos ecos de esas selvas inmensas repetían sus acentos quejumbrosos, profundos y lentos.

—No más bunde —dije a los negros, aprovechándome de la última pausa.

—¿Le parece a su mercé mal cantao? —preguntó Gregorio, que era el más comunicativo.

—No, hombre; muy triste.

—¿La juga?

—Lo que sea.

—¡Alabao! Si cuando me cantan bien una juga* y la baila con este negro Mariugenia..., créame su mercé lo que le digo: hasta lo s'ángeles del cielo zapatean con gana de bailala.

—Abra el ojo y cierre el pico, compae —dijo Laureán—, ¿ya oyó?

—¿Acaso soy sordo?

—Bueno pué.

—Vamos a verlo, señó.

Las corrientes del río empezaban a luchar contra nuestra embarcación. Los chasquidos de los herrones de las palancas se oían ya. Algunas veces la de Gregorio daba un golpe en el borde de la canoa para significar que había que variar de orilla, y atravesábamos la corriente. Poco a poco fueron haciéndose densas las nieblas. Del lado del mar nos llegaba el retumbo de truenos lejanos. Los bogas no hablaban. Un ruido semejante al vuelo rumoroso de un huracán sobre las selvas venía en nuestro alcance. Gruesas gotas de lluvia empezaron a caer después.

Me recosté en la cama que Lorenzo me había tendido. Éste quiso encender luz; pero Gregorio, que lo vio frotar un fósforo, le dijo:

—No prenda vela, patrón, porque me deslumbro y se embarca la culebra.

La lluvia azotaba rudamente la techumbre del rancho. Aquella oscuridad y silencio eran gratos para mí después del trato forzado y de la fingida amabilidad usada durante mi viaje con toda clase de gentes. Los más dulces recuerdos, los más tristes presentimientos volvieron a disputarse mi corazón en aquellos instantes para reanimarlo o entristecerlo. Bastábanme ya cinco días de viaje para volver a tenerla en mis brazos y devolverle toda la vida que mi ausencia le había robado. Mi voz, mis caricias, mis ojos, que tan dulcemente habían sabido conmoverla en otros días, ¿no serían capaces de disputársela al dolor y a la muerte? Aquel amor ante el cual la ciencia se consideraba impotente, al cual la ciencia llamaba en su auxilio, debía poderlo todo.

Recorría mi memoria lo que decía en sus últimas cartas:

juga. En Colombia, canción de boteros.

La noticia de tu regreso ha bastado a volverme las fuerzas...
Yo no puedo morirme y dejarte solo para siempre.

La casa paterna en medio de sus verdes colinas, sombreada por sauces años, engalanada con rosales, iluminada por los resplandores del sol al nacer, se presentaba a mi imaginación: eran los ropajes de María los que susurraban cerca de mí; la brisa del Zabaletas lo que movía mis cabellos; las esencias de las flores cultivadas por María las que aspiraba yo..., y el desierto con sus aromas, sus perfumes y sus susurros era cómplice de mi deliciosa ilusión.

Detúvose la canoa en una playa de la ribera izquierda.

—¿Qué es? —pregunté a Lorenzo.

—Estamos en el Arenal.

—¡Oopa! Un guarda, que contrabando va —gritó Cortico.

—¡Alto! —contestó un hombre, que debía estar en acecho, pues dio esa voz a pocas varas de la orilla.

Los bogas soltaron a dúo una estrepitosa carcajada, y no había puesto punto final a la suya Gregorio, cuando dijo:

—¡San Pablo bendito!, que casi me *pica* este cristiano. Cabo Ansermo, a vusté* lo va a matá un rumatismo metió entre un carizar. ¿Quién le contó que yo subía, señó?

—Bellaco —le respondió el guarda—, las brujas. ¿A ver qué llevas?

—Buque de gente.

Lorenzo había encendido luz, y el cabo entró al rancho, dando de paso al negro contrabandista una sonora palmada en la espalda a guisa de* cariño. Luego que me saludó franca y respetuosamente, se puso a examinar la guía, y mientras tanto Laureán y Gregorio, en pampanilla*, sonreían asomados a la boca del camarote.

El primer grito de Gregorio al llegar a la playa alarmó a todo el

---

vusté. Arcaísmo. Desde fines del siglo XV y hasta los grandes cambios del siglo XVIII, el pronombre de respeto en la segunda persona singular fue *Vuesa Merced* con el verbo en tercera persona. De este *Vuesa Merced* surgirá *vusted* y, luego, el actual *usted*.

a guisa de. Modo adverbial que significa "a manera de", "a modo de"

en pampanilla. En taparrabos, desnudos.

destacamento: dos guardas más con caras de mal dormidos y armados de carabinas, como el que aguardaba agazapado bajo las malezas, llegaron a tiempo de libación y despedida. La enorme chamberga de Lorenzo tenía para todos, a lo cual se agregaba que debía estar deseosa de habérselas con otros menos desdeñosos que sus amos.

Había cesado la lluvia y empezaba a amanecer, cuando, después de las despedidas y cuchufletas picantes, sazonadas con risotadas y algo más, que se cruzaban entre mis bogas y los guardas, continuamos el viaje.

De allí para adelante las selvas de las riberas fueron ganando en majestad y galanura: los grupos de palmeras se hicieron más frecuentes; veíase la pambil de recta columna manchada de púrpura; la milpesos frondosa brindando en sus raíces el delicioso fruto; la chontádura y la gualte; distinguiéndose entre todas la naidí, de flexible tallo e inquieto plumaje, por un no sé qué de coqueto y virginal que recuerda talles seductores y esquivos. Las más con sus racimos medio defendidos aún por la concha que los había abrigado, todas con sus penachos color de oro, parecían con sus rumores dar la bienvenida a un amigo no olvidado. Pero aún faltaban allí las bejucadas, de rojos festones; las trepadoras, de frágiles y lindas flores; las sedosas larvas y los aterciopelados musgos de los peñascos. El naguare y el piaunde, como reyes de la selva, empinaban sus copas sobre ella para divisar algo más grandioso que el desierto: la mar lejana.

La navegación iba haciéndose cada vez más penosa. Eran casi las diez cuando llegamos a Callelarga*. En la ribera izquierda había una choza, levantada, como todas las del río, sobre gruesos estantillos de guayacán, madera que, como es sabido, se petrifica en la humedad: así están los habitantes libres de las inundaciones, y menos en familia con las víboras, cuya abundancia y diversidad son el terror y pesadilla de los viajeros.

Mientras Lorenzo, guiado por los bogas, iba a disponer nuestro almuerzo en la casita, permanecí en la canoa preparándome para tomar un baño, cuya excelencia dejaban prever las aguas de cristal. Más no había contado con los mosquitos, a pesar de que sus

---

Callelarga. Aldea de Colombia, departamento de Nariño, distrito de Guapí.

venenosas picaduras los hacen inolvidables. Me atormentaron a su sabor, haciéndole perder al baño que tomé la mitad de su orientalismo salvaje. El calor y otras condiciones de la epidermis de los negros los defienden sin duda de esos tenaces y hambrientos enemigos, pues seguí observando que apenas se daban por notificados los bogas de su existencia.

Lorenzo me trajo el almuerzo a la canoa, ayudado por Gregorio, quien las daba de buen cocinero, y me prometió para el día siguiente un tapado.

Debíamos llegar por la tarde a San Cipriano, y los bogas no se hicieron rogar para continuar el viaje, vigorizados ya por el puro tinto del administrador.

El sol no desmentía ser de verano.

Cuando las riberas lo permitían Lorenzo y yo, para desentumecernos, o para disminuir el peso de la canoa en pasos de peligro confesado por los bogas, andábamos por algunas orillas cortos trechos, operación que allí se llama *playear;* pero en tales casos el temor de tropezar con alguna guascama, o de que alguna chonta* se lanzase sobre nosotros, como los individuos de esa familia de serpientes, negras, rollizas y de collar blanco lo acostumbraban, nos hacía andar por las malezas más con los ojos que con los pies.

Era inútil averiguar si Laureán y Gregorio eran curanderos, pues apenas hay boga que no lo sea y que no lleve consigo colmillos de muchas clases de víboras y contras para varias de ellas, entre las cuales figura el guaco, los bejucos atajasangre, siempreviva, zaragoza y otras yerbas que no nombran y que conservan en colmillos de tigre y de caimán ahuecados. Pero eso no basta a tranquilizar* a los viajeros, pues es sabido que tales remedios suelen ser ineficaces algunas veces, muriendo el que ha sido mordido, después de pocas horas, arrojando* sangre por los poros y con agonías espantosas.

---

guascama y chonta. Serpientes muy peligrosas, sobre todo la chonta, según surge del propio relato.

no basta a tranquilizar. No basta para tranquilizar. Véase nota de pág. 115.

arrojando. Uso incorrecto del gerundio. Véase nota de pág. 88. Su empleo sería correcto si la oración hubiera sido redactada de la siguiente manera: "...pues es sabido que tales remedios suelen ser ineficaces algunas veces, ya que muere el que ha sido

Llegamos a San Cipriano. En la ribera derecha y en el ángulo formado por el río que da el nombre del sitio, y por el Dagua, que parece regocijarse con su encuentro, estaba la casa, alzada sobre postes en medio de un platanal frondoso. No habíamos saltado todavía a la playa y ya Gregorio gritaba:

—¡Ña Rufina!, aquí voy yo. —Y en seguida—: ¿Dónde cogió esta viejota?

—Buena tarde, ño Gregorio —respondió una negra joven, asomándose al corredor.

—Me tiene que da posada, porque traigo cosa buena.

—Sí, señó; suba pué.

—¿Mi compañero?

—En la junta.

—¿Tío Bibiano?

—Ansina no ma, ño Gregorio.

Laureán dio las buenas tardes a la casera y volvió a guardar su silencio acostumbrado.

Mientras los bogas y Lorenzo sacaban los trastos de la canoa, yo estaba fijo en algo que Gregorio, sin hacer otra observación, había llamado *viejota:* era una culebra, gruesa como un brazo fornido, como de tres varas de largo, de dorso áspero, color hoja seca y salpicada de manchas negras; barriga que parecía piezas de marfil ensambladas, cabeza enorme y boca tan grande como la cabeza misma; nariz arremangada y colmillos como uñas de gato. Estaba colgada por él cuello en un poste del embarcadero, y las aguas de la orilla jugaban con su cola.

—¡San Pablo! —exclamó Lorenzo, fijándose en lo que yo veía—, ¡qué animalote!

Rufina, que se había bajado a *alabarme a Dios**, observó riéndose, que más grandes las habían muerto algunas veces.

—¿Dónde encontraron ésta? —le pregunté.

---

mordido, después de pocas horas, arrojando sangre por los poros y con agonías espantosas". De este modo, el gerundio que funciona como adverbio, modifica el verbo e indica la simultaneidad de la acción señalada por él, con respecto a la del verbo.

alabarme a Dios. Expresión religiosa con la que la gente campesina da la bienvenida a alguien ("alabado sea Dios").

—En la orilla, mi amo; allí en el chípero —me contestó señalándome un árbol frondoso, distante treinta varas de la casa.

—¿Cuándo?

—A la madrugadita, que se fue mi hermano de viaje, la encontró armáa, y él la trajo para sacarle la contra. La compañera no estaba allí, pero hoy la vi yo y él la topa mañana. La negra me refirió en seguida que aquella víbora hacía daño de esta manera: agarrada de alguna rama o bejuco con una uña fuerte que tiene en la extremidad de la cola, endereza más de la mitad del cuerpo sobre las roscas del resto; mientras la presa que acecha no le pasa a distancia tal que solamente extendida en toda su magnitud la culebra pueda alcanzarla, permanece inmóvil, y conseguida esa condición, muerde a la víctima y la atrae a sí con una fuerza invencible: si la presa vuelve a alejarse a la distancia precisa, se repite el ataque hasta que la víctima expira; entonces se enrolla envolviendo el cadáver, y duerme así por algunas horas. Casos han ocurrido en que cazadores y bogas se salven de ese género de muerte asiéndole la garganta a la víbora con entrambas manos y luchando contra ella hasta ahogarla, o arrojándole una ruana sobre la cabeza; mas eso es raro, porque es difícil distinguirla en el bosque, por asemejarse armada a un tronco delgado en pie y ya seco. Mientras la verrugosa no halla de dónde agarrar su uña, es del todo inofensiva.

Rufina, señalándome el camino, subió con admirable destreza la escalera, formada de un solo tronco de guayacán con muescas, y aún me ofreció la mano entre risueña y respetuosa cuando ya iba yo a pisar el pavimento de la choza, hecha de tablas picadas de pambil, negras y brillantes por el uso. Ella, con las trenzas de pasas* esmeradamente atadas a la parte posterior de la cabeza, que no carecía de cierto garbo natural, follao de pancho azul y camisa blanca, todo muy limpio, candongas de higas azules y gargantilla de lo mismo, aumentada con escuditos y cavalongas, me pareció graciosamente original después de haber dejado por tanto tiempo de ver mujeres de esa especie; y lo dejativo de su voz, cuya gracia consiste, en gentes de la raza, en elevar el tono en la sílaba acentuada de la palabra final de cada frase; lo movible de su talle y sus sonrisas esquivas, me recordaban a Remigia en la noche de sus

---

trenzas de pasas. Véase nota de pág. 119.

bodas. Bibiano, padre de la núbil negra, que era un boga de poco más de cincuenta años, inutilizado ya por el reumatismo, resultado del oficio, salió a recibirme, el sombrero en la mano y apoyado en un grueso bastón de chonta; vestía calzones de bayeta amarilla y camisa de listado azul, cuyas faldas llevaba por fuera.

Componíase la casa, como que era una de las mejores del río de un corredor, del cual en cierta manera formaba continuación la sala, pues las paredes de palma de éstas en dos de los lados, apenas se levantaban a vara y media del suelo, presentando así la vista del Dagua por una parte y la del dormido y sombrío San Cipriano por la otra; a la sala seguía una alcoba, de la que se seguía a la cocina, y la hornilla de ésta estaba formada por un gran cajón de tablas de palma repisado con tierra, sobre el cual descansaban las tulpas y el aparato para hacer el fufú. Sustentando sobre las vigas de la sala había un tablado que la abovedaba en una tercera parte, especie de despensa en que se veían amarillear hartones y guineos, y adonde subía frecuentemente Rufina por una escalera más cómoda que la del patio. De una viga colgaban atarrayas y catangas, y estaban atravesadas sobre otras, muchas palancas y varas de pescar. En un garabato había colgados un mal tamboril y una carrasca, y en un rincón estaba recostado el carángano, rústico bajo en la música de aquellas riberas.

Pronto estuvo mi hamaca colgada. Acostado en ella veía los montes distantes no hollados aún, iluminados por la última luz de la tarde, y las ondas del Dagua pasar atornasoladas de azul, verde y oro. Bibiano, estimulado por mi franqueza y cariño, sentado cerca de mí, tejía crezneja para sombreros fumando en su congola, conversándome de los viajes de su mocedad, de la difunta (su mujer), de la manera de hacer la pesca en corrales y de sus achaques. Había sido esclavo hasta los treinta años en la mina de Iró, y a esa edad consiguió a fuerza de penosos trabajos y de economía comprar su libertad y la de su mujer, que había sobrevivido poco tiempo a su establecimiento en el Dagua.

Los bogas, con calzones ya, charlaban con Rufina; y Lorenzo, después de haber sacado sus comestibles refinados para acompañar el sancocho de nayo que nos estaba preparando la hija de Bibiano, había venido a recostarse silencioso en el rincón más oscuro de la sala.

Era casi de noche cuando se oyeron gritos de pasajeros en el río. Lorenzo bajó apresuradamente, y regresó pocos momentos después diciendo que era el correo que subía; y había tomado noticia de que mi equipaje quedaba en Mondomo.

Pronto nos rodeó la noche con toda su pompa americana: las noches del Cauca, las de Londres, las pasadas en alta mar, ¿por qué no eran tan majestuosamente tristes como aquélla?

Bibiano me dejó creyéndome dormido, y fue a apurar la comida. Lorenzo encendió vela y preparó la mesita de la casa con el mensaje de nuestra alforja.

A las ocho todos estaban, bien o mal, acomodados para dormir. Lorenzo, luego que me hubo arreglado con esmero casi maternal en la hamaca, se había acostado en la suya.

—Taita —dijo Rufina desde su alcoba a Bibiano, que dormía con nosotros en la sala—: escuche su mercé la verrugosa cantando en el río.

En efecto, se oía hacia aquel lado algo como el cloqueo de una gallina monstruo.

—Avísele a ño Laureán —continuó la muchacha—, para que a la madrugada pasen con mañita*.

—¿Ya oíte, hombre? —preguntó Bibiano.

—Sí, señó —respondió Laureán, a quien debía de tener despierto la voz de Rufina, pues, según comprendí más tarde era su novia.

—¿Qué es esto grande que vuela aquí? —pregunté a Bibiano, próximo ya a figurarme que sería alguna culebra alada.

—El murciélago, amito —contestó—; pero no haya miedo que lo pique durmiendo en la hamaca.

Los tales murciélagos son verdaderos vampiros que sangran en poco rato a quien llega a dejarles disponibles la nariz o las yemas de los dedos; y realmente se salvan de sus chupaduras los que duermen en hamaca.

LVIII

Lorenzo me llamó a la madrugada: vio mi reloj y eran las tres. A favor de la luna, la noche parecía un día opaco. A las cuatro,

mañita. Diminutivo de "maña".

encomendados a la Virgen en las despedidas de Bibiano y de su hija, nos embarcamos.

—Aquí canta la verrugosa, compae —dijo Laureán a Cortico, luego que hubimos navegado un corto trecho—; saque afuerita, no vaya a está armá.

Todo el peligro para mí era que la víbora se entrase en la canoa, pues estaba defendido por el techo del rancho, pero agarrado por ella alguno de los bogas, el naufragio era probable.

Pasamos felizmente; mas, la verdad sea dicha, ninguno tranquilo.

El almuerzo de aquel día fue copia del anterior, salvo el aumento del tapado que Gregorio había prometido, potaje que preparó haciendo un hoyo en la playa, y, una vez depositados en él, envueltos en hojas de biao, la carne, plátanos y demás que debían componer el cocido, lo cubrió con tierra y encima de todo encendió un fogón.

Era increíble que la navegación fuese más penosa en adelante que la que habíamos hecho hasta allí, pero lo fue: en el Dagua es donde con toda propiedad puede decirse que no hay imposibles.

A las dos de la tarde, hora en que tomábamos dulce en un remanso, Laureán lo rehusó, y se internó en el bosque algunos pasos, para regresar trayendo unas hojas, que después de estregarlas en un mate lleno de agua, hasta que el líquido se tiñó de verde, coló éste en la copa de su sombrero y se lo tomó. Era zumo de *hoja hedionda*, único antídoto contra las fiebres, temibles en la Costa y en aquellas riberas, que reconocen como eficaz los negros.

Las palancas, que cuando se baja el río sirven mil veces para evitar un estrellamiento general, son menos útiles para subirlo. Desde Fleco a cada paso caían al agua Gregorio y Laureán, siempre después del consabido golpe de aviso, y entonces el primero cabestreaba la canoa asiéndola por el galindro, mientras el compañero la impulsaba por la popa. Así se subían los chorros o cabezones inevitables; pero para librarse de los más furiosos, había pequeños caños llamados arrastraderos, practicados en las playas, y más o menos escasos de agua, por los cuales subía la canoa rozando con el casco los guijarros del cauce y balanceándose algunas veces sobre las rocas más salientes.

Los botaderos empeoraron de condiciones por la tarde. Como fuesen más y más descolgadas las corrientes a medida que nos acercábamos al Saltico, los bogas, al cambiar de orilla, impulsaban simultáneamente la canoa, subiendo al mismo tiempo de un salto sobre ella para empuñar las palancas y abandonándolas en el instante, una vez atravesado el río, impedían que nos arrebatara el raudal, enfurecido por haber dejado escapar una presa ya suya. Después de cada lance de esta especie se hacía necesario arrojar de la canoa el agua que le había entrado, operación que practicaban los bogas instantáneamente amagando dar un paso y volviendo a traer el pie avanzado hacia el firme, con lo cual salían de en medio de éstos plumadas de agua. Tales evoluciones y portentos gimnásticos asombraban ejecutados por Laureán, aunque él por su estatura, con ceñirse una guirnalda de pámpanos, habría podido pasar por el dios del río; pero hechas por Gregorio, quien, salvo su cara, risueña siempre, parecía representar la figura recortada de su compañero, con sus piernas que formaban al andar casi una "o" y cuyos pies encorvados hacia dentro eran, más que pies, instrumentos de achicar, aquellos prodigios de agilidad causaban terror.

Pernoctamos aquel día en el Saltico, pobre y desapacible caserío a pesar del movimiento que le daban sus bodegas. Allí hay un obstáculo para la navegación, y es generalmente el término de viaje de los bogas que vienen del Puerto, así como los que salían del Saltico llegaban solamente al Salto, y a este punto los que bajaban diariamente de Juntas.

La misma tarde arrastraron mis bogas por tierra la canoa, ya sin rancho, para ponerla en la playa donde debía embarcarme al día siguiente. Del Saltico al Salto, los peligros del viaje salieron de la esfera de toda ponderación.

En el Salto hubo de repetirse el arrastre de la canoa para vencer el último obstáculo que allí merece el honor de tal nombre.

Los bosques iban teniendo, a medida que nos alejábamos de la costa, toda aquella majestad, galanura, diversidad de tintas y abundancia de aromas que hacen de las selvas del interior un conjunto indescriptible. Mas el reino vegetal imperaba casi solo; oíase de tarde en tarde y a lo lejos el canto del paují; muy rara pareja de panchanas atravesaba a veces por encima de las montañas casi perpendiculares que encajonaban la vega y alguna primavera volaba furtivamente bajo las bóvedas oscuras formadas por los guabos apiñados o por los cañaverales, chontas, nacederos y chíperos, sobre los cuales mecían las guadas sus arqueados plumajes. El martín pescador, única ave acuática que habita aquellas riberas, rozaba por rareza los remansos con sus alas, o se hundía en ellos para sacar en el pico algún pececillo plateado.

Desde el Saltico encontramos mayor número de canoas bajando, y las más capaces de ellas tendrían ocho varas de largo y escasamente una de ancho.

El par de bogas que manejaba cada canoa, balanceándose y achicando incesantemente el delantero; el de la popa sentado a veces, tranquilos siempre, apenas divisados al descender por en medio de los chorros de una revuelta lejana, desaparecían en ella y pasaban muy luego velozmente por cerca de nosotros, para volver a verse abajo y distantes ya, como corriendo sobre las espumas.

Los peñascos escarpados de La Víbora, Delfina con su limpio riachuelo, que brotando del corazón de las montañas parece que mezcla después tímidamente sus corrientes con las impetuosas del Dagua, y el derrumbo del Arrayán fueron quedando a la izquierda. Allí hubo necesidad de hacer alto para conseguir una palanca, pues Laureán acababa de romper su último repuesto. Hacía una hora que un aguacero nutrido nos acompañaba y el río empezaba a traer cintas de espuma y algunas malezas menudas.

—La niña tá celosa —dijo Cortico cuando arrimamos a la playa.

Creí que se refería a una música tristísima y como ahogada que parecía venir de la choza vecina.

—¿Qué niña es ésa? —le pregunté.

—Pues, Pepita, mi amo.

Entonces caí en cuenta que se refería al hermoso río de ese nombre que se une al Dagua abajo del pueblo de Juntas.

—¿Por qué está celosa?

—¿No vé su mercé lo que baja?

—No.

—La creciente.

—¿Y por qué no es Dagua el celoso? Ella es muy linda y mejor que él.

Gregorio se rió antes de responderme:

—Dagua tiene mal genio. Creciente de Pepita é, porque el río no baja amarillo.

Subí al rancho mientras los bogas hacían sus prevenciones, deseoso de ver qué clase de instrumentos tocaban allí: era una marimba, pequeño teclado de chontas sobre tarros de guadua alineados de mayor a menor y que se hace sonar con bolillos pequeños aforrados en vaqueta.

Una vez conseguida la palanca y llenada la condición indispensable de que fuese de biguare o cueronegro, continuamos subiendo con mejor tiempo ya y sin que los celos de Pepita se hiciesen importunos.

Los bogas, estimulados por Lorenzo y la gratificación que les tenía yo prometida por su buen manejo, se esforzaron a fin de hacerme llegar de día a Juntas. Poco después dejamos a la derecha la campiñita de Sombrerilla, cuyo verdor contrasta con la aspereza de las montañas que la sombrean hacia el sur. Eran las cuatro de la tarde cuando pasamos al pie de los agrios peñascos de Medialuna*. Salimos poco después del temible Credo y por fin dimos dichoso término a la inverosímil navegación saltando a una playa de Juntas.

El amigo D..., antiguo dependiente de mi padre, me estaba esperando, avisado por el correísta* que nos dio alcance en San Cipriano de que yo debía llegar aquella tarde. Me condujo a su casa, en donde fui a esperar a Lorenzo y a los bogas. Éstos quedaron muy contentos con "mi persona", como decía Gregorio. Debían madrugar al día siguiente y se despidieron de mí de la manera más cordial, deseándome salud después de apurar dos copas de coñac y de haberme recibido una carta para el administrador.

LIX

Al sentarnos a la mesa manifesté a D... que deseaba continuar el viaje la misma tarde si era posible, suplicándole venciese inconvenientes. Él pareció consultar a Lorenzo, quien se apresuró a responderme que las bestias estaban en el pueblo y que la noche era

---

Medialuna. Caserío del departamento del Cauca.

correísta. Sobre este colombianismo, no incluido en el léxico oficial, dice Cuervo en sus clásicas *Apuntaciones Críticas sobre el Lenguaje Bogotano*: "En castellano siempre se ha llamado *correo* a la persona que lleva las cartas de una parte a otra; sin embargo, como ha venido a predominar la aceptación de servicio público que tiene aquello a su cargo, es para nosotros muy diferente decir que una noticia la trajo el *correo* y que la trajo el *correísta*".

de luna. Le di orden para que sin demora preparase nuestra marcha, y en vista de la manera como lo resolví, D... no hizo observación de ninguna especie.

Poco rato después me presentó Lorenzo los arreos de montar, manifestándome por lo bajo cuánto le complacía el que no pernoctásemos en Juntas.

Arreglado lo necesario para que D... pagase la conducción de mi equipaje hasta allí y lo pusiera en camino nuevamente, nos despedimos de él y montamos en buenas mulas, seguidos de un muchacho que, caballero en otra, llevaba al arzón un par de cuchugos pequeños con mi ropa de camino y algo de avío que se apresuró a poner en ellos nuestro huésped.

Habíamos vencido más de la mitad de la subida de la Puerta cuando se ocultaba ya el sol. En los momentos en que mi cabalgadura tomaba aliento, no pude menos de ver con satisfacción la hondonada de donde acababa de salir y respirar con deleite el aire vivificador de la sierra. Veía ya en el fondo de la profunda vega la población de Juntas, con sus techumbres pajizas y cenicientas; el Dagua, lujoso con la luz que entonces lo bañaba, orlaba el islote del caserío y rodando precipitadamente hasta perderse en la revuelta del Credo espejeaba a lo lejos en las playas de Sombrerillo.

Por primera vez después de mi salida de Londres me sentía absolutamente dueño de mi voluntad para acortar la distancia que me separaba de María. La certeza de que solamente me faltaban por hacer dos jornadas para terminar el viaje, hubiera sido bastante para hacerme reventar durante ellas cuatro mulas como la que cabalgaba. Lorenzo, experimentado de lo que resulta de tales afanes en tales caminos, trató de hacerme moderar algo el paso, y con el justo pretexto de servir de guía se me colocó por delante a tiempo que faltaba poco para que coronáramos la cuesta.

Cuando llegamos al Hormiguero, solamente la luna nos mostraba la senda. Me detuve, porque Lorenzo había echado pie a tierra allí, lo cual tenía en alarma a los perros de la casa. Recostándose él sobre el cuello de mi mula, me dijo sonriendo:

—¿Le parece bueno que durmamos aquí? Ésta es buena gente y hay pasto para las bestias.

—No seas flojo —le contesté—; yo no tengo sueño y las mulas están frescas.

—No se afane —me observó, tomándome el estribo—; lo que quiero es ventear estos judas, no sea que se nos achajuanen por estar tan ovachonas*. Justo viene con mis mulas para Juntas —continuó descinchando la mía—, y según me dijo ese muchacho a quien encontramos en la Puerta debe toldar esta noche en Santa Ana, si no consigue llegar a Hojas. Donde lo encontremos tomaremos chocolate e iremos a dormir un ratico por ahí donde se pueda. ¿Le gusta así?

—Por supuesto, es necesario llegar a Cali mañana por la tarde.

—No tanto; dando las siete en San Francisco* iremos entrando; pero yendo a mi paso; porque de no, daremos gracias en llegar a San Antonio*.

Hablando y haciendo, bañaba los lomos de las mulas con buchadas de anisado. Sacó fuego de su eslabón y encendió el cigarro; echó una reprimenda al muchacho que venía *colgándose*, porque diz que su mula era *cueruda**, y emprendimos nuevamente marcha, mal despedidos por los gozques de la casita.

No obstante que el camino estaba bueno, es decir, seco, no pudimos llegar a Hojas sino pasadas las diez. Sobre el plano que corona la cuesta blanqueaba una tolda. Lorenzo fijándose en las mulas que ramoneaban en las orillas de la senda, dijo:

—Ahí está Justo, porque aquí andan el Tamborero y Frantino, que nunca desmanchan.

—¿Qué gente es ésa? —le pregunté.

—Pues machos míos.

Silencio profundo reinaba en torno de la caravana arriera; un viento frío columpiaba los cañaverales y mandules de las faldas vecinas, avivando las brasas amortiguadas de dos fogones inmediatos a la tolda. Junto a uno de ellos dormía enroscado un perro

---

lo que quiero es ventear estos judas, no sea que se nos achajuanen por estar tan ovachonas. Equivale más o menos a "lo que quiero es refrescar estas malditas mulas, no sea que se nos cansen, pues están muy perezosas".

San Francisco. Población de Colombia, estado de Nariño, provincia de Putumayo.

San Antonio. San Antonio de Tena. Población y municipio de Colombia, en el departamento de Cundinamarca, provincia de Tequendama.

cuerudo, a. Este adjetivo se aplica en parte de América a las caballerías lerdas.

negro, que gruñó al sentirnos y ladró al reconocernos por extraños.

—¡Ave María! —gritó Lorenzo, dando así a los arrieros el saludo que entre ellos se acostumbra al llegar a una posada—. Calla, Barbillas —agregó, echando pie a tierra y dirigiéndose al perro.

Un mulato alto y delgado salió de entre las barricadas de zurrones de tabaco que tapiaban los dos costados de la tolda por donde ésta no llegaba hasta el suelo; era el caporal Justo. Vestía camisa de coleta con pretensiones a blusa corta*, calzoncillos bombachos* y tenía la cabeza cubierta con un pañuelo atado a la nuca.

—¡Olé, ñor Lorenzo! —dijo a su patrón reconociéndolo; y agregó—: ¿Éste no es el niño Efraín?

Correspondimos a sus saludos, Lorenzo con un pampeo en la espalda y una chanzoneta; yo lo más cariñosamente que el estropeo me lo permitía.

—Apéense —continuó el caporal—; traerán cansada alguna mula.

—Las tuyas serán las cansadas —le respondió Lorenzo—, pues vienen a paso de hormiga.

—Ahí verá que no. Pero ¿qué andan haciendo a estas horas?

—Caminando mientras tú roncas. Déjate de conversar y manda al guión que nos atice unas brasas para hacer chocolate.

Los otros arrieros se habían despertado, así como el negrito que debía atizar. Justo encendió un cabo de vela y después de colocarlo en un plátano agujereado tendió un cobijón limpio en el suelo para que yo me sentase.

—¿Y hasta dónde van ahora? —preguntó, mientras Lorenzo sacaba de sus cojinetes provisiones para acompañar el chocolate.

—A Santa Ana —respondí—. ¿Cómo van las muletas? El hijo de la García me dijo al salir de Juntas que se te había cansado la Rosilla.

—Es la única maulona; pero ten con ten*, ahí viene.

—No vayas a sacar carga de fardos con ellas.

—¡Tan fullero que era yo! ¡Y qué buenas van a salir las condena-

---

con pretensiones a blusa corta. Galicismo. La expresión correcta es "con pretensiones de blusa corta".

calzoncillos bombachos. Calzoncillos muy anchos.

ten con ten. Expresión familiar que significa "poco a poco", "despacito".

328

das!… Eso sí, la Manzanilla me hizo en Santa Rosa una de toditicos* los diablos; quien la ve tan tasajuda y es la más filática; pero ya va dando; con los altillos la traigo desde Platanares.

La olleta de chocolate hirviendo* entró en escena y los arrieros, a cual más listos, ofrecieron sus matecillos de cintura* para que lo tomásemos.

—¡Válgame! —decía Justo mientras yo saboreaba aquel chocolate arrieramente hecho y servido, pero el más oportuno que me ha venido a las manos—. ¿Quién iba a conocer al niño Efraín? Al reventón llevará a ño Lorenzo, ¿no?

En cambio de su agua tibia de calabazo dimos a Justo y a sus mozos buen brandy, y nos dispusimos a marchar.

—Las once irán siendo —dijo el caporal, alzando a ver la luna que bañaba con su blanca luz las altivas lomas de los Chancos y Bitaco.

Vi el reloj y efectivamente eran las once. Nos despedimos de los arrieros, y cuando nos habíamos alejado media cuadra de la tolda llamó Justo a Lorenzo; éste me alcanzó pocos instantes después.

LX

Al día siguiente, a las cuatro de la tarde, llegué al alto de las Cruces. Apeéme para pisar aquel suelo desde donde dije adiós para mi mal a la tierra nativa. Volví a ver ese valle del Cauca, país tan bello como desventurado ya… Tantas veces había soñado divisarlo desde aquella montaña, que después de tenerlo delante con toda su esplendidez, miraba a mi alrededor para convencerme de que en tal momento no era juguete de un sueño. Mi corazón palpitaba aceleradamente como si presintiese que pronto iba a reclinarse sobre él la cabeza de María, y mis oídos ansiaban recoger en el viento una voz perdida de ella. Fijos estaban mis ojos sobre las colinas iluminadas al pie de la sierra distante, donde blanqueaba la casa de mis padres.

toditicos. Diminutivo de diminutivo (todito, toditico). Véase nota de pág. 134.

hirviendo. Según la Academia, este gerundio, por su uso reiterado, es un verdadero adjetivo.

matecillos de cintura. Vasijas pequeñas de coco o de otro fruto semejante.

Lorenzo acababa de darme alcance, trayendo del diestro* un hermoso caballo blanco que había recibido en Tocotá para que yo hiciese en él las tres últimas leguas de la jornada.

—Mira —le dije cuando se disponía a ensillármelo; y mi brazo le mostraba el punto blanco de la sierra al cual no podía yo dejar de mirar—: mañana a esta hora estaremos allá.

—¿Pero allá a qué? —respondió.

—¡Cómo!

—La familia está en Cali.

—Tú no me lo habías dicho. ¿Por qué se han venido?

—Justo me contó anoche que la señorita seguía muy mala.

Lorenzo al decir esto no me miraba y me pareció que estaba conmovido.

Monté temblando en el caballo que él me presentaba ensillado ya, y el brioso animal empezó a descender velozmente y casi a vuelos por el pedregoso sendero.

La tarde se apagaba cuando doblé la última cuchilla de las Montañuelas. Un viento impetuoso de occidente zumbaba en torno de mí en los peñascos y malezas, desordenando las abundantes crines del caballo. En el confín del horizonte, a mi izquierda, no blanqueaba ya la casa de mis padres sobre las faldas sombrías de la montaña; y a la derecha muy lejos, bajo un cielo turquí, se descubrían lampos de la mole del Huila*, medio arropado por brumas flotantes.

—Quien aquello crió —me decía— no puede destruir aún a la más bella de sus criaturas y lo que Él ha querido que yo más ame. Y sofocaba de nuevo en mi pecho los sollozos que me ahogaban.

Ya dejaba a mi izquierda la pulcra y amena vega del Peñón digna de su hermoso río y de mis gratos recuerdos de infancia.

La ciudad acababa de dormirse sobre su verde y acojinado lecho; como bandadas de aves enormes que se cernieran buscando sus nidos, divisábanse sobre ella, abrillantados por la luna, los follajes de las palmeras.

Hube de reunir todo el resto de mi valor para llamar a la puerta

trayendo del diestro. Con la mano derecha.

la mole del Huila. El Nevado del Huila, volcán extinguido, de 5 439 metros de altura y siempre cubierto de nieve; es uno de los primeros colosos de América.

de la casa. Un paje abrió. Apeándome boté las bridas en sus manos y recorrí precipitadamente el zaguán y parte del corredor que me separaba la entrada del salón; estaba oscuro. Me había adelantado pocos pasos en él cuando oí un grito y me sentí abrazado.

—¡María! ¡Mi María! —exclamé, estrechando contra mi corazón aquella cabeza entregada a mis caricias.

—¡Ay, no no!... ¡Dios mío! —interrumpióme sollozante.

Y desprendiéndose de mi cuello cayó sobre el sofá inmediato: era Emma. Vestía de negro y la luna acababa de bañar su rostro lívido y regado de lágrimas.

Se abrió la puerta del aposento de mi madre en ese instante. Ella, balbuciente y palpándome con sus besos, me arrastró en los brazos al asiento donde Emma estaba muda e inmóvil.

—¿Dónde está, pues? ¿Dónde está? —grité, poniéndome en pie.

—¡Hijo de mi alma! —exclamó mi madre con el más hondo acento de ternura y volviendo a estrecharme contra su seno—: ¡En el cielo!

Algo como la hoja fina de un puñal penetró en mi cerebro: faltó a mis ojos luz y a mi pecho aire. Era la muerte que me hería... Ella, tan cruel, e implacable, ¿por qué no supo herir?

LXI

Me fue imposible darme cuenta de lo que por mí había pasado una noche que desperté en un lecho rodeado de personas y objetos que casi no podía distinguir. Una lámpara velada, cuya luz hacían más opaca las cortinas de la cama, difundía por la silenciosa habitación una claridad indecisa. Intenté en vano incorporarme; llamé, y sentí que estrechaban una de mis manos; torné a llamar, y el nombre que débilmente pronunciaba tuvo por respuesta un sollozo. Volvíame hacia el lado de donde éste había salido y reconocí a mi madre, cuya mirada anhelosa y llena de lágrimas estaba fija en mi rostro. Me hizo casi en secreto y con su voz más suave muchas preguntas para cerciorarse de si estaba aliviado.

—¿Conque es verdad? —le dije, cuando el recuerdo aún confuso de la última vez en que la había visto vino a mi memoria.

Ella, sin responderme, inclinó la frente en el almohadón, uniendo así nuestras cabezas.

Después de unos momentos tuve la crueldad de decirle:

—Así me engañaron... ¿A qué he venido?

—¿Y yo? —me interrumpió humedeciendo mi cuello con sus lágrimas.

Mas su dolor y su ternura no conseguían que algunas corriesen de mis ojos.

Se trataba seguramente de evitarme toda fuerte emoción, pues poco rato después se acercó silencioso mi padre y estrechó mi mano entre las suyas, mientras se enjugaba los ojos sombreados por el insomnio.

Mi madre, Eloísa y Emma se turnaron aquella noche para velar cerca de mi lecho, luego que el doctor se retiró prometiendo una lenta pero positiva reposición.

Inútilmente agotaron ellas sus más dulces cuidados para hacerme conciliar el sueño. Así que mi madre se durmió, rendida por el cansancio, supe que hacía algo más de veinticuatro horas que me hallaba en casa.

Emma sabía lo único que me faltaba saber: la historia de sus últimos días, sus últimos momentos y sus últimas palabras. Sentía que para oír esas confidencias terribles me faltaba valor; pero no pude dominar mi sed de dolorosos pormenores y le hice muchas preguntas. Ella sólo me respondió con el acento de una madre que hace dormir a su hijo en la cuna:

—Mañana.

Y acariciaba mi frente con sus manos o jugaba con mis cabellos.

LXII

Tres semanas habían corrido desde mi regreso, durante las cuales me detuvieron a su lado Emma y mi madre, aconsejadas por el médico, y disculpando su tenacidad con el mal estado de mi salud.

Los días y las noches de dos meses habían pasado sobre su tumba y mis labios no habían murmurado una oración sobre ella. Sentíame aún sin la fuerza necesaria para visitar la abandonada mansión de nuestros amores; para mirar el sepulcro que a mis ojos la escondía y la negaba a mis brazos. Pero en esos sitios debía esperarme ella; allí estaban los tristes presentes de su despedida para mí, que no había volado a recibir su último adiós y su primer beso antes que la muerte helara sus labios.

Emma fue exprimiendo lentamente en mi corazón toda la amargura de las postreras confidencias de María para mí. Así, recomendada para romper el dique de mis lágrimas, no tuvo más tarde cómo enjugarlas, y mezclando las suyas a las mías pasaron esas horas dolorosas y lentas.

En la mañana que siguió a la tarde en que María me escribía su última carta, Emma, después de haberla buscado inútilmente en su alcoba, la halló sentada en el banco de piedra del jardín; dejábase ver lo que había llorado; sus ojos, fijos en la corriente y agrandados por la sombra que los circundaba, humedecían aún con algunas lágrimas despaciosas aquellas mejillas pálidas y enflaquecidas, antes tan llenas de gracia y lozanía; exhalaba sollozos ya débiles, ecos de otros en que su dolor se había desahogado.

—¿Por qué has venido sola hoy?—le preguntó Emma, abrazándola—: yo quería acompañarte como ayer.

—Sí —le respondió—: lo sabía, pero deseaba venir sola. Creí que tendría fuerzas. Ayúdame a andar.

Se apoyó en el brazo de Emma y se dirigió al rosal de enfrente a mi ventana*. Luego que estuvieron cerca de él, María lo contempló casi sonriente y quitándole las dos rosas más frescas, dijo:

—Tal vez serán las últimas. Mira cuántos botones tiene; tú le pondrás a la Virgen las más hermosas que vayan abriendo.

Acercando a su mejilla la rama más floreciente, añadió:

—¡Adiós, rosal mío, emblema querido de su constancia! Tú le dirás que lo cuidé mientras pude —dijo, volviéndose a Emma que lloraba con ella.

Mi hermana quiso sacarla del jardín, diciéndole:

—¿Por qué te entristeces así? ¿No ha convenido papá en demorar nuestro viaje? Volveremos todos los días. ¿No es verdad que te sientes mejor?

—Estémonos todavía aquí —le respondió acercándose lentamente a la ventana de mi cuarto. La estuvo mirando, olvidada de Emma, y se inclinó después a desprender todas las azucenas de su

---

al rosal de enfrente a mi ventana. La frase prepositiva correcta es "enfrente de". La preposición "a" forma parte de la frase prepositiva "frente a".

mata predilecta, diciendo a mi hermana—: Dile que nunca dejó de florecer. Ahora sí, vámonos.

Volvió a detenerse en la orilla del arroyo y mirando en torno suyo apoyó la frente en el seno de Emma, murmurando:

—¡Yo no quiero morirme sin volver a verlo aquí!

Durante el día se halló más triste y silenciosa que de costumbre. Por la tarde estuvo en mi cuarto y dejó en el florero, unidas con algunas hebras de sus cabellos, las azucenas que había cogido por la mañana; y allí fue Emma a buscarla cuando ya había oscurecido. Estaba reclinada de codos en la ventana y los bucles desordenados de la cabellera casi le ocultaban el rostro.

—María —le dijo Emma después de haberla mirado en silencio unos momentos—, ¿no te hará mal este viento de la noche?

Ella, sorprendida al principio, le respondió tomándole una mano, atrayéndola a sí y haciendo que se sentase a su lado en el sofá:

—Ya nada puede hacerme mal.

—¿No quieres que vayamos al oratorio?

—Ahora no; deseo estarme aquí todavía; ¡tengo que decirte tantas cosas!...

—¿No hay tiempo para que me las digas en otra parte? Tú, tan obediente a las prescripciones del doctor, vas así a hacer infructuosos todos sus cuidados y los nuestros; hace dos días que no eres ya dócil como antes.

—Es que no saben que voy a morirme —respondió, abrazando a Emma y sollozando contra su pecho.

—¡Morirte! ¿Morirte cuando Efraín va a llegar?...

—Sin verlo otra vez, sin decirle...; morirme sin poderlo esperar. Esto es espantoso —agregó, estremeciéndose después de una pausa—; pero es cierto: nunca los síntomas del acceso han sido como los que estoy sintiendo. Yo necesito que lo sepas todo antes que me sea imposible decírtelo. Oye: quiero dejarle cuanto yo poseo y le ha sido amable. Pondrás en el cofrecito en que tengo sus cartas y las flores secas, este guardapelo donde están sus cabellos y los de mi madre; esta sortija que me puso en vísperas de su viaje; y en mi delantal azul envolverás mis trenzas... No te aflijas así —continuó, acercando su mejilla fría a la de mi hermana—; yo no podría ya ser su esposa... Dios quiere librarlo del dolor de hallarme como estoy, del trance de verme expirar. ¡Ay! Yo podría morirme conforme dándole mi último adiós. Estréchalo por mí en tus brazos y dile que en vano luché por no abandonarlo..., que me espantaba más su soledad que la muerte misma, y...

María dejó de hablar y temblaba en los brazos de Emma; cubrióla ésta de besos y sus labios la hallaron yerta; llamóla y no respondió; dio voces y ocurrieron en su auxilio.

Todos los esfuerzos del médico fueron infructuosos para volverla del acceso, y en la mañana del siguiente día se declaró impotente para salvarla.

El anciano cura de la parroquia acudió a las doce al llamamiento que se le hizo.

Frente al lecho de María se colocó, en una mesa adornada con las más bellas flores del jardín, el crucifijo del oratorio, y le alumbraban dos cirios benditos. De rodillas ante aquel altar humilde y perfumado oró el sacerdote durante una hora; y al levantarse le entregó uno de los cirios a mi padre y otro a Mayn para acercarse con ellos al lecho de la moribunda. Mi madre y mis hermanas, Luisa, sus hijas y algunas esclavas se arrodillaron para presenciar la ceremonia. El ministro pronunció estas palabras al oído de María:

—Hija mía, Dios viene a visitarte: ¿quieres recibirlo?

Ella continuó muda e inmóvil como si durmiese profundamente. El sacerdote miró a Mayn, quien, comprendiendo al instante aquella mirada, tomó el pulso a María, diciendo en seguida en voz baja:

—Cuatro horas lo menos.

El sacerdote la bendijo y la ungió. Los sollozos de mi madre, mis hermanas y las hijas del montañés acompañaron la oración.

Una hora después de la ceremonia, Juan se había acercado al lecho y se empinaba para alcanzar a ver a María, llorando porque no lo subían. Tomólo mi madre en sus brazos y lo sentó en el lecho.

—Está dormida, ¿no? —preguntó el inocente, reclinando la cabeza en el mismo almohadón en que descansaba la de María y tomándole en sus manitas una de las trenzas como lo acostumbraba para dormirse.

Mi padre interrumpió esa escena que agotaba las fuerzas de mi madre y que los asistentes presenciaban contristados.

A las cinco de la tarde, Mayn, que permanecía a la cabecera pulsando constantemente a María, se puso en pie y sus ojos humedecidos dejaron comprender a mi padre que había terminado la agonía. Sus sollozos hicieron que Emma y mi madre se precipitasen sobre el lecho. Estaba como dormida, pero dormida para siempre... ¡Muerta! ¡Sin que mis labios hubiesen aspirado su postrer aliento, sin que mis oídos hubiesen escuchado su último adiós, sin que algunas de tantas lágrimas vertidas por mí después sobre su sepulcro hubiesen caído sobre su frente!...

Cuando mi madre se convenció de que María había muerto ya, ante su cadáver, bañado de la luz de los arreboles de la tarde que penetraba en la estancia por una ventana que acababan de abrir, exclamó con voz enronquecida por el llanto, besando una de sus manos, ya yerta e insensible:

—¡María!... ¡Hija de mi corazón!... ¡Por qué nos dejas así!... ¡Ay, ya nunca más podrás oírme!... ¿Qué responderé a mi hijo cuando pregunte por ti? ¿Qué hará, Dios mío?... ¡Muerta! ¡Muerta sin haber exhalado una queja!

Ya en el oratorio, sobre una mesa enlutada, vestida de gro blanco y recostada en el ataúd, mostraba en su rostro algo de sublime resignación. La luz de los cirios, brillando en su frente tersa y sobre los anchos párpados, proyectaba la sombra de las pestañas sobre las mejillas; aquellos labios pálidos parecían haberse helado cuando intentaban sonreír; podría creerse que alentaba aún. Sombreábanle la garganta las trenzas medio envueltas en una toca de gasa blanca, y entre las manos, descansándole sobre el pecho, sostenía un crucifijo.

Así la vio Emma a las tres de la madrugada, al acercarse a cumplir el más terrible encargo de María.

El sacerdote estaba orando de rodillas al pie del ataúd; la brisa de la noche, perfumada de rosas y azahares, agitaba la llama de los cirios gastados ya.

—"Creí —decíame Emma— que al cortar la primera trenza iba a mirarme tan dulcemente como solía si, reclinada la cabeza en mi falda, le peinaba yo los cabellos. Púselas al pie de la imagen de la Virgen, y por última vez le besé las mejillas. Cuando desperté dos horas después ya no estaba allí".

Braulio, José y cuatro peones más condujeron al pueblo el cadáver, cruzando esas llanuras y descansando bajo aquellos bosque por donde en una mañana feliz pasó María a mi lado, amante amada, el día del matrimonio de Tránsito. Mi padre y el cura seguían paso ante paso al humilde convoy... ¡Ay de mí, humilde y silencioso como el de Nay!

Mi padre regresó al mediodía lentamente y ya solo. Al apearse hizo esfuerzos inútiles para sofocar los sollozos que lo ahogaban. Sentado en el salón, en medio de Emma y mi madre y rodeado de los niños, que aguardaban inútilmente sus caricias, dio rienda a su dolor, haciéndose necesario que mi madre procurase darle una conformidad que ella misma no podía tener.

—Yo —decía él—, yo, autor de ese viaje maldecido, la he muerto. Si Salomón pudiera venir a pedirme su hija, ¿qué habría yo de decirle?... Y Efraín... Y Efraín... ¡Ah! ¿Para qué lo he llamado? ¿Así le cumpliré mis promesas?...

Aquella tarde dejaron la hacienda de la sierra para ir a pernoctar en la del valle, de donde debían emprender al día siguiente el viaje a la ciudad.

Braulio y Tránsito convinieron en habitar la casa para cuidar de ella durante la ausencia de la familia

LXIII

Dos meses después de la muerte de María, el diez de septiembre, oía yo a Emma el final de aquella relación, que ella había tardado en hacerme el mayor tiempo que le había sido posible. Era de noche ya y Juan dormía sobre mis rodillas, costumbre que había contraído desde mi regreso, porque acaso adivinaba instintivamente que yo procuraría reemplazarle en parte el amor y los maternales cuidados de María.

Emma me entregó la llave del armario en que estaban guardados en la casa de la sierra los vestidos de María y todo aquello que más especialmente había ella recomendado se guardara para mí.

A la madrugada del día que siguió a esta noche me puse en camino para Santa..., en donde hacía dos semanas que permanecía mi padre, después de haber dejado prevenido todo lo necesario para mi regreso a Europa, el cual debía emprender el dieciocho de aquel mes.

El doce, a las cuatro de la tarde, me despedía de mi padre a quien había hecho creer que deseaba pasar la noche en la hacienda de Carlos, para de esa manera estar más temprano en Cali al día siguiente. Cuando abracé a mi padre tenía él, en las manos un paquete sellado y entregándomelo me dijo:

—A Kingston: contiene la última voluntad de Salomón y la dote de su hija. Si mi interés por ti —agregó con voz que la emoción hacía trémula— me hizo alejarte de ella y precipitar tal vez su muerte... tú sabrás disculparme. ¿Quién debe hacerlo sino tú?

Oído que hubo la respuesta que profundamente conmovido di a esa excusa paternal tan tierna como humildemente dada, me estrechó de nuevo entre sus brazos. Aún persiste en mi oído su acento al pronunciar aquel adiós.

Saliendo a la llanura de... después de haber vadeado el Amaime, esperé a Juan Manuel para indicarle que tomase el camino de la sierra. Miróme como asustado con la orden que recibía; pero viéndome doblar hacia la derecha, me siguió tan de cerca como le fue posible y poco después lo perdí de vista.

Ya empezaba a oír el ruido* de las corrientes del Zabaletas; divisaba las copas de los sauces. Detúveme en el asomadero de la colina. Dos años antes, en una tarde como aquélla, que entonces armonizaba con mi felicidad y ahora era indiferente a mi dolor, había divisado desde allí mismo las luces de aquel hogar donde con amorosa ansiedad era esperado. María estaba allí...; en esa casa cerrada y sus contornos solitarios y silenciosos; entonces el amor que nacía, y ya el amor sin esperanza. Allí, a pocos pasos del sendero que la grama empezaba a borrar, veía la ancha piedra que nos sirvió de asiento tantas veces en aquellas felices tardes de lectura. Estaba, al fin, inmediato al huerto confidente de mis amores; las palomas y los tordos aleteaban piando y gimiendo en los follajes de los naranjos; el viento arrastraba hojas secas sobre el empedrado de la gradería.

Salté del caballo abandonándolo a su voluntad, y sin fuerza ni voz para llamar, me senté en uno de esos escalones, desde donde

---

Ya empezaba a oír el ruido... Hasta el punto aparte: *arrastraba hojas secas sobre el empedrado de la gradería*. Con respecto a este pasaje, anota Torres-Rioseco que "la emoción llega a ser tan fuerte que las escenas naturales se transmutan en cuadros subjetivos en vez de seguir siendo la mera visión de los ojos".

tantas veces su voz agasajadora y sus ojos amantes me dijeron adioses.

Rato después, casi de noche ya, sentí pasos cerca de mí: era una anciana esclava que, habiendo visto mi caballo suelto en el pesebre, salía a saber quién era su dueño. Seguíala trabajosamente Mayo; la vista de ese animal, amigo de mi niñez, cariñoso compañero de mis días de felicidad, arrancó gemidos a mi pecho· presentándome su cabeza para recibir su agasajo, lamía el polvo de mis botas; y sentándose a mis pies, aulló dolorosamente.

La esclava trajo las llaves de la casa, y al mismo tiempo me avisó que Braulio y Tránsito estaban en la montaña. Entré al salón, y dando algunos pasos en él, sin que mis ojos nublados pudiesen distinguir los objetos, caí en el sofá donde con ella me había sentado siempre; donde por primera vez le hablé de mi amor.

Cuando levanté el rostro me rodeaba ya una completa oscuridad. Abrí la puerta del aposento de mi madre, y mis espuelas resonaron lúgubremente en aquel recinto frío y oloroso a tumba. Entonces una fuerza nueva en mi dolor me hizo precipitar al oratorio. Iba a pedírsela a Dios...; ¡ni El podía querer ya devolvérmela en la tierra! Iba a buscarla allí donde mis brazos la habían estrechado, donde por primera vez mis labios descansaron sobre su frente... La luz de la luna, que se levantaba penetrando por la celosía entreabierta, me dejó ver lo único que debía encontrar: ¡el paño fúnebre medio rodado de la mesa donde su ataúd descansó: los restos de los cirios que habían alumbrado el túmulo..., el silencio sordo a mis gemidos, la eternidad muda ante mi dolor!

Vi luz en el aposento de mi madre: era que Juan Angel acababa de poner una bujía en una de las mesas; la tomé, mandándole con un ademán que me dejase solo, y me dirigí a la alcoba de María. Algo de sus perfumes había allí. Velando las últimas prendas de su amor, su espíritu debía estarme esperando. El crucifijo aún sobre la mesa; las flores, marchitas, sobre su peana; el lecho donde había muerto desmantelado ya; teñidas todavía algunas copas con las últimas pociones que le habían dado. Abrí el armario: todos los aromas de los días de nuestro amor se exhalaron combinados en él. Mis manos y mis labios palparon aquellos vestidos, tan conocidos para mí. Abrí el cajón que Emma me había indicado; el cofre precioso estaba en él. Un grito se escapó de mi pecho y una sombra me cubrió los ojos al desenrollarse entre mis manos aquellas trenzas que parecían sensibles a mis besos.

Una hora después... ¡Dios mío!, tú lo sabes, yo había recorrido el huerto llamándola, pidiéndosela a los follajes que nos habían dado sombra, y al desierto que en sus ecos solamente me devolvía su nombre. A orilla del abismo cubierto por los rosales, en cuyo fondo informe y oscuro blanqueaban las nieblas y tronaba el río, un pensamiento criminal estancó por un instante mis lágrimas y enfrió mi frente...

Una persona de quien me ocultaban los rosales pronunció mi nombre cerca de mí: era Tránsito. Al aproximárseme debió producirle espanto mi rostro, pues por unos momentos permaneció asombrada. La respuesta que le di a la súplica que me hizo para que dejase aquel sitio le reveló, quizá, en su amargura, todo el desprecio que en tales instantes tenía yo por la vida. La pobre muchacha se puso a llorar sin insistir por el momento; pero reanimada, balbuceó con la voz doliente de una esclava quejosa:

—¿Tampoco quiere ver a Braulio ni a mi hijo?

—No llores, Tránsito, y perdóname —le dije—. ¿Dónde están?

Ella estrechó una de mis manos sin haber enjugado todavía sus lágrimas, y me condujo al corredor del jardín, en donde su marido me esperaba. Después que Braulio recibió mi abrazo, Tránsito puso en mis rodillas un precioso niño de seis meses, y arrodillada a mis pies sonreía a su hijo y me miraba, complacida, acariciar el fruto de sus inocentes amores.

LXIV

¡Inolvidable y última noche pasada en el hogar donde corrieron los años de mi niñez y los días felices de mi juventud! Como el ave impelida por el huracán a las pampas abrasadas intenta en vano sesgar su vuelo hacia el umbroso bosque nativo, y, ajados ya los plumajes, regresa a él después de la tormenta, y busca inútilmente el nido de sus amores revoloteando en torno del árbol destrozado, así mi alma abatida va en las horas de mi sueño a vagar en torno del que fue el hogar de mis padres. Frondosos naranjos, gentiles y verdes sauces que conmigo crecisteis, ¡cómo os habréis envejecido!; rosas y azucenas de María, ¿quién las amará si existen?; aromas del lozano huerto, ¡no volveré a aspiraros!; susurradores vientos, rumoroso río..., ¡no volveré a oíros!

La medianoche me halló levantado en mi cuarto. Todo estaba allí como yo lo había dejado; solamente las manos de María habían removido lo indispensable, engalanando la estancia para mi regreso: marchitas y carcomidas por los insectos, permanecían en el florero las últimas azucenas que ella había puesto. Ante esa mesa abrí el paquete de las cartas que me había devuelto al morir Aquellas líneas borradas por mis lágrimas y trazadas por mí cuando tan lejos estaba de creer que serían mis últimas palabras dirigidas a ella; aquellos pliegos ajados en su seno, fueron desplegados y leídos uno a uno y buscando entre las cartas de María la contestación a cada una de las que yo le había escrito, compaginé ese diálogo de inmortal amor dictado por la esperanza e interrumpido por la muerte.

Teniendo entre mis manos las trenzas de María, y recostado en el sofá en que Emma le había oído sus postreras confidencias, dio las dos el reloj; él había medido también las horas de aquella noche angustiosa, víspera de mi viaje: él debía medir las de la última que pasé en la morada de mis mayores.

Soñé que María era ya mi esposa; ese castísimo delirio había sido y debía continuar siendo el único deleite de mi alma: vestía un traje blanco vaporoso, y llevaba un delantal azul, azul como si hubiese sido formado por un jirón de cielo: era aquel delantal que tantas veces le ayudé a llenar de flores, y que ella sabía atar tan linda y descuidadamente a su cintura inquieta: aquel en que yo había encontrado envueltos sus cabellos; entreabrió cuidadosamente la puerta de mi cuarto, y procurando no hacer el más leve ruido con sus ropajes se arrodilló sobre la alfombra, al pie del sofá; después de mirarme medio sonreída, cual si temiera que mi sueño fuese fingido, tocó mi frente con sus labios suaves como el terciopelo de los lirios de Páez*: menos temerosa ya de mi engaño, dejóme aspirar un momento su aliento tibio y fragante; pero entonces esperé inútilmente que oprimiera mis labios con los suyos: sentóse en la alfombra, y mientras leía algunas de las páginas dispersas en

Páez. Villa de Colombia, en el Cauca.

ella, tenía sobre la mejilla una de mis manos, que pendía sobre los almohadones; sintiendo ella animada esa mano, volvió hacia mí su mirada llena de amor, sonriendo como ella sola podía sonreír: atraje sobre mi pecho su cabeza, y reclinada así, buscaba mis ojos mientras le orlaba yo la frente con sus trenzas sedosas o aspiraba con deleite su perfume de albahaca.

Un grito, grito mío, interrumpió aquel sueño: la realidad lo turbaba celosa, como si aquel instante hubiese sido un siglo de dicha: La lámpara se había consumido; por la ventana penetraba el viento frío de la madrugada; mis manos estaban yertas y oprimían aquellas trenzas, único despojo de su belleza, única verdad de mi sueño.

LXV

En la tarde de ese día, durante el cual había visitado yo todos los sitios que me eran queridos, y que no debía volver a ver, me preparaba para emprender viaje a la ciudad, pasando por el cementerio de la parroquia, donde estaba la tumba de María. Juan Ángel y Braulio se habían adelantado a esperarme en él, y José y sus hijas me rodeaban ya para recibir mi despedida. Invitados por mí, siguiéronme al oratorio, y todos de rodillas, todos llorando, oramos por el alma de aquella a quien tanto habíamos amado. José interrumpió el silencio que siguió a esa oración solemne para recitar una súplica a la protectora de los peregrinos y navegantes.

Ya en el corredor, Tránsito y Lucía, después de recibir mi adiós, sollozaban cubierto el rostro y sentadas en el pavimento: la señora Luisa había desaparecido: José, volviendo a un lado la faz para ocultarme sus lágrimas, me esperaba teniendo el caballo del cabestro al pie de la gradería; Mayo, meneando la cola y tendido en el gramal, espiaba todos mis movimientos, como cuando en sus días de vigor salíamos a caza de perdices.

Faltóme la voz para decir una postrera palabra cariñosa a José y a sus hijas; ellos tampoco la habrían tenido para responderme.

A pocas cuadras de la casa me detuve antes de emprender la bajada, a ver una vez más aquella mansión querida y sus contornos. De las horas de felicidad que en ella había pasado, sólo llevaba conmigo el recuerdo; de María, los dones que me había dejado al borde de su tumba.

Llegó Mayo, entonces fatigado, y se detuvo a la orilla del torrente que nos separaba: dos veces intentó vadearlo y en ambas hubo de retroceder; sentóse sobre el césped y aulló tan lastimosamente como si sus alaridos tuviesen algo de humano: como si con ellos quisiera recordarme cuánto me había amado, y reconvenirme porque lo abandonaba en su vejez.

A la hora y media me desmontaba a la portada de una especie de huerto, aislado en la llanura y cercado de palenque, que era el cementerio de la aldea. Braulio, recibiendo el caballo y participando de la emoción que descubría en mi rostro, empujó una hoja de la puerta y no dio un paso más. Atravesé por en medio de las malezas y de las cruces de leño y de guadua que se levantaban sobre ellas. El sol, al ponerse, cruzaba el ramaje enmarañado de la selva vecina con algunos rayos que amarilleaban sobre los zarzales y en los follajes de los árboles que sombreaban las tumbas. Al dar la vuelta a un grupo de corpulentos tamarindos, quedé enfrente de un pedestal blanco y manchado por las lluvias, sobre el cual se elevaba una cruz de hierro. Acerquéme. En una plancha negra que las adormideras medio ocultaban ya, empecé a leer: "María...".

A aquel monólogo terrible del alma ante la muerte, del alma que la interroga, que la maldice..., que le ruega, que la llama..., demasiado elocuente respuesta dio esa tumba fría y sorda, que mis brazos oprimían y mis lágrimas bañaban.

El ruido de unos pasos sobre la hojarasca me hizo levantar la frente del pedestal: Braulio se acercó a mí y entregándome una corona de rosas y azucenas, obsequio de las hijas de José, permaneció en el mismo sitio como para indicarme que era hora de partir. Púseme en pie para colgarla de la cruz, y volví a abrazarme de los pies de ella para darle a María y a su sepulcro un último adiós...

Había ya montado, y Braulio estrechaba en sus manos una de las mías, cuando el revuelo de un ave que al pasar sobre nuestras cabezas dio un graznido siniestro y conocido para mí, interrumpió nuestra despedida; la vi volar hacia la cruz de hierro, y posada en uno de sus brazos, aleteó repitiendo su espantoso canto.

Estremecido, partí a galope por en medio de la pampa solitaria, cuyo vasto horizonte ennegrecía la noche.

Abocarse. C. Vulgarismo que significa arrojarse sobre alguien o algo.

Achajuanarse. C. Sofocarse el caballo por trabajar mucho cuando hace demasiado calor.

Adormidera. Planta herbácea, originaria de Oriente; pertenece a la familia de las papaveráceas y una de sus variedades es la amapola. Posee propiedades narcóticas.

Adorote. C. Aro de bejuco con el cual se asegura un haz de leña.

Aforrar. Forrar.

Agora. Arcaísmo. Ahora.

Agregado. C. Especie de arrendatario agrícola.

Aguacete. Fruto de este árbol, parecido a una pera y de pulpa dulce y alimenticia.

Aguadera. Armazón de madera, esparto, mimbre u otra materia semejante, con divisiones, que se coloca sobre las caballerías para llevar en cántaros o barriles agua u otras còsas.

Aguamanos. Agua que sirve para lavar las manos.

Ajonjear. C. Mimar, halagar.

Ajuar. Conjunto de muebles.

Ajuiciar. Hacer que otro tenga juicio.

Alar. Alero del tejado.

Alborotar. Perturbar hasta perder la cabeza.

Alcali. Hidróxido o base que resulta de la unión de un metal alcalino (especialmente sodio o potasio) o alcalinotérreo (sobre todo calcio) con el agua.

Alelado. Aturdido, trastornado.

Alentar. Restablecerse o aliviarse de una enfermedad.

Alfandoque. C. Instrumento músico de acompañamiento, hecho con un trozo de caña de bambú relleno de semillas secas y duras, que se sacude a compás.

Altico. Diminutivo. Sitio elevado en el campo, como collado o cerro.

Alustrado. De color parecido al de la nutria.

Angarillas. Armazón de cuatro palos clavados en cuadro, de los cuales penden unas bolsas grandes de redes de esparto, cáñamo u otra materia flexible que sirve para transportar en cabalgaduras objetos delicados.

Anisete. Licor compuesto de aguardiente, azúcar y anís.

* Llevan al lado una C los colombianismos.

Anón. Anona. Arbolito de unos cuatro metros de altura, que crece en zonas tropicales de América Central, América Meridional, Antillas y México.

Ansina. Arcaísmo. Así.

Aparta. C. Ganado destetado.

Aplanchar. Planchar.

Arepa. Pan o tortilla circular de masa de maíz, huevos y manteca, cocido en un plato o sobre una superficie caliente.

Arracacha. Planta del norte de América Meridional, de la familia de las umbelíferas, cultivada por su raíz tuberosa rica en fécula.

Arregazar. Recoger las faldas hacia el regazo.

Arretranca. Retranca. Correa ancha que llevan las bestias de tiro. Especie de freno.

Asoleada. Insolación.

Asoma. Ave común de Colombia.

Asomadero. Paraje desde el cual empieza a verse algún sitio o lugar.

Atarraya. Esparvel, red para pescar.

Atillo. C. Arca de cuero sin curtir en que los arrieros llevan sus ropas o víveres.

Atisba. C. Vigía, atalaya.

Atollarse. Atascarse.

Atramojar. Atraillar. Atar con traílla.

Azafate. Vasija en forma de taza, que sirve para lavarse la cara y las manos.

Azogada. Turbada, inquieta.

Azulejo. Nombre que en diversos países reciben varios pájaros por el color de su plumaje.

Badea. Fruto de una planta andina semejante a una granadilla grande.

Bagazal. Lugar en que se amontonan los bagazos, es decir, los residuos de las cosas que se exprimen fuertemente para sacar el licor o zumo, como de la caña de azúcar. Con el bagazo de la caña de azúcar se fabrica papel.

Baldar. Inutilizar.

Bambuco. C. Baile popular y tonada de este baile.

Bamburé. C. Sapo muy grande.

Baobab. Árbol del pan, del África tropical, cuyo tronco derecho mide de nueve a diez metros de altura y hasta diez metros de circunferencia.

Baquía. Voz haitiana. Habilidad, destreza; conocimiento práctico de las sendas, atajos, caminos, ríos, de un país.

Barbacoa. Andamio al que se suben los muchachos para guardar los maizales.

Barbear. C. Derribar una res, cogiéndola por el hocico y el testuz o
cuerno.

Bastidores. C. Celosías.

Batida. En la montería, acción de batir el monte para que las reses qu[e]
haya salgan a los puestos donde están esperando los cazadores.

Beaterío. Casa en que viven las beatas formando comunidad y siguiend[o]
alguna regla.

Bebeca. Albina.

Bejucada. Bejucal. Sitio donde se crían plantas sarmentosas o volubles
cuyos tallos leñosos, largos, flexibles y delgados se extienden por e[l]
suelo o trepan a otros vegetales espigados; son propios de las tierra[s]
intertropicales y se emplean para ligaduras a modo de cuerdas.

Biao. Bihao. Bijao. Planta amarantácea de los lugares húmedos y caliente[s]
de la región ístmica continental hasta el Ecuador, y de las Antillas
cuyas hojas, de hasta más de un metro de diámetro, verdes por la fa[z]
y blanquizcas por el envés, coriáceas y fuertes, parecidas por su form[a]
a las del plátano, se usan como envoltura y para hacer techos d[e]
ranchos. Llámase también hoja blanca, hoja de piedra y hoja de to[...]
hoja-to.

Biguare (o cueronegro). En Colombia, nombre vulgar de una planta silves[-]
tre de madera fibrosa y resistente, de cuyos tallos rectos, largos [y]
delgados se hacen palancas para la navegación fluvial.

Bimbo. C. El pavo común.

Bisoño. Nuevo e inexperto.

Bizarrote. Aumentativo. Bravo. Espléndido.

Blandón. Hacha de cera de un pabilo. Candelero grande, de amplia peana,
en que se ponen estas hachas.

Bodoquerazo. Aumentativo de bodoquera. Cerbatana o canuto para arroja[r]
proyectiles pequeños. El bodoque es una pelota o bola de barro hech[a]
en turquesa y endurecida al aire, como una bala de mosquete, la cua[l]
servía para tirar con ballesta de bodoques.

Boga. C. Remero.

Bolero. C. Faralá, volante ancho o arandela en el vestido femenino.

Bombillas. Cuentas de vidrio de un collar.

Boquerón. Abertura grande.

Boquirrubia. Presumida.

Bordón. Bastón o palo más alto que la estatura de un hombre, con un[a]
punta de hierro y en la cabeza unos botones que lo adornan.

Botadero. C. Lugar del río donde se toma el vado.

Botar. Arrojar, tirar; saltar.

Bozal. Decíase del negro nacido en África y recién traído como esclavo.

Bravo. Enojado, enfadado.

Buchada. Bocanada. Cantidad de líquido que de una vez se toma en la boca o se arroja de ella.

Buena. Sana.

Buenastardes. C. Planta de las grandes alturas, cuyas flores, de cuatro pétalos blancos, se abren al caer la tarde.

Bujío. C. Ave de la familia de pájaros fisirrostros nocturnos, con pico muy corto y plano, boca y cabeza muy anchas, de tamaño intermedio entre la alondra y el cuervo, plumaje blando, de color de corteza de árbol y patas cortas. Recibe también el nombre de gallina ciega.

Bunde. C. Un baile y canto de negros.

Cabezón. C. Remolino que forma el agua al pasar sobre las rocas.

Cabi-blanco. C. Belduque. Cuchillo grande que se lleva al cinto.

Cabrión. Bromista.

Cabrón. Macho de la cabra.

Cabuya. Planta americana, congénere del agave o pita. Produce la fibra del mismo nombre de uso industrial. Cuerda hecha de la fibra de este nombre, y, por extensión, cuerda en general.

Cacaotal. Plantío de cacaoteros o árboles del cacao.

Cachimbo. C. Nombre de varias plantas, arbustos y árboles de diversas familias y también de toda planta en general.

Cadillo. Nombre genérico de ciertas plantas tiliáceas que producen frutitos espinosos que se adhieren al vestido. Pelusilla volátil de ciertas plantas que se pega a la ropa.

Cafeto. Arbolillo del que se extrae el grano de café.

Cagüinga. C. Balancín, sillón mecedor. Paleta para agitar el aire, muy útil para avivar el fuego.

Calabazo. Vasija hecha con el fruto de la calabacera, por lo común grande, redondo y con multitud de pipas o semillas.

Calín. Calina. Accidente atmosférico que enturbia el aire y suele producirse por vapores de agua.

Cambalache. Trueque de objetos de poco valor.

Cambrún. C. Provincialismo propio del Cauca. Cierta clase de tela de lana, gruesa y tosca.

Candela. Fuego o lumbre en general.

Candelillas. Luciérnagas.

Candongas. C. Pendientes, arracadas, aretes muy grandes.

Cangalla. C. Persona enflaquecida; persona despreciable.

Canoa. Especie de artesa o cajón de forma oblonga, de una sola pieza, destinado a dar de comer a los animales y para otros usos.

Canónigo. C. Irascible, colérico.

Cansera. Tiempo perdido en algún empeño.

Cantera. Piedra labrada.

Cañabrava. Es el bambú de los géneros Bambusa y Guadua, muy abundante en las orillas de los ríos de América tropical; se emplea, principalmente, para setos, paredes y tejados de casas rústicas.

Caparrosa. Sulfato ferroso; la caparrosa azul es la que tiene cobre o sulfato hidratado de cobre.

Capellada. Remiendo que se coloca en la parte superior del calzado, que abraza el pie por encima.

Capisayo. C. Camiseta. Especie de ruana larga y estrecha. Vestidura corta a modo de capotillo abierto, que sirve de capa y sayo.

Carángano. Instrumento músico de los negros de los chocoes que hace las veces de bajo. Consiste en un trozo de bambú de dos metros y medio de longitud, con una cuerda a lo largo, hecha de la corteza, casi de la misma longitud, levantada sobre dos cuñas, que se golpea con un palillo.

Carate. Especie de sarna, tal vez importada de África con los esclavos negros, que se caracteriza por manchas y exfoliación de la piel. Enfermedad eruptiva del pie, frecuente en algunos puntos de América Central.

Caratoso. Que padece la sarna o tiña del carate.

Carbonero. Árbol de madera dura, compacta, blanquecina y correosa.

Carguío. Carga que se transporta.

Carrasca. C. Instrumento músico de negros, que consiste en un bordón con muescas que se raspa a compás con un palillo.

Carrizal. Sitio poblado de carrizos, hierbas vivaces, cundidoras, de gran resistencia, de la familia de las gramíneas. Se cría cerca del agua.

¡Carrizo! C. ¡Caramba!

¡Cáspita! Interjección con que se denota extrañeza o admiración.

Castrueras. C. Instrumento músico campestre; especie de caramillo rústico, como el que la fábula le atribuye al dios Pan. Llámase también comúnmente capador o castrapuercos.

Catanga. C. Canasta o cesta de mimbre empleada para pescar y otros usos, también llamada nasa.

Catar. Mirar, ver.

Catear. Catar. Buscar.

Cauri. Caracolillo marino de uno o dos y medio centímetros, blanco amarillento, de las islas Maldivas y costas del Oriente, que desde tiempo inmemorial servía en África de moneda y adorno.

Cáustico. Aplícase al medicamento que desorganiza los tejidos como si los quemase y produce una escara.

Cavalonga. Especie de amuleto.

Ceba. Alimentación abundante y esmerada que, para que engorde, se da al ganado, especialmente al que sirve para el sustento del hombre.

348

Cebadero. Lugar destinado a cebar animales.

Ceja. Parte superior o cumbre del monte.

Cencha. Traviesa en que se fijan los pies de las butacas, camas, etc.

Cerrera. Inculta, brusca, grosera.

Cidra. Fruto del cidro, semejante al limón, y comúnmente mayor, oblongo y, algunas veces, esférico; la corteza es gorda, carnosa y sembrada de vejiguillas muy espesas, llenas de aceite volátil, de olor muy agradable, y el centro, pequeño y agrio.

Cipote. C. Zonzo, bobo.

Coco. Fantasma que se figura para despertar el miedo en los niños.

Cocotero. Árbol de la familia de las palmas, cuyo fruto es el coco.

Cochada. C. Cochura, cocción.

Colación. Refacción de dulces, pastas y, a veces, fiambres, con que se obsequia a un huésped o se celebra algún suceso.

Coladera. Sumidero con agujeros. Cedacillo.

Coleta. Tela ordinaria de lino o de cáñamo. En Colombia, cañamazo.

Colgar. Quedarse atrás, retrasarse en una caminata en conjunto.

Comido. C. Enojado.

Compadrito. Diminutivo de compadre. Tratamiento que suele darse a los amigos y conocidos, y aun a los que se encuentran por casualidad en el camino.

Congola. C. Pipa de fumar ordinaria.

Contra. Contraveneno. Antídoto.

Contradanza. Baile de figuras, que ejecutan muchas parejas a un tiempo.

Conversa. Conversación, palique.

Cortijo. Posesión de tierra y casa de labor, de extensión notable y apartada de los núcleos de población.

Corral. Atajadizo o cercado que se hace en los ríos o en la costa del mar para encerrar la pesca y cogerla.

Correísta. C. Correo, en el sentido del que tiene por oficio llevar la correspondencia. Cartero.

Cotudo. Peludo.

Creída. Vanidosa, presumida.

Crencha. Cada una de las dos partes en que puede dividirse el cabello.

Crezneja. Soga o pleita de esparto u otra materia semejante.

Crujidas. Calamidad, apuro grande, penalidad, sufrimiento.

Cuadriles. Caderas.

Cuartago. Dícese del caballo que por naturaleza anda de paso portante. Caballo de mediano cuerpo.

Cucarachero. Pájaro insectívoro, de color leonado, con pintas blancas y negras, y de canto agradable, semejante al del ruiseñor.

Cucarrón. C. Escarabajo.

Cuchufleta. Dicho o palabras de chanza.

Cuchugos. C. Cuchubos. Par de cajas de cuero que, por lo común, se llevan en el arzón de la silla de montar con ropas y víveres.

Cueruda. Lerda.

Cuncuna. C. Especie de paloma silvestre.

Chacota. Bulla y alegría mezcladas de chanzas y carcajadas, con que se celebra alguna cosa. Burla.

Chagra. C. Chacra, pequeña finca rural.

Chagrero. C. Chacrero, dueño de una chagra o chacra.

Chamba. C. Zanja.

Chamberga. C. Cuerna, chifle.

Chambimbe. C. Árbol sapindáceo y su semilla muy negra y redonda. Llámase también jaboncillo y chumbimbo.

Chamuscar. C. Amoscarse, enfadarse mucho.

Chandoso. C. Sarnoso.

Chanzoneta. Broma.

Chapul. C. Algunos consideran que es una libélula o caballito del diablo; otros, una langosta. Chapulín.

Chicoleo. Dicho o donaire que se usa con las mujeres por galantería; requiebro, lisonja.

Chicharra. Cigarra.

Chilacoa. C. Especie de chochaperdiz, ave zancuda, muy común y abundante.

Chiminango. C. Árbol corpulento de las leguminosas, que abunda en el Cauca, llamado también tucuy, timuche, piche jumo, bobo, abracade, payandé y gallinazo. Su corteza, que contiene tanino, se emplea para adobar pieles.

Chisme. Baratija o trasto pequeño.

Chocar. Causar enfado, enojar.

Chonta. C. Nombre vulgar de una especie indígena de serpiente negra, de collar blanco, de la familia de la guascama. Debe este nombre a la semejanza de su piel con un tallo anillado de palmera.

Chontadura. Palmera de madera fuerte y dura, pero astillosa; se emplea en la fabricación de bastones y otros objetos de adorno por su hermoso color oscuro y jaspeado.

Chorros. C. Rápidos o caídas de los ríos.

¡Choto! Persona o animal a quien se mima o engríe.

Chusca. Que tiene gracia, donaire y picardía.

Damasco. Tela fuerte de seda o lana y con dibujos formados con el tejido.

Data de sal. C. Se llama así a la operación mediante la cual se reparte sal a las caballerías y al ganado vacuno.

Dehesa. Tierra, generalmente acotada y, por lo comun, destinada a pastos.

Dejativo. Que tiene cierto dejo o acento peculiar del habla.

Demontres. Demontre. Demonio.

Derribo. Terreno desmontado.

Derrumbo. Derrumbadero. Precipicio.

Desatentado. Sin tino ni concierto.

Descaspar. Quitar las ligeras quemaduras.

Desenraizar. Arrancar las raíces y los tocones de un terreno.

Desmanchar. C. Separarse de los demás con quienes se camina en compañía. Desmandarse. Desparramarse el ganado, saliendo de la manada o rodeo.

Desmañado. Falto de destreza y habilidad.

Despajar. C. Desfollonar, quitar a las plantas las hojas o vástagos inútiles. Aplícase, principalmente, a la caña de azúcar.

¡Diantre! Interjección familiar. ¡Diablo!

Diostedé. Especie de tucán, también llamado en Colombia diosdará.

Embromar. Hacer bromas. Chancear, molestar con bromas o majaderías.

Enanticos. Diminutivo del adverbio de tiempo antiguo "enantes" (antes). Es muy usado aún hoy por la gente de pueblo con el significado de "cuando".

Encocorar. Fastidiar, molestar con exceso.

Entromparse. C. Enfadarse, enojarse.

Enzurronada. C. Cazurra, socarrona, disimulada, bellaca.

Era. Cuadro pequeño de tierra destinado al cultivo de flores u hortalizas.

Escaño. Banco con respaldo para sentarse tres, cuatro o más personas.

Escura. Arcaísmo. Oscura.

Eslabón. Hierro acerado con que se saca fuego de un pedernal.

Esmeralda. C. Especie de insecto coleóptero de color verde y también una mariposa bellísima, del mismo color.

Espino (de mono). Nombre vulgar de muchos árboles y arbustos con espinas; se los distingue con diferentes apelativos (blanco, del señor, de mono, de oro, de playa, jiote, negro, real, rubial, ruco,santo).

Espolín. Diminutivo de espuela; espuela fija en el tacón de la bota.

Estantillos. C. Pilar delgado de madera dura y resistente; poste.

Fachendoso. Vanidoso, jactancioso.

Fanegada. Fanega de tierra; espacio de tierra en que puede sembrarse una fanega de caña.

Fantasioso. C. Valentón, bravucón.

Filática. C. Aplícase al caballo o a la mula mañera y caprichosa.

Filote. C. Jilote o elote; mazorca de maíz, cuyos granos no han cuajado aún.

Foete. Fuete, látigo, azote, rebenque.

Follao. C. Enaguas exteriores de muselina, un poco caídas hacia adelante, formando abajo del pecho una media luna, que se llama "tumbadillo", por donde se alcanza a ver las blanquísimas enaguas interiores.

Foramen. Agujero.

Frasquera. Aparador, estante o mueble para colocar frascos.

Fregar. Fastidiar.

Friega. C. Molestia, fastidio.

Friegaplato. C. Planta herbácea arborescente, llamada también chachafruto y arboloco. Friegaplatos.

Fufú. C. Comida vulgar hecha de plátanos, ñame o calabaza.

Fulo. Que no tiene el color bien fijo.

Fullero. Presumido.

Galápago. Silla de montar para señora.

Galindro. C. Travesaño que tiene la canoa a uno y otro extremo de su cavidad.

Gamuza. C. Chocolate con harina de maíz y azúcar sin refinar.

Garabato. Especie de gancho de palo o hierro.

Garlero. C. Parlero; el que habla mucho, sin intermisión y poco discretamente.

Garniel. Maletín o estuche de cuero; bolsa de cuero, especie de burjaca, pendiente del cinto y con varias divisiones.

Garoso. C. Glotón, hambriento.

Gaucho. C. Huérfano. Aplícase, principalmente, al ternero y al potrillo sin madre.

Gola. C. Especie de cuello plegado o fruncido que usan las mujeres.

Gozque. Nombre que se da en las antiguas crónicas al perro americano; perro pequeño y muy labrador.

Gradilla. Escalerilla portátil.

Gramal. Terreno cubierto de grama.

Granate. Piedra fina compuesta de silicato doble de alúmina y de hierro u otros óxidos metálicos. Su color varía desde el de los granos de granada hasta el rojo, negro, verde, amarillo, violáceo y anaranjado.

Gro. Tela de seda, sin brillo y de más cuerpo que el tafetán.

Guabita. Diminutivo de guaba; fruto del guabo.

Guabo. C. Guamo, árbol de la familia de las leguminosas, de ocho a diez metros de altura, con tronco delgado y liso, flores blanquecinas en espigas, con vello sedoso. Se planta para dar sombra al café.

Guacamaya. Ave americana de la familia de los papagayos, con pico muy grande, blanco por encima, negro por debajo, las sienes blancas, el cuerpo rojo sanguíneo, el pecho variado de azul y verde, las plumas grandes, exteriores de las alas muy azules, los encuentros amarillos, y la cola muy larga y roja, con las plumas de los lados azules. El Diccionario de la Real Academia Española registra guacamayo.

Guaco. Bejuco de tallos de quince a veinte metros de largo, propio de la

América intertropical. El cocimiento de sus hojas se considera de singular virtud contra el efecto de las picaduras de animales venenosos, las obstrucciones, el reumatismo y el cólera.

Guacharaca. C. Ave gallinácea.

Guadalito. C. Diminutivo de guadal, sitio poblado de guaduas.

Guadua. C. Especie de bambú americano; gigantesca gramínea de tallo arbóreo de hasta veinte centímetros de grosor y veinte metros de altura, con cañutos de unos cincuenta centímetros, llenos de agua.

Guadual. C. Sitio poblado de guaduas.

Guala. C. Ave rapaz negra, especie de buitre, más conocida por gallinazo.

Gualte. C. Palmera silvestre de tronco liso, con el cual los indios hacen un tambor llamado canuno.

Guambía. C. Especie de mochila hecha de cabuyas.

Guanábano. C. Papanatas, zopenco.

Guango. C. Racimo de bananas.

Guascama. C. Víbora de piel negra con collar blanco.

Guásimo. Olmo americano.

Guatín. C. Mamífero roedor.

Guayabal. Terreno poblado de guayabos, árboles propios de la región intertropical del continente americano. Con su fruta se elabora el dulce conocido por guayaba.

Guayacán. Árbol típico de la América tropical, de madera preciosa de color negruzco y muy dura.

Guía. C. Gamarra del caballo. Correa de poco más de un metro de longitud, que partiendo de la cincha pasa entre los brazos del caballo, se asegura en el pretal de la silla y llega a la muserola, donde se afianza.

Guinea. Hierba de Guinea. Planta de la familia de las gramíneas, muy apreciada para pasto del ganado, especialmente caballar; se propaga con facilidad en las regiones tropicales.

Guineo. Variedad de banano exótico de fruto pequeño, cilíndrico y de pulpa muy dulce.

Guión. El que va adelante y sirve de guía.

Gurrí. C. Pavo silvestre propio de Colombia; gallinácea de color negro.

Hacienda. Finca agrícola.

Halar. C. Tirar hacia sí de una cosa; hacer fuerza para traerla hacia sí.

Hartón. C. Especie de plátano grande, el de mayor tamaño que se produce y que, a veces, alcanza como medio metro de longitud.

Herrón. C. Hierro o púa del trompo o peón.

Higa. Dije en forma de puño.

Hobo. Jobo, nombre antillano del ciruelo.

Horrar. C. Dícese de la yegua cuando se le muere la cría.

Hozar. Mover y levantar la tierra con el hocico; lo que hacen el puerco y el jabalí.

¡Hu turutas! C. Interjección campesina que denota desaprobación o impaciencia.

Indina. Bribona, picarona, traviesa.

Individual. C. Idéntico.

Iracal. C. Plantío de iracas o plantas de cuyas fibras se hacen sombreros como los de jipijapa.

Irlanda. Cierta tela fina de lino.

Jagua. Arbol rubiáceo, tintóreo, de la América intertropical, de madera fuerte y elástica, muy usada para cabos de hacha y demás instrumentos de labranza; su fruto agridulce es comestible.

Jaque. Valentón, perdonavidas.

Jigra. C. Especie de sarria, red de cabuya para transporte.

Jigua. C. Nombre que se da a varias especies de árboles de madera fina, aún no bien definidas en botánica.

Jilo. C. Adverbio que significa "inmediatamente".

Jipijapa. Planta americana, de cuyas fibras más finas se hacen los sombreros de su mismo nombre, llamados también de Panamá. El centro de esta industria vernácula es Jipijapa, en Ecuador, pero se la practica también en otros lugares de este país, Colombia y Panamá.

Jotico. C. Diminutivo de joto, maleta, lío.

Judas. Traidor, por alusión a Judas Iscariote, por quien Jesús fue vendido alevosamente a los judíos.

Juga. C. Canción de boteros.

Lacrado. Dícese del animal que tiene lacras o costras que se forman en una herida o llaga o del que presenta una deformidad visible.

Lajero. C. Dícese del perro muy resistente en la carrera; perro de alcance.

Lambido. C. Descarado, sinvergüenza, presumido.

Lejía. Líquido alcalino que se emplea para lavar la ropa y para otros usos.

Linón. Tela de hilo muy ligera, clara y fuertemente engomada.

Lío. Porción de ropa o de otras cosas atadas.

Listado. Tela liviana de algodón con listas azules y blancas de que suele hacer sus vestidos la gente humilde en las regiones cálidas. También se denomina listadillo.

Litis. Lite. Pleito, litigio judicial.

Lomillo. Labor de costura o bordado hecha con dos puntadas cruzadas.

Luengas. Adjetivo muy usado en poesía. Largas.

Lulo. C. Planta herbácea con cuyo fruto se preparan bebidas refrescantes.

Lunática. Malhumorada.

Mácula. Engaño, trampa.

Machetona. C. Navaja grande de viaje.

Macho. Mulo.

Madroño. C. Arbusto rubiáceo espinoso de fruto comestible.

Maguey. Nombre genérico del agave o pita. Se utiliza, especialmente, para extraer el pulque, para la obtención de fibra y destilación de alcohol.

Mala. Enferma.

Malambo. Árbol-arbusto de corteza aromática y amarga, usada en medicina.

Mamey. Árbol resinoso americano, llamado también albaricoquero o damasco americano, que crece hasta quince metros de altura. Con la pulpa de sus frutos se hacen dulces y una especie de vino. Las flores se usan en perfumería y la madera es dura y resistente.

Manatí. Látigo hecho con la piel de este mamífero herbívoro, pisciforme, de tres metros de largo, que se encuentra en el mar de las Antillas y en las aguas dulces de la costa oriental del continente americano.

Mandinga. El diablo.

Mandul. C. Un árbol de las araliáceas y su fruto.

Maneta. C. Cuadrúpedo de pies deformes.

Mango. Árbol originario de la India y muy propagado en la América intertropical, de fruto aromático y sabroso.

Mangón. C. Potrero o dehesa.

Manguita. C. Diminutivo de manga. Corral, potrero.

Manta. C. Tela ordinaria de algodón de la industria nacional.

Manumiso. Esclavo al que se le ha dado la libertad.

Marimba. Instrumento músico de percusión, especie de xilófono primitivo.

Matamba. Palmera trepadora, de tallo nudoso y espinoso.

Maula. Cosa inútil y despreciable. Cobarde, incapaz de afrontar una situación peligrosa.

Maulona. Aumentativo de maula. Perezosa.

Mayal. Palo del cual tira la caballería que mueve los molinos de aceite, tahonas y malacates.

Mecha. C. Mercadería de poco valor, baratija. Broma.

Mechosa. C. Haraposa, andrajosa.

Medalla. C. Onza de oro.

Melado. Dícese del caballo blanco con reflejos plateados o del color de la miel, con ojos negros y la piel negra con manchitas.

Mezquinar. C. Librar a una persona de un castigo, defenderla.

Milpesos. C. Palma oleaginosa.

Mística. C. Remilgada, afectada.

Mocho. C. Rocín, caballo medio inservible.

Molendero. Animal que muele o lleva qué moler a los molinos.

Moler. Exprimir la caña de azúcar en el trapiche. Cansar, fatigar.

Monada. Monería, gesto, ademán o acción graciosa.

Montarrón. C. Selva extensa.

Montuna. Rústica, montaraz.

Mórbido. Delicado, suave.

Mortiño. Planta leñosa andina.

Mosqueta. Rosal con tallos flexibles, muy espinosos, de tres o cuatro metros de longitud. Sus flores son blancas, pequeñas, de olor almizclado, con panojas espesas y terminales.

Mote. Comida frugal hecha con maíz desgranado y cocido con sal.

Muesca. Concavidad o`hueco que hay o se hace en una cosa para encajar otra.

Muleta. Mula de poca edad, generalmente cerril. Lo mismo significa *muleto.*

Murciélaga. Bruja.

Nacedero. C. Planta a la cual se atribuyen propiedades medicinales contra la viruela.

Naguare. Nombre que dan en Colombia a un árbol grande de las selvas.

Natilla. C. Plato regional hecho con maíz cocido, molido y colado, leche y azúcar.

Negro. Pez del mar de las Antillas.

Novillona. C. Vaquillona.

Nuche. C. Cierta larva de insecto que se introduce en la piel de los animales.

Ñanga. C. En vano, inútil.

Ñapanga. C. Mestiza, mulata. Proviene del quichua (llapanku o llapangu) y significa descalzo, sin zapatos.

Oficio. Ocupación habitual.

Oficiosa. Hacendosa.

Ojear. Aojar; hacer mal de ojo.

Ominosa. De mal agüero.

Ondina. Ninfa, ser fantástico o espíritu elemental del agua, según algunas mitologías.

¡Opa! ¡Hola!

Orejero. Desconfiado, receloso, malicioso.

Ovachona. Dícese de la mula que se ha puesto gorda y barriguda a causa de excesiva o inadecuada alimentación y falta de ejercicio, y que, por lo mismo, en cuanto trabaja suda mucho.

Pacatica. Diminutivo de pacata. De condición pacífica, tranquila y moderada.

Pajarero. C. El muchacho que ahuyenta los pájaros de los sembrados.

Pajón. Hierba silvestre de las gramíneas, especie de esparto fino, pero sin la consistencia de éste y de muy poco alimento para el ganado.

Palanca. Pértiga o palo para impulsar la embarcación.

Palenque. Valla de madera o estacada que se hace para cerrar un terreno.

Paletón. C. Tucán.

Pambil. C. Nombre vulgar que se da a las palmeras silvestres. Palma más pequeña que la real, pero con tronco esbelto y follaje ancho. Los troncos se usan en construcción, enteros o en tablas.

Pampanilla. Taparrabo.

Pampear. Palmear; dar palmadas a una persona en la espalda.

Panchada. C. Especie de loro del país.

Pancho. C. Tela de algodón parecida a la zaraza, comúnmente de fondo azul y pintas blancas.

Pandebono. C. Cierto pan de consumo ordinario.

Panela. C. Azúcar mascabado en panes circulares como cono truncado de muy poca altura, sin purificar, ni clarificar. Es el dulce usado por la gente pobre en lugar de azúcar. A veces, es muy blanca, de blanco amarillento pálido y, otras veces, muy negra. En ocasiones se hace agregando a la miel anís o nuez, como verdadera golosina.

Paparote. C. Vulgarismo colombiano por gorrión.

Papayuelo. Papaya. Árbol de madera blanda que alcanza unos siete metros de altura. Sus frutos, de pulpa carnosa, son parecidos a melones, de color amarillo de oro, y de unos nueve kilogramos de peso.

Parihuela. Artefacto compuesto de dos varas gruesas como las de la silla de manos, pero más cortas, con unas tablas atravesadas en medio, en el cual colocan el peso o carga para llevarla entre dos.

Patacón. Antigua moneda de plata de varios países.

Patas. Patillas o el diablo.

Paují. Ave americana de las gallináceas, del tamaño de un pavo, plumaje negro y lustroso con manchas blancas en el vientre y en la extremidad de la cola y pico grande y grueso que tiene encima un gran tubérculo ovoide, de color azulado y duro.

Peana. Base, apoyo o pie para colocar encima algún objeto.

Pegadura. C. Engaño, burla.

Peinetilla. C. Diminutivo de peineta. Peine común que tiene dos clases de dientes, gruesos y delgados.

Peje. Hombre astuto, sagaz e industrioso. Pez.

Pela. Azotaina, zurra de azotes.

Pelárselas. Expresión con que se da a entender que uno apetece o ejecuta una cosa con vehemencia, actividad o eficacia.

Pellar. C. Uno de los nombres del chorlito. También una especie de alcaraván de alas blancas y negras, patas largas y rojas, y el cuerpo de color ceniza.

Perico. Papagayo de unos veinticinco centímetros de altura. Es fácilmente domesticable y aprende bien a hablar.

Pestorejo. Exterior de la cerviz.

Pial. El lazo o soga con que se enlazan las patas delanteras de la res para hacerla caer.

Picada. Enojada.

Picador. El que tiene el oficio de domar y adiestrar caballos.

Picar. Enojar y provocar a otro con palabras o acciones. Ofenderse, enfadarse a causa de alguna acción ofensiva.

Pilón. Piedra grande, pendiente de los huesillos, en los molinos de aceite o en los lagares, que sirve de contrapeso para que la viga apriete.

Pinicos. Pinitos. Primeros pasos que dan los niños.

Pintón. Dícese del racimo de uvas cuyos granos van tomando color.

Piñuela. Nuez o fruto del ciprés. Planta que se emplea mucho para hacer setos rústicos en lindes de heredades, en tierra caliente, en los trópicos. Sus frutos y hojas tiernas se comen cocidos.

Piquicaliente. C. Boquirroto, hablador, charlatán.

Piragua. Embarcación larga y estrecha, mayor que la canoa, hecha, generalmente, de una sola pieza o con bordas de tablas o cañas, que navega a remo y vela.

Pisamo. Árbol de las leguminosas. En Colombia, uno de los nombres vulgares del búcare o coral.

Pistón. Parte o pieza central de la cápsula, donde está colocado el fulminante.

Plátano. Banano.

Playear. C. Andar o pasear por la playa o por la orilla del río.

Poción. Líquido compuesto que se bebe, especialmente el medicinal.

Pomarroso. C. Árbol exótico de las mirtáceas, cuyo fruto recibe el nombre de manzana rosa; es de color amarillento con partes rosadas, sabor dulce, olor a rosa y una sola semilla.

Porcia. C. Porción pequeña. Gran cantidad.

Porte. El que conduce o lleva de una parte a otra una cosa por el porte o precio convenido o señalado.

Posta. Bala pequeña de plomo, mayor que los perdigones, que sirve de munición para cargar las armas de fuego.

Potrero. Finca rústica cercada y destinada principalmente a la cría o al engorde del ganado.

Poyo. Banco que ordinariamente se fabrica arrimado a las paredes, junto a las puertas de las casas, en los zaguanes y otras partes.

Primavera. Ave de paso.

Pringamoza. C. Nombre común de varias plantas cuya pelusa produce irritación en la piel.

Punta. Cantidad apreciable de algo, número considerable de personas o cosas.

Quebrada. Por antonomasia, arroyo o riachuelo que proviene de una quebrada.

Quiebra. Hendedura o abertura de la tierra en los montes, o la que causan las demasiadas lluvias en los valles.

Quincha. Trama de paja, junco, etc., con que se afianza un techo o pared de un rancho u otra construcción rústica y que va atada sobre armazón de ramas o cañas.

Quingueada. Zigzagueante.

Rabiahorcado. Rabihorcado. Nombre que se da en Colombia a una planta de hojas parecidas a las del plátano, usadas para techar, y de las cuales se extrae buena fibra.

Rabo de zorro. Se da este nombre, con diversos aditamentos, según el caso, a numerosas plantas americanas que se parecen en algo al rabo o cola de un animal. Rabo de zorro o zorra es el nombre vulgar de una gramínea, llamada también carricera.

Rambla. Suelo por donde las aguas pluviales corren cuando son muy copiosas. Terreno arenoso.

Ramonear. Pacer los animales las hojas y puntas de las ramas de los árboles, ya sean cortadas antes o en pies tiernos de poca altura.

Rancio. Antiguo.

Ranchada. Canoa con techo de hojas y ramas, llamado rancho.

Ranchar. C. Obstinarse.

Ranga. C. Rocín, matalón.

Rapadura. C. Azúcar mascabado, es decir, el de caña, de segunda producción.

Raspón. C. Sombrero rústico, de palma o paja, que usan los campesinos.

Rastrojo. En Colombia, bosque de arbustos. Residuo de las cañas de la mies que queda en la tierra después de segar.

Rayar. C. Espolear el caballo. Refrenar el jinete repentinamente el caballo en plena carrera, lo cual hace que el animal para detenerse gire sobre sus patas traseras, rayando el suelo con los cascos.

Real. Nombre que se daba a algunas monedas de plata en varios países americanos.

Rebotación. C. Derrame de bilis u otros humores.

Refrescar. Tomar fuerzas, vigor o aliento.

Rejo. C. Soga, correa; tira de cuero crudo.

Remache. C. Tenacidad.

Repisado. Apisonado.

Repostada. Contestación irrespetuosa, violenta o grosera.

Repostería. Pequeña despensa o alacena de la cocina donde se guardan provisiones, comidas, dulces.

Retinto. De color castaño muy oscuro con cabos más intensos o negros, como si se lo hubiera teñido dos veces.

Retobo. C. Desecho, cosa inútil.

Reventón. Cuesta muy pendiente y dificultosa de subir.

Revestir. Poner a contribución, en trance difícil, aquella energía del ánimo que viene al caso.

Revuelta. C. Escarda, desyerba.

Ringlete. Persona que anda inquieta y ligera de acá para allá.

Rosilla, rosillo. Dícese de la caballería cuyo pelo está mezclado de blanco, negro y castaño.

Roza. Terreno rozado y limpio de las matas que naturalmente cría, para sembrar en él. Hierbas o matas que se obtienen de rozar un campo.

Ruana. C. Especie de capote de monte o poncho.

Rucio. Aplícase a las bestias cuyo pelaje es de color pardo claro, blanquecino o canoso.

Runfla. Serie de varias cosas de una misma especie.

Sábana. Paño de enjugarse, toalla.

Sacatín. C. Alambique para destilar.

Sancocho. Guiso de carne, suculento, con caldo, verduras y legumbres; especie de puchero criollo, poco condimentado.

Sanguaza. Sangraza. Líquido de color de la sangre acuosa.

Sentina. Cavidad inferior de la nave, que está sobre la quilla y en la que se reúnen las aguas que, de diferentes procedencias, se filtran por los costados y cubierta del buque, de donde son expulsadas después por las bombas.

Sequía. C. Sed.

Serere. C. Ladrón.

Sesgo. Quieto, pacífico, sosegado.

Sesteadero. Paraje sombrío, donde se recoge el ganado para descansar y librarse de los rigores del sol.

Siempreviva. Nombre vulgar que se da a varias plantas americanas afines de la europea.

Siete-cueros. C. Nombre que se da a dos especies de plantas de las melastomáceas: una cultivada en jardinería y la otra, un arbusto andino de hermosas flores.

Socobe. C. Vasija hecha de la calabaza de la planta cucurbitácea Lagenarie vulgaris.

Soche. C. Cuero curtido y sin pelo de cordero, chivo o venado.

Tabardillo. Forma de fiebre aguda y grave que se confunde con el tifus. Familiarmente, insolación.

Taco. Rollo de cuerda.

Tagua. Especie de palmera, de semillas grandes de las que se obtiene el marfil vegetal.

Taita. Además de la raíz latina *tata*—padre, esta voz tiene en América una raíz guaraní, taitá, con el mismo significado. En general, es tratamiento de cariño que se da al padre de la familia y también a otras personas respetables.

Talanquera. C. Cerca de cañas entretejidas en forma de X y con latas largas puestas horizontalmente.

Tamaña. Muy grande.

Tamarindo. Árbol originario de Asia, de tronco grueso, elevado y de corteza parda, copa extensa y flores amarillentas en espiga y fruto en vainillas pulposas de una sola semilla. Se cultiva en los países cálidos (Antillas); con su fruto se prepara la conocida pasta, llamada pulpa de tamarindo, que, mezclada con azúcar, se bebe en refresco excelente.

Tambarria. C. Acción de maltratar o acosar con insistencia.

Tapado. C. Comida que preparan los indios con banana y carne y asan en un hoyo hecho en la tierra.

Tasajuda. C. Larguirucha, alta y delgada.

Temático. Impropiamente, en Colombia, que tiene la mala costumbre de emitir juicios temerarios.

Tembo. C. Aturdido, bobo.

Terciada. Atravesada diagonalmente o al sesgo.

Testa. Cabeza.

Tetillal. C. Lugar donde abunda la tetilla o naranjilla, también llamada chiche, pichichío, toronjilla o toronjo.

Tibante. C. Altanero, erguido, orgulloso.

Tibar. Oro puro.

Tirada. Discurso o exposición verbal, extensa y fastidiosa.

Titiribí. C. Pájaro cantor, que en otras partes llaman cardenal.

Tocado. Aseo.

Tolda. C. Toldo, especie de carpa hecha de cueros y palos o de ramas y juncos.

Toldar. C. Acampar en una tolda en el campo.

Tomineja. Colibrí. Dícese también tominejo.

Tranca. C. Encañizada, atajadizo que se hace en los ríos, lagunas o aguas costeras del mar con fines de pesca. Palo grueso y fuerte.

Trapiche. Ingenio de azúcar.

Trasquilar. Cortar el pelo a trechos, sin orden ni arte.

Trasto. Objeto inútil que sólo sirve de estorbo y embarazo.

Tratante. El que se dedica a comprar géneros para revenderlos.

Trocha. Atajo o camino angosto y excusado. En Colombia, trote o paso castellano.

Trova. Composición métrica escrita, generalmente, para canto.

Tulpa. Cada una de las piedras que forman el fogón rústico.

Tumbadillo. C. Caída que forman las enaguas exteriores.

Tunar. Andar vagando en vida holgazana y libre.

¡Tuso! C. Picoso, cacarañado, picado de viruela. Pelón, trasquilado a ras.

Vacada. Conjunto de ganado vacuno con que negocia un ganadero.

Valetudinario. Enfermizo, delicado, de salud quebrada.

Vaqueta. Cuero de ternera, curtido y adobado, pero suave.

¡Velay! Interjección que se usa para denotar extrañeza o admiración, y también para confirmar o apoyar un dicho o hecho. En Colombia se usa por: eso no, no tal, no faltaba más.

Veleta. Persona inconstante, fácil y mudable.

Venado. Nombre genérico que se da al macho de varias especies de cérvidos americanos.

Ventear. Tomar algunos animales el viento con el olfato.

Ventosa. Vaso o campana, comúnmente de vidrio, que se aplica sobre una parte cualquiera de los tegumentos, después de haber enrarecido el aire en su interior quemando una cerilla.

Venturosa. C. Planta de las verbenáceas.

Vereda. Vía pastoril para los ganados trashumantes. Camino angosto formado comúnmente por el tránsito de ganados.

Verrugosa. C. Serpiente venenosa y agresiva.

Vido. Arcaísmo. Vio.

Volatería. Conjunto de diversas aves.

Yarumo. C. Arbol de la familia de las araliáceas con hojas grandes digitadas, flores blancas en umbela y madera floja. Las hojas son medicinales.

Yerbabuenales. Lugares poblados de hierbabuena, planta herbácea perenne, medicinal.

Yuca. Mandioca.

Yugo. C. Nombre vulgar que se da a cierto guiso típico regional.

Zafar. Esconderse o escaparse para evitar un encuentro o riesgo.

Zamarros. C. Especie de zahones usados por los campesinos para montar a caballo, hechos por lo común de piel o de caucho, divididos en dos perniles abiertos que llegan a media pierna y se sujetan con correas o lazos por detrás de cada muslo.

Zamba. Hija de negro e india o indio y negra.

Zampar. Dar, asestar. Arrojar una cosa a la cara de otro.

Zancudo. Mosquito.

Zaragoza. C. Planta medicinal, silvestre, llamada también sombrerito.

Zaraza. Tela de algodón, muy ancha, tan fina como la holanda y con listas de colores o con flores estampadas sobre fondo blanco, que se traía de Asia y era muy estimada en España.

Zorral. C. Importuno, cargante, displicente, terco, porfiado.

¡Zumba! C. Zurra, tunda. Interjección que se usa para espantar a los perros.

Zumbo. C. Vasija hecha del epicarpio de la calabaza o del mate, partido de través. En otras partes de Colombia se denomina *catabro.*

Zurumbático. Lelo, pasmado, aturdido, atolondrado, sobre todo, por efecto del alcohol, medio borracho.

ALGUNAS EDICIONES DE "MARÍA"

Anderson Imbert, Enrique. Estudio preliminar de *María*, de Jorge Isaacs, Fondo de Cultura Económica, 1ª edición, México, 1951.

Armani, Horacio. Introducción, notas y vocabulario de *María*, de Jorge Isaacs, Editorial Troquel, S. A., 1ª edición, Buenos Aires, 1972.

Caillet-Bois, Julio. Presentación de *María*, de Jorge Isaacs, Editorial Universitaria de Buenos Aires, 4ª edición, 1969.

Giusti, Roberto F. Prólogo de *María*, de Jorge Isaacs, Editorial Losada, S. A. 3ª edición, Buenos Aires, 1969.

Isaacs, Jorge. *María. Novela americana*, Garnier Hermanos Libreros-Editores, 10ª edición, París.

— *María. Novela americana*, Editorial Sopena Argentina, S. A., 7ª edición, Buenos Aires, 1960.

Marín, Marta, y de Ramón, Zulema M., Introducción, notas y vocabulario de *María*, de Jorge Isaacs, Editorial Huemul, S. A., 5ª edición, Buenos Aires, 1975.

Rivera, Angel. Estudio preliminar y notas de *María*, de Jorge Isaacs, Editorial Kapelusz, S. A., 2ª edición, Buenos Aires, 1965.

Sartori, Eduardo J. Estudio introductorio y notas explicativas de *María*, de Jorge Isaacs, Editorial Apis, Rosario de Santa Fe, 1967.

Villanueva, Alberto. Introducción, notas y vocabulario de *María*, de Jorge Isaacs, Editorial Difusión, S. A., 3ª edición, Buenos Aires, 1975.

BIBLIOGRAFÍA GENERAL

Cahn, Alfredo, *Goethe, Schiller y la época romántica*, Editorial Nova, Buenos Aires, 1960.

Chateaubriand, *Atala*, Editorial Sopena Argentina S. R. L. 3ª edición, Buenos Aires, 1945. Traducción directa del francés de Juan Agustín Gigena.

Díaz-Plaja, Guillermo, *Introducción al estudio del Romanticismo español*, Editorial Espasa-Calpe, S. A., 3ª edición, Madrid, 1967.

Echeverría, Esteban, *Prosa literaria*, Ediciones Estrada, Buenos Aires, 1955.

Garrido Pallardó, F., *Los orígenes del Romanticismo*, Editorial Labor, S. A., Barcelona, 1968.

Lamartine, Alfonso de, *Graziella*, Editorial Espasa-Calpe S. A., Buenos Aires, 1948. Traducción del francés de Juan José Llovet.

Melián Lafinur, Álvaro, *El Romanticismo literario*, Editorial Columba, 3ª edición, Buenos Aires, 1964.

Riquer, Martín de; Valverde, José María, *Historia de la literatura universal*, Tomo 3, Editorial Planeta, S. A. 4ª edición, Barcelona, 1973.

Saint-Pierre, Bernardino, *Pablo y Virginia*, Editorial Espasa-Calpe, S. A. 4ª edición, Madrid, 1967. Traducción de Luis Cernuda.

Tieghen, Paul Van, *El Romanticismo en la literatura europea*, Unión Tipográfica Editorial Hispano Americana, México, 1958. Traducción al español y notas adicionales por José Almoina.

BIBLIOGRAFÍA ESPECIAL

Anderson Imbert, Enrique, "El Romanticismo de Isaacs", en *La Nación*, Buenos Aires, 14 de diciembre de 1947.

——*Historia de la literatura hispanoamericana*, Tomo I, Fondo de Cultura Económica, 6ª edición, México, 1967.

Bazin, Robert, *Historia de la literatura americana en lengua española*, Editorial Nova, S. A., 3ª edición, Buenos Aires, 1967.

Carilla, Emilio, *El Romanticismo en la América Hispánica*, Tomos I y II, Editorial Gredos, S.A., 2ª edición, Madrid, 1967.

Franco, Jean, *Introducción a la literatura hispanoamericana*, Monte Ávila Editores C. A., Caracas, Venezuela, 1970. Versión castellana: Francisco Rivera.

Goic, Cedomil, *Historia de la novela hispanoamericana*, Ediciones Universitarias de Valparaíso, Universidad Católica de Valparaíso, Chile, 1972.

Henríquez Ureña, Pedro, *Historia de la cultura en la América Hispánica*, Fondo de Cultura Económica, 7ª edición (Colección Popular), México, 1964.

——*Las corrientes literarias en la América Hispánica*, Fondo de Cultura Económica, 3ª reimpresión, México, 1969. Traducción al español de Joaquín Díez-Canedo.

Isaacs, Jorge, *Poesías*, Igon Hnos. Libreros-Editores, Buenos Aires, 1877.

——*Poesías completas*, Editorial Claridad, Buenos Aires.

Lazo, Raimundo, *Historia de la literatura hispanoamericana. El siglo XIX (1780-1914)*, Editorial Porrúa, S. A. México, 1967.

Sánchez, Luis Alberto, *Historia comparada de las literaturas americanas*, Tomo II, Editorial Losada, S. A., Buenos Aires, 1973.

Sanín Cano, Baldomero, *Letras colombianas*, Fondo de Cultura Económica, 1ª edición, México, 1944.

Suárez-Murias, Marguerite C., *La novela romántica en Hispanoamérica*, Hispanic Institute in the United States, Nueva York, 1963.

Torres-Ríoseco, Arturo, *La gran literatura iberoamericana*, Emecé Editores, S. A., 2ª edición, Buenos Aires, 1951.

FUENTES DE LAS NOTAS

Baralt, Rafael María, *Diccionario de galicismos*, Joaquín Gil, Editor, 1ª edición, Buenos Aires, 1945.

Diccionario Enciclopédico Abreviado, Editorial Espasa-Calpe, S. A., 7ª edición, Madrid, 1957.

Neves, Alfredo N., *Diccionario de americanismos*, Editorial Sopena Argentina, S. A., 2ª edición, Buenos Aires, 1975.

Real Academia Española, *Diccionario de la lengua española*, Editorial Espasa-Calpe, S. A., 19ª edición, Madrid, 1970.

Santamaría, Francisco J., *Diccionario general de americanismos*, Tomos I, II y III, Editorial Pedro Robredo, 1ª edición, México, D. F., 1942.

Seco, Manuel, *Diccionario de dudas y dificultades de la lengua española*, Aguilar S. A. de Ediciones, 7ª edición, Madrid, 1976.

Varios autores, *Maravillosa Colombia*, Círculo de Lectores, S. A., Barcelona, 1975.

La EDITORIAL KAPELUSZ S.A. dio término a la séptima tirada de la tercera edición de esta obra, que consta de 6.000 ejemplares, en el mes de febrero de 1985, en los Talleres Gráficos Ripari S.A., Juan Gregorio Lemos 246, Buenos Aires.

K — 19.815

Biblioteca

GRANDES OBRAS DE LA LITERATURA UNIVERSAL